国学经典

管 子

姚晓娟　汪银峰　注译

中州古籍出版社

管 子

千篇

前言

管仲，名夷吾，字仲，春秋初期著名的政治家、改革家。早年经商，公元前685年为齐卿。为政期间，辅佐桓公"通货积财，富国强兵"，同时"贵轻重，慎权衡"，终于成就了齐桓公的霸业。《管子》旧题为管仲所撰，但前人对此早已提出各种疑问，如宋朱熹就认为《管子》"非管仲所著"，另《四库全书总目提要》云："今考其文，大抵后人附会，多于仲之本书。其他姑无论，即仲卒于桓公之前，而篇中处处称桓公，其不出仲手，已无疑义矣。"它大约是战国及其后的一批零碎著作的总集。通观《管子》全书，其思想相当驳杂，难怪《汉书·艺文志》将其列为道家，而《隋书·经籍志》又将其列为法家。事实上，全书还不乏兵家、纵横家、农家、阴阳家、儒家之言。由此可见，《管子》一书乃是内容包罗万象，论证细密充畅，既博采众长，又以王霸论为核心的杂著，并非一时一人之作。正因为此，该书才有"简篇错乱，文字夺误"之弊，然而这并不影响《管子》作为先秦两汉诸子论著中"奇文"地位，甚至有学者认为"先秦诸子之博大精深，无出其右者，孔孟老庄申韩荀墨所不及也"。不仅如此，该书对于后人研究管子的思想，亦具有宝贵的史料和学术价值。

作为中华文化史上的一朵奇葩，《管子》对后世的影响是极为深远的，古代文献提及《管子》之处颇多，如《韩非子·五蠹》："今境内之民皆言治，藏商、管之法者家有之。"司马迁著《史记》时曾"读管氏《牧民》、《山高》、《乘马》、《轻重》、《九府》……其书世多有之。"可见其成书之早，流传之广。至汉成帝时，刘向搜集史料，勘定文字，删繁就简，编定《管子》共86篇，今本实存76篇，其余10篇仅存目录。《管子》76篇，可划为分属不同体裁的八大类：《经言》9篇，《外言》8篇，《内言》7篇，《短语》17篇，《区言》5篇，《杂篇》10篇，《管子解》4篇，《管子轻重》16篇。全书内容相当丰富，正如著名史学家罗根泽在《管子探源》中指出："《管子》八十六篇，今亡者才十篇，在先秦诸子，衰为巨轶，远非他书所及。《心术》、《白心》诠释道体，老庄之书未能远过；《法法》、《明法》究论法理，韩非《定法》、《难势》未敢多让；《牧民》、《形势》、《正世》、《治国》多政治之言；《轻重》诸篇又多为理财之语；阴阳则有《宙合》、《侈靡》、《四时》、《五行》；用兵则有《七法》、《兵法》、《制分》；地理则有《地员》；《弟子职》言礼；《水地》言医；其他诸篇亦皆率有孤诣。各家学说，保存最多，诠发甚精，诚战国秦汉学术之宝藏也。"

《管子》思想体系的理论基础是哲学，提出了精气为万物本原的朴素唯物主义精气说，管仲学派认为，精气是构成万物的最小颗粒，又是构成无限宇宙的实体，说明了世界的物质性。

《管子》的政治思想是战国以来民本思想的继承和发展，主要以顺民心、利民生为原则，指出"夫霸王之所始也，以人为本，本理则国固，本乱则国危"（《霸言》）。在具体安邦治国的方略上，《管子》设计了一整套国家基本管理体制和制度。如乡里制度的设置，可以看做秦郡县制的先声，影响广泛，意义深远。

《管子》还是一部优秀的军事著作，首次提出商利战，以此制服别国。此外还非常重视用兵的谋略和智慧，尤其强调对士兵的训练和兵器的重要性，这些都足以显示管仲学派在军事研究领域的非凡造诣。

《管子》思想的核心之处在于它的政治经济理论。举凡农、工、商业、财政货币、价格理论、消费学说，几乎都有涉及，可谓内容多而范围广。提出了"凡治国之道，必先富民"的民生主义思想。在具体方略上，《管子》主张盐铁官营，铸造货币，掌控粮食，国家控制商品流通，增加财政收入，防止贫富悬殊。尤其是《管子》关于"轻重"的理论，把春秋以来已流行的"轻重"概念，广泛用于包括货币、价格、商品、贸易等人们社会经济活动的各个方面，特别是从封建国家的角度出发，把货币问题当做阐发的重点，而发展了货币是封建国家干预经济的重要工具的思想，它强调指出："五谷食米，民之司命也；黄金刀币，民之通施也。故善者执其通施以御其司命"，货币"握之则非有补于暖也，食之则非有补于饱也。先王以守财物，以御民事，而平天下也"（《国蓄》）。此后，由《管子》阐发的"轻重"概念成为人们讨论货币问题的专用范畴，这一学说要比西方同等层次的理论早出现近两千年，在这个意义上，管子的政治经济学理论是当之无愧的世界第一。

《管子》一书素来被认为是难读难解之作，自刘向校定的《管子》问世以后，这部书在很长一段时间没有受到应有的重视，偶有提及，亦是只言片语。直到唐代，魏征《管子治要》、杜佑《管子指略》，尤其是尹知章注本的出现，打破了《管子》备受冷落的局面。到了宋代，又出现了《管子》两种刊行本，即杨忱本和墨宝堂本。明清时期，《管子》研究成果颇丰，涌现出大量的著述和刊本，明代以刘绩《管子补注》、赵用贤《管韩合刻》影响最大、流传最为广泛。清代学者重视训诂考释，王念孙《管子杂志》、戴望《管子校正》都以校释精审、引用繁复而见长。近代以来，罗根泽《管子探源》和郭沫若《管子集校》的出现，为《管子》研究开辟了新的领域和视角，成为当时《管子》研究集大成的代表作品。

由于篇幅所限，该选注本所选篇目皆是历来备受推崇，最能代表管子思想的经典之作。如反映管子哲学思想的《心术》（上、下）、《白心》、《内业》等；反映政治思想的《法禁》、《重令》、《法法》、《任法》等；反映军事思想的《七法》、《兵法》、《参患》、《制分》等；反映经济思想的《牧民》、《治国》、《国蓄》、《轻重》诸篇。本书以文字校释为基础，以串解文句、梳理文意为重点，旨在为广大读者提供一种便于阅读和参考的读本。在所据的版本上，本书主要以明赵用贤本为底本，同时参考其他一些重要注本。注释上，对尹注、郭沫若《管子集校》、赵守正《管子通释》、马非百《管子轻重篇新诠》等著述多有采撷，并在注释中一一注明。为了更切合原文之意，译文多采用直译，力图做到简明扼要，详略分明，其中包含不少作者个人的见解。由于译注者水平有限，错谬之处在所难免，恳祈广大读者不吝赐教。

姚晓娟

2009 年 11 月于长春星城国际寓所

目 录

牧民	9
形势	16
权修	23
立政	32
乘马	44
七法	57
五辅	68
法禁	77
重令	83
法法	91
兵法	109
小匡	116
霸形	145
霸言	153
戒	164
参患	173
制分	177
君臣上	180

君臣下	192
四称	205
心术上	210
心术下	218
白心	223
任法	232
明法	241
治国	244
内业	249
小问	258
禁藏	271
国蓄	282
山国轨	292
山权数	300
山至数	310
国准	324
轻重甲	327
轻重乙	348
轻重丁	362
轻重戊	380
轻重己	390

牧 民

凡有地牧①民者,务在四时,守在仓廪。国多财则远者来,地辟举②则民留处,仓廪实则知礼节,衣食足则知荣辱,上服度则六亲固③,四维④张则君令行。故省刑之要,在禁文巧⑤;守国之度,在饰⑥四维;顺⑦民之经,在明鬼神、祇山川、敬宗庙、恭祖旧⑧。不务天时则财不生,不务地利则仓廪不盈。野芜旷则民乃菅⑨,上无量则民乃妄,文巧不禁则民乃淫,不璋两原则刑乃繁⑩。不明鬼神则陋民不悟⑪,不祇山川则威令不闻,不敬宗庙则民乃上校⑫,不恭祖旧则孝悌不备。四维不张,国乃灭亡。右国颂。

[注释]

①牧:统治、管理。牧民,即治民。②辟举:尹知章云:"举,尽也,言地尽辟,则人留而安居处也。"戴望云:"举、处为韵。"③服度:服,用;度,法制。六亲:即父母兄弟妻子。④四维:即礼、义、廉、耻。⑤文巧:郭沫若云:"文巧,犹奇技淫巧。"⑥饰:通"饬"。饬四维,即正四维。⑦顺:通"训",训导。⑧明、祇、敬、恭:四字同义。祖旧:颜昌峣云:"祖谓宗亲,旧谓故旧。"⑨菅:疑"荒"字之误,急惰。荒、旷为韵。⑩璋:塞也。两原:尹知章云:"谓妄之原,上无量也;淫之原,不禁文巧也。"⑪悟:疑为"信"字之误,信、神为韵。⑫校:尹知章云:"校,效也。君无所尊,民亦效之。"

[译文]

凡是拥有土地、管理百姓的君主,一定要致力于四季的农事,确保粮仓的贮备。国家财力充足,远方的人就会来归顺;荒地都开发了,人民就会留下安居。粮食充实,百姓就会懂得礼节;衣食丰足,百姓就会懂得荣辱。君主实行法制,六亲就能团结;四维得到推行,君令就可以贯彻。因此精简刑罚的关键在于禁止奇技淫巧,巩固国家的准则在于整饬四维,训导人民的办法在于尊敬鬼神、山川、祖宗和宗亲故旧。不重视天时,财富就不能增长;不重视地利,粮食就不会充足。田野荒芜,人民就会怠惰;君主无度,人民就会妄为;不禁止奇技淫巧,人民就会放纵;不堵塞这两个根源,刑罚就会大量增多。不尊敬鬼神,小民就不会信从;不祭祀山川,威令就不能远播;不敬重祖宗,百姓就会仿效;不尊重宗亲故旧,孝悌就不完备。不推行四维,国家就会灭亡。

以上"国颂"。

国有四维,一维绝则倾,二维绝则危,三维绝则覆,四维绝则灭。倾可正也,危可安也,覆可起也,灭不可复错①也。何谓四维?一曰礼,二曰义,三曰廉,四曰耻。礼不逾节②,义不自进③,廉不蔽恶,耻不从枉。故不逾节则上位安,不自进则民无巧诈,不蔽恶则行自全,不从枉则邪事不生。

右四维。

[注释]

①错:衍文。②节:规范。③自进:妄自求进。

[译文]

国家有四维。一维断绝,国家就会倾斜;两维断绝,国家就会危险;三维断绝,国家就会倾覆;四维断绝,国家就会灭亡。倾斜可以扶正,危险可以挽救,倾覆可以再起,灭亡就不可恢复了。什么是四维呢？一是礼，二是义，三是廉，四是耻。有礼，就不会超越规范；有义，就不会妄自求进；有廉，就不会掩饰过错；有耻，就不会趋从邪曲。因此，不超越规范，君主的地位就安定；不妄自求进，人们就不会巧谋欺诈；不掩饰过错，行为就自然端正；不趋从邪曲，邪恶的事情就不会发生。

以上"四维"。

政之所兴①，在顺民心；政之所废，在逆民心。民恶忧劳，我佚②乐之；民恶贫贱，我富贵之；民恶危坠，我存安之；民恶灭绝，我生育之。能佚乐之，则民为之忧劳；能富贵之，则民为之贫贱；能存安之，则民为之危坠；能生育之，则民为之灭绝。故刑罚不足以畏③其意，杀戮不足以服其心。故刑罚繁而意④不恐，则令不行矣；杀戮众而心不服，则上位危矣。故从其四欲，则远者自亲；行其四恶，则近者叛之。故知予之为取者⑤，政之宝也。

右四顺。

[注释]

①兴：行也，推行。②佚：通"逸"，安逸，安闲。③畏：威。④意：民意。⑤予：给予。取：取得。

[译文]

政令所以能够推行，在于顺应民心；政令所以被废弛，在于违背民心。人民厌恶忧劳，我就使他们安逸；人民厌恶贫贱，我就使他们富贵；人民厌恶危难，我就使他们安定；人民厌恶绝后，我就使他们生育繁衍。如果能使人民安逸，他们就会为此承受忧劳；能使人民富贵，他们就会为此忍受贫贱；能使人民安定，他们就会为此承担危难；能使人民生育繁衍，他们就会为此献出生命。因此，刑罚不足以使人民受到威慑，杀戮不足以使人民心悦诚服。刑罚繁重而民意不畏惧,政令就无法推行了;杀戮众多而人心不服,君主的地位就危险了。因此,满足人民上述的四种愿望,那么远方的人也会来归附;强行上述四种厌恶的事情,那么亲近的人也会叛离。由此可见,懂得给予就是取得的道理,是治国的法宝啊!

以上"四顺"。

错①国于不倾之地,积于不涸之仓,藏于不竭之府,下令于流水之原,使民于不争之官②,明必死之路,开必得之门。不为不可成,不求不可得,不处不可久,不行不可复。错国于不倾之地者,授有德也;积于不涸之仓者,务五谷也;藏于不竭之府者,养桑麻、育六畜也;下令于流水之原者,令顺民心也;使民于不争之官者,使各为其所长也;明必死之路者,严刑罚也;开必得之门者,信③庆赏也;不为不可成者,量民力也;不求不可得者,不强民以其所恶也;不处不可久者,不偷取一世④也;不行不可复者,不欺其民也。故授有德,则国安;务五谷,则食足;养桑麻、育六畜,则民富;令顺民心,则威令行;使民各为其所长,则用备;严刑罚,则民远邪;信庆赏,则民轻难;量民力,则事无不成;不强民以其所恶,则诈伪不生;不偷取一世,则民无怨心;不欺其民,则下亲其上。

右士⑤经。

[注释]

①错:通"措",放置。②官:职位。③信:守信。④世:当作"时"。《韩非子·难一》:"以诈遇民,偷取一时,后必无复。"可证。⑤士:顾广圻认为:"'士'字当是'十一',二字并写之误。"

[译文]

把国家建立在稳固的基础上,把粮食积存在取之不尽的粮仓里,把财货贮藏在用之不竭的府库里,把政令下达在流水的源头上，把人民安置在无所争议的职位上，向人们指出犯罪必死的道路，向人们敞开立功必赏的大门。不从事办不到的事情，不追求得不到的利益，不贪恋难得持久的安逸，不去做不可重复的行为。所谓把国家建立在稳固的基础上，就是把政权交给有德行的人；所谓把粮食积存在取之不尽的粮仓里，就是要从事粮食生产；所谓把财富贮藏在用之不竭的府库里，就是要种植桑麻、饲养六畜；所谓把政令下达在流水的源头上，就是政令要顺应民心；所谓把人民安置在无所争议的职位上，就是要使人们各尽其所长。所谓向人民指出犯罪必死的道路，就要严厉刑罚；所谓向人民敞开立功必赏的大门，就要守信奖赏；所谓不从事办不到的事情，就是要度量民力；所谓不追求得不到的利益，就是不要用人民所厌恶的事情去强迫他们；所谓不贪恋难得持久的安逸，就是不要贪图一时的侥幸；所谓不去做不可重复的行为，就是不要欺骗人民。因此，把政权交给有德行的人，国家就会安定；从事粮食生产，食物就会充足；种植桑麻、饲养六畜，人民就会富裕；政令顺应民心，威令就可以贯彻；使人民各尽所长，器用就能齐备；严厉刑罚，人民就会远离邪曲；守信奖赏，人民就会轻视死难；度量民力而行，事情没有不成功的；不用人民所厌恶的事情去强迫他们，欺诈作假的行为就不会发生；不贪图一时的侥幸，人民就不会有怨恨之心；不欺骗人民，人民就会拥戴君主。

以上"十一经"。

以家为①乡，乡不可为也；以乡为国，国不可为也；以国为天下，天下不可为也。以家为家，以乡为乡，以国为国，以天下为天下。毋曰不同生，远者不听；毋曰不同乡，远者不行；毋曰不同国，远者不从。如地如天，何私何亲？如月如日，唯君之节②！

御民之辔③,在上之所贵;道④民之门,在上之所先;召民之路,在上之所好恶。故君求之则臣得之,君嗜之则臣食之,君好之则臣服之,君恶之则臣匿之。毋蔽汝恶,毋异⑤汝度,贤者将不汝助。言室满室,言堂满堂⑥,是谓圣王。

城郭沟渠,不足以固守;兵甲强力,不足以应敌;博地多财,不足以有众。惟有道者,能备患于未形也,故祸不萌。天下不患无臣,患无君以使之;天下不患无财,患无人以分之。故知时⑦者可立以为长,无私者可置以为政,审于时而察于用⑧,而能备官者,可奉以为君也。缓者后于事,吝于财者失所亲,信小人者失士。

右六亲五法。

[注释]

①为:治理。②节:气度。③辔:缰绳,这里指方法。④道:通"导",引导。⑤异:通"易",改变。⑥"言室"二句:《韩非子·难三》:"管子曰:'言于室,满于室;言于堂,满于堂,是谓天下王。'"满,即声满。⑦时:时势。⑧用:资财。

[译文]

按照治家的方法治理乡,乡不能治好;按照治乡的方法治理国,国不能治好;按照治国的方法治理天下,天下不可能治好。应该按照治家的方法治家,按照治乡的方法治乡,按照治国的方法治国,按照治天下的方法治理天下。不要因为不同姓,就不听取外姓人的意见;不要因为不同乡,就不采纳外乡人的办法;不要因为不同国,就不听从别国人的建议。要像天地覆盖承载万物一样,没有亲疏;要像日月普照寰宇一样,这才是君主的气度!

驾驭人民的方法,在于君主重视什么;引导人民的法门,在于君主提倡什么;号召人民的途径,在于君主喜好什么、厌恶什么。因此,君主追求的东西,臣下就想得到;君主爱吃的东西,臣下就想品尝；君主喜欢的事情，臣下就想实行；君主厌恶的事情，臣下就想规避。不要掩蔽你的过错，不要改变你的法度，否则贤能的人将不会帮助你。在室内讲话，要使全室的人听到；在堂上讲话，要使满堂的人听到，这才称得上是圣明的君主。

仅凭防御工事，不一定能固守城池；仅凭强大的武力和装备，不一定能抵御外敌；仅凭地大物博、财富丰饶，不一定能拥有百姓。只有有道的君主，能做到防患于未然，因此灾祸就不会产生。天下不怕没有能臣，怕的是没有贤明的君主去使用他们；天下不怕没有财货，怕的是没有精明的人去合理分配它们。所以通晓时势的人，可以任用为官吏；没有私心的人，可以安排为执政；能晓时势、明察资财，并且能任用官吏的人，可以奉为君主了。处事迟钝的人总是落后于形势，吝啬财物的人总是失去亲信，偏信小人的人总是失掉贤能的人才。

以上"六亲五法"。

形 势

　　山高而不崩，则祈羊①至矣；渊深而不涸，则沉玉极矣。天不变其常，地不易其则，春秋冬夏不更其节，古今一也。蛟龙得水而神可立也，虎豹得幽②而威可载也，风雨无乡③而怨怒不及也。贵有以行令，贱有以忘卑④，寿夭贫富，无徒归也。衔⑤命者，君之尊也；受辞者，名之远也。上无事，则民自试⑥；抱蜀⑦不言，而庙堂既修。鸿鹄锵锵⑧，唯民歌之；济济多士，殷民化之，纣之失也。飞蓬⑨之问，不在所宾⑩；燕雀之集，道行不顾。牺牷圭璧，不足以飨⑪鬼神；主功有素⑫，宝币奚为？羿之道，非射也；造父之术，非驭也；奚仲之巧，非斫削也。召远者使无为焉，亲近者言无事焉，唯夜行⑬者独有也。

[注释]

　　①祈羊：尹知章云："烹羊以祭，故曰祈羊。""祈羊"与后文"沉玉"对文。②幽：深山幽谷。③乡：通"向"，方向。④贵、贱：此分别指君主和百姓。⑤衔：接受、奉行。⑥自试：郭沫若云："此言无为而治，'试'即'尝试'之试。"⑦蜀：祠器。⑧锵锵：即"将将"，《广雅·释诂》："将，美也。"⑨飞蓬："蓬"即"蓬草"。尹知章云："蓬飞因风，动摇不定。"此处指没有根据。⑩宾：顺从，听从。⑪飨：通"享"，祭献。⑫有素：具有一定的素养，这里指根基。⑬夜行：郭沫若云："'夜行'即下文所谓'心行'。"

夜行者，即诚心施行大道的君主。

[译文]

　　山高而不崩溃，人们就会烹羊来设祭；水深而不枯竭，人们就会投玉来求神。天不改变它的常规，地不改变它的法则，四季不改变它的节令，古今都是相同的。蛟龙依靠深渊，才可以显现神灵；虎豹凭借深山幽谷，才可以保持威力。风雨没有既定的方向，人们也不会去埋怨它。君主能够推行法令，百姓能够忘掉卑贱，还有长寿、短命、贫穷、富有等等，都不是凭空形成的。百姓能奉行命令，体现了君主的尊严；百姓能接受指示，体现了声名的远扬。君主无为而治，人民就会自己去尝试发展；君主手执祠器不用说话，国家就会治理好。美丽的天鹅，人们都赞美它；西周人才济济，感化了殷商的遗民，这是商纣失去天下的原因。一些没有根据的言论，不要听从；燕雀聚集的小事，也不会引起行道者的注意。用牛羊玉器来祭献鬼神，不一定能得到鬼神的保佑；君主功业有根基，这些珍贵的祭品又有什么用呢？后羿射箭的功夫，不在射箭的表面动作；造父驾车的技术，不在驾车的表面动作；奚仲造车的技巧，也不在木材的砍削上。要招徕远方的人，使者是没有用的；亲近国内的人，空话也无济于事；只有诚心施行大道的君主，才能够拥有天下的百姓。

　　平原之隰①，奚有于高？大山之隈②，奚有于深？訾謷③之人，勿与任大。諓臣④者，可以远举；顾忧者，可与致道。其计也速而忧在近者，往而勿召也。举长者，可远见也；裁⑤大者，众之所比⑥也；美人之怀⑦，定服而勿厌也。必得之事，不足赖也；必诺之言，不足信也。小谨者不大立，訾⑧食者不肥体。有无弃之言者，必参于天地也。坠岸⑨三仞，人之所大难也，而猿猱饮焉。故曰伐矜⑩好专，举事之祸也。不行其野，不违⑪其马，

形势　17

能予而无取者，天地之配也。

怠倦者不及，无广者疑神⑫。神者在内，不及者在门，在内者将假⑬，在门者将待⑭。曙戒勿怠⑮，后稚⑯逢殃。朝忘其事，夕失其功。邪气入内，正色乃衰。君不君，则臣不臣；父不父，则子不子。上失其位，则下逾其节。上下不和，令乃不行。衣冠不正，则宾者不肃。进退无仪，则政令不行。且怀且威，则君道备矣。莫乐之⑰则莫哀之，莫生之则莫死之。往者不至，来者不极。

[注释]

①照：郭沫若认为应作"陉"，土堆。②隈：小坑。③訾譽（zǐ wèi）：《管子·形势解》："毁訾贤者之谓訾，推誉不肖之谓譽。"④讇臣：讇，同"谋"，谋虑。臣，当为"巨"。讇臣，指谋虑天下。⑤裁：通"材"。⑥比：通"庇"，依赖。⑦美：据《管子·形势解》，"美"应为"欲"。怀，归顺。⑧訾：应为"飨"，厌食。⑨坠岸：从崖岸上跳下来。⑩伐矜：伐、矜，均指自我夸耀。⑪违：去，抛弃。⑫广：（日本）猪饲彦博云：" '广'疑当作'旷'，'无旷'谓惜寸阴也，与怠倦反。"疑：同"拟"。⑬假：应为"暇"，闲暇。⑭待：应为"殆"，疲惫不堪。⑮曙戒：黎明。勿：通"忽"，玩忽。⑯后稚：稚，迟也。后稚，指日暮。⑰乐之：使百姓安居乐业。哀之、生之、死之，于此同。

[译文]

平原上的土堆，怎么能够称为高？大山上的小坑，怎么能够称为深？毁誉贤人吹捧恶人的人，不要委以重任。谋虑天下的人，可以同他共图大业；考虑忧患的人，可以同他共行治国之道。但对那种出主意快而只顾眼前利害的人，离开了就不要召回。注重长远利益的人，影响也就深远；材器伟大的人，是百姓所依赖的；想要使人们归顺，一定要行德而不可厌倦。自以为一定办得到的事情，是靠不住的；不应承诺而完全承诺的话，是信不得的。谨小慎微的人不能成大事，厌食的人身体不会胖起来。能够不放弃以上这些格言的，一定融合了天地的精神。从三仞高的崖岸上跳下来，人是很难做到的，但猴子却很容易跳下来喝水。所以自我夸耀，独断专行，是做事的祸患啊！不到野外奔跑，也不要把马抛弃，能做到只给予而不向人们索取的，那就同天地一样伟大了。

懒惰的人必定落后，勤奋的人办事如神。办事如神的人已经进入室内，落后的人还在门外。进入室内的人从容不迫，在门外的人却疲惫不堪。黎明时玩忽怠惰，日暮时就会遭殃。早晨忘掉了应做的事情，晚上就什么成果也没有。邪气侵袭到体内，那么正色就会衰退。君主不像君主的样子，那么臣子也就不像臣子的样子；父亲不像父亲的样子，那么儿子也就不像儿子的样子了。君主失去他的地位，臣子就会逾越应守的规范。上下不和睦，政令就无法推行。君主的衣冠如果不端正，礼宾的官吏就不会肃敬。君主的举止行为如果不合乎礼仪，那么政令就无法贯彻。一方面给予关怀，另一方面运用威势，这样为君之道才算是完备了。君主不能使百姓安居乐业，百姓就不会为君主分忧；君主不能使百姓生育繁衍，百姓就不会为君主牺牲生命。君主不给予百姓恩惠，百姓也不会报答君主。

道之所言者一也，而用之者异。有闻道而好为①家者，一家之人也；有闻道而好为乡者，一乡之人也；有闻道而好为国者，一国之人也；有闻道而好为天下者，天下之人也；有闻道而好定万物者，天下之配也。道往②者，其人莫来；道来③者，其人莫往；道之所设，身之化也④。持满者与天⑤，安危者与人。失天之度，虽满必涸。上下不和，虽安必危。欲王天下而失天之道，天下不可得而王也。得天之道，其事若自然；失天之道，虽立不安。其道既得，莫知其为之；其功既成，莫知其释⑥之。藏之无形，天之道也。疑今者察之古，不知来者视之往。万事之生也，异趣而同归,古今一也。

[注释]

①为:治理。②道往:失道。③道来:得道,与"道往"相对。④身之化也:许维遹云:"疑当作'身与之化也'。"化,融合。⑤持满:保持强盛。与:顺从。⑥释:《形势解》作"舍",离开。

[译文]

道的理论内容是一致的,但运用起来则各不相同。有人懂得了道并能用来治理家,他便是治家的人才;有人懂得了道并能用来治理一乡,他便是一乡的人才;有人懂得了道并能用来治理国家,他便是一国的人才;有人懂得了道并能用来治理天下,他便是天下的人才;有人懂得了道并能用来支配万物,那便和天地一样伟大了。失道的人,人民不会来归顺;得道的人,人民也不会离去。道之所在,自身的言行应该与它融合在一起。要保持强盛,就得顺从天道;要安定危亡,就要顺从人心。违背了天的法则,即使暂时强盛也必将枯竭;上下不和睦,即使暂时安定也必将危亡。想要称王天下,却违背了天道,那么称王就不可能实现了。掌握了天道,成事就很自然;违背了天道,虽然成功也不能长久保持。已经得道的,往往不知道自己是怎样做的;已经成功的,往往不知道"道"是怎样离开的。好像隐藏起来而没有形体,这就是"天道"。对当今有怀疑的,可以考察古代;对未来不了解的,则可以看看过去。万事万物的本性,内容虽有不同,但基本规律是相同的,从古到今都是一样的。

生①栋覆屋,怨怒不及;弱子下瓦,慈母操箠②。天道之极,远者自亲。人事③之起,近亲造怨。万物之于人也,无私近也,无私远也。巧者有余,而拙者不足。其功顺天者天助之,其功逆天者天违之。天之所助,虽小必大;天之所违,虽成必败。顺天者有其功，逆天者怀④其凶，不可复振⑤也。

乌鸟之狡⑥，虽善不亲。不重之结，虽固必解。道之用也，贵其重也。毋与不可，毋强不能，毋告不知。与不可，强不能，告不知，谓之劳而无功。见与之交⑦，几⑧于不亲；见哀之役⑨，几于不结；见施之德，几于不报。四方所归，心行者也。独王之国⑩，劳而多祸；独国之君，卑而不威；自媒之女，丑而不信。未之见而亲焉，可以往矣；久而不忘焉，可以来矣。

日月不明，天不易⑪也；山高而不见，地不易也。言而不可复者，君不言也；行而不可再者，君不行也。凡言而不可复、行而不可再者，有国者之大禁也。

[注释]

①生：孙诒让云："'生'谓材尚新，未干腊也。"②箠：鞭子。③人事：这里指私心。④怀：招致。⑤振：挽救。⑥乌鸟之狡：《形势解》作"乌集之交"，交，交往。⑦见与之交：《形势解》作"见与之友"。见，安井衡云："见，示也，谓表显之。"友，友善、友好。⑧几：接近。⑨见哀之役：《形势解》作"见爱之交"。⑩独王之国：《形势解》作"独任之国"，独任，即指独断专横。⑪易：本指平坦，这里指天不清。

[译文]

用新伐的木材做房屋的正梁，即使造成了房子的倒坍，也不会怨恨别人；小孩子把屋瓦拆下来，慈母会拿鞭子打他。彻底奉行天道，远方的人会来亲近；私心一旦萌生，亲近的人也会产生怨恨。世间万物对于每一个人，是没有远近亲疏之分的。但灵巧的人用起来有余，愚笨的人用起来却不足。功业顺应天道的，天就会帮助他；违背天道的，天就会离弃他。天所帮助的人，即使弱小也会变得强大；天所离弃的人，即使成功也必将失败。顺应天道的就可以成就功业，违背天道的就会招致灾祸，且无可挽救。

乌鸦聚集般的交谊，表面看着友善，其实并不亲密；不重合的绳结，即使坚固，也一定会解开。道的运用，贵在慎重。不要交往不可靠的人，不要勉强能力不够的人，不要告知不明事理的人。交往不可靠的人，勉强能力不够的人，告知不明事理的人，这就叫辛苦而没有功劳。表面上显示友好，也就接近于不亲密了；表面上显示亲爱，也就接近于不结好了；表面上显示慷慨，也就接近于不得所报了。四面八方所归附的人，是真心实意施行大道的人。独断专横的国家，疲于奔命而祸事不断；独断专横国家的君主，地位卑下而没有威望。就像自己做媒人的女子，名声不好而得不到信任。还没有见面就令人亲近的君主，可以去投奔；久别而令人难忘的君主，应该去辅佐。

　　日月有不明亮的时候，那是因为天多云气而掩盖了日月的缘故；山高有看不见的时候，那是因为地面险阻不平的缘故。不应该再说的错话，君主决不说；不应该再做的错事，君主决不做。凡是重复那些不应该说的话和那些不应该做的事情，都是一国之君最大的禁忌。

权　修

　　万乘①之国，兵不可以无主，土地博大，野②不可以无吏，百姓殷众，官不可以无长，操③民之命，朝不可以无政。

　　地博而国贫者，野不辟也；民众而兵弱者，民无取④也。故末产不禁，则野不辟。赏罚不信，则民无取。野不辟，民无取，外不可以应敌，内不可以固守。故曰：有万乘之号，而无千乘之用，而求权之无轻⑤，不可得也。地辟而国贫者，舟舆饰、台榭广也。赏罚信而兵弱者，轻⑥用众、使民劳也。舟车饰、台榭广，则赋敛厚矣。轻用众、使民劳，则民力竭矣。赋敛厚，则下怨上矣。民力竭，则令不行矣。下怨上，令不行，而求敌之勿谋己，不可得也。

　　欲为天下者，必重⑦用其国，欲为其国者，必重用其民，欲为其民者，必重尽其民力。无以畜⑧之，则往而不可止也；无以牧之，则处而不可使也。远人至而不去，则有以畜之也。民众而可一，则有以牧之也。见其可也，喜之有征⑨。见其不可也，恶之有刑。赏罚信于其所见，虽其所不见，其敢为之乎？见其可也，喜之无征。见其不可也，恶之无刑。赏罚不信于其所见，而求其所不见之为之化⑩，不可得也。

厚爱利，足以亲之。明智礼，足以教之。上身服⑪以先之，审度量以闲⑫之，乡置师以说道⑬之，然后申之以宪令，劝之以庆赏，振⑭之以刑罚。故百姓皆说⑮为善，则暴乱之行无由至矣。

[注释]

①万乘：古时一车四马为一乘。万乘，即万辆兵车。②野：郊野，这里指国境内。③操：掌控，掌握。④取：通"趣"，督促。⑤轻：削弱。⑥轻：轻率。⑦重：慎重。⑧畜：养育。⑨征：奖励。⑩化：感化。⑪身服：自身履行。⑫闲：限制、约束。⑬道：通"导"，引导。⑭振：同"震"，威震。⑮说：同"悦"。

[译文]

军事力量强大的国家，军队不能没有主帅。疆域辽阔，境内不能没有官吏。百姓众多，官府不能没有长官。掌握百姓的命运，朝廷不能没有政令。

土地广阔但国家贫穷，那是因为土地没有开垦的结果；百姓众多但军队软弱，那是因为百姓没有督促的结果。因此，不禁止农业以外的工商业，那么土地就得不到开垦；赏罚不能取信于民，那么百姓就得不到督促。土地得不到开垦，百姓得不到督促，这样的国家对外不能抵御外敌，对内不能固守国土。因此说，虽然号称拥有万辆兵车，但其实力还不及千辆兵车，这样的国家想要谋求权力不被削弱，那是不可能的。土地得到开垦但国家仍然贫困，那是因为车马舟楫过于豪华、亭台楼榭过多的结果。赏罚取信于民但军队仍然软弱，那是因为国君轻率动用民力而使百姓劳苦不堪的结果。车马舟楫豪华、亭台楼榭过多，那么赋税就会很沉重。轻率地动用民力，使国民困苦不堪，那么民力就会枯竭。赋税沉重，百姓必然怨恨国君。民力衰竭，政令就无法施行。百姓怨恨国君，政令无法施行，在这种情况下，要想敌对的国家不来侵犯自己，那是不可能的。

想要治理好天下的人，一定慎重地使用本国国力；想要治理好国家的人，一定慎重地使用本国百姓；想要管理好百姓的人，一定慎重地使用民力。没有办法养活人民，人民就会离开而不能阻止；没有办法管理人民，即使留下来也无法使用。远方的人来了而不想离开，那是因为有办法养活他们。人口众多而可以统一号令，那是因为有办法管理他们。看到他们做得好的，就要用奖励予以褒奖；看到做得不妥的，就要用刑罚予以惩罚。对于看得到的义举恶行，国君要赏罚分明以取信于民，那么即使没有被看到的，谁又敢去作恶呢？看到他们做得好的，没有用奖励予以褒奖；看到做得不妥的，也没有用刑罚予以惩罚。对于看得到的义举恶行，国君不能赏罚分明取信于民，那么要想使那些看不到的恶行被感化，是不可能的。

君主能够多向百姓施恩，就可以亲近人民。能够宣扬智慧和礼仪，就可以教育人民。国君以身作则加以示范，审定规章制度加以防范，设置乡师加以指导。然后再用法令加以申明，用奖赏加以鼓励，用刑罚加以威慑。这样，百姓都很高兴做好事，暴乱的行为也就没有理由发生了。

地之生财有时，民之用力有倦，而人君之欲无穷。以有时与有倦，养无穷之君，而度量不生于其间，则上下相疾①也。是以臣有杀其君，子有杀其父者矣。故取于民有度，用之有止②，国虽小必安；取于民无度，用之不止，国虽大必危。地之不辟者，非吾地也。民之不牧者，非吾民也。凡牧民者，以其所积③者食之，不可不审也。其积多者其食多，其积寡者其食寡，无积者不食。或有积而不食者，则民离上；有积多而食寡者，则民不力；有积寡而食多者，则民多诈；有无积而徒食者，则民偷幸。故离上、不力、多诈、偷幸，举事不成，应敌不用。故曰：察能授官，班④禄赐予，使民之机⑤也。野与市争民，家与府争货，金与粟争贵，乡与朝争治。故野不积草，农事先也；府不积货，藏于民也；市不成肆⑥，家用足也；朝不合众，乡分治也。故野不积草，府不积货，市不成肆，朝不合众，治之至也。人情不二，故民情可得而御也⑦。审其所好恶，则其长短可知也；观其交游，则其贤不肖可察也。二者不失，则民能可得而官也。

[注释]

①疾：怨恨。②止：郭沫若云："止，亦犹度也。"指有节制。③积：通"绩"，劳绩。④班：等级，这里指等级的差别。⑤机：关键。⑥肆：陈列，这里指商铺林立。⑦"人情"句：郭沫若云："二'情'字必有一误，疑上'情'字当作'性'。"译文依从此说。

[译文]

土地生产财物有时令的限制，人民耗费劳力也有疲倦的时候，但是国君的欲望是无限的。用有限的土地、人力去供养贪得无厌的国君，如果两者之间没有合理的限度，那么上下之间就会相互怨恨。因此臣杀君、子弑父之类的事情产生了。因此国君对人民的征收要有度，取用要有节制，那么国家虽小也会安然无恙；国君征收无度，取用没有节制，那么国家虽大也必然面临困境。没有开辟的土地，不是自己的土地；没有治理的人民，不是自己的人民。凡是管理人民，都要按照劳绩给予俸禄，这件事不可不慎重。劳绩多的俸禄多，劳绩少的俸禄少，没有劳绩的就不给予俸禄。如果有的人有劳绩而没有禄赏，那么人们就会离心离德；劳绩多而俸禄少，人们就不会努力工作；劳绩少而俸禄多，人们就会弄虚作假；无劳绩而白得俸禄，人们就会贪图侥幸。如果离心离德、不努力工作、弄虚作假、贪图侥幸，那么办事就不会成功，对敌作战也不会尽力。因此说，考察人的能力授予官职，按照劳绩差别赐予俸禄，这是治理人民的关键。农田与市场争夺劳力，民家与官府争夺财货，货币与粮食争夺贵贱，地方与朝廷争夺治理权限。所以，要想让土地不被荒芜，就应把农业放在首位；让官府不积聚财货，就应把财富藏在民间；让市场店铺不成行列，就需要做到家用充足；让朝廷不聚众议事，就需要做到各地分而治之。因此土地不荒芜，官府不积聚财货，市场店铺不成行列，朝廷不聚众议事，这都是治国的最高水平。人的本性没有什么两样，所以百姓的性情是可以掌握并且驾驭的。了解百姓喜欢什么和厌恶什么，那么就可以知道他们的长处和短处；观察他们的交游对象，就能判断他们是贤明还是无能。把握住这两点，那么百姓的能力就可以了解并使用了。

地之守在城，城之守在兵，兵之守在人，人之守在粟。故地不辟，则城不固。有身不治，奚待①于人？有人不治，奚待于家？有家不治，奚待于乡？有乡不治，奚待于国？有国不治，奚待于天下？天下者，国之本也；国者，乡之本也；乡者，家之本也；家者，人之本也；人者，身之本也；身者，治之本也。故上不好本事②，则末产不禁；末产不禁，则民缓于时事而轻地利③；轻地利而求田野之辟、仓廪之实，不可得也。商贾在朝，则货财上流；妇言人事④，则赏罚不信；男女无别，则民无廉耻。货财上流，赏罚不信，民无廉耻，而求百姓之安难，兵士之死节⑤，不可得也。朝廷不肃，贵贱不明，长幼不分，度量不审，衣服无等，上下凌节⑥，而求百姓之尊主政令，不可得也。上好诈谋间欺，臣下赋敛竞得，使民偷一⑦，则百姓疾怨，而求下之亲上，不可得也。有地不务本事，君国不能一民，而求宗庙社稷之无危，不可得也。上恃龟筮⑧，好用巫医，则鬼神骤祟。故功之不立，名之不章⑨，为之患者三：有独王者，有贫贱者，有日不足者。

[注释]

①待：许维遹云："待，犹至也。言身之尚不能治，何能至于治人。"

②本事：即农业。③缓：耽误。时事：指农事。杨树达云："'时事'谓春耕夏耘，秋收冬藏。"④人事：即公事，这里指妇人议论朝政。⑤死节：捐躯报国的气节。⑥凌节：凌，逾越。节，法度，规范。凌节，即逾越法度。⑦偷一：许维遹云："'偷一'疑当作'偷幸'。"苟且侥幸。⑧龟筮：占卦。古代占卜用龟甲，筮用蓍草，视其象数占卜吉凶。⑨章：同"彰"，彰显。

[译文]

　　国土的守卫在于城池，城池的守卫在于军队，军队的保障在于人民，而人民的保障在于粮食。因此土地不开垦，那么城池就不会坚固。国君自身不能治理，怎么能够治理别人？一人不能治理，怎么能治理一家？一家不能治理，怎么能治理一乡？一乡不能治理，怎么能治理一国？一国不能治理，怎么能治理天下？天下是以国为本，国以乡为本，乡以家为本，家以人为本，人以自身为本，自身以治世之道为本。因此国君不重视农业，那么工商业就不能禁止；工商业不禁止，人们就会耽误农时农事而轻视土地的收益。如果轻视土地的收益，还妄想开垦土地、仓库粮库充实，那是不可能的。如果商人在朝中做官，财货贿赂就会带入上层；如果妇人议论朝政，那么赏功罚过就不能信实；男女没有区别，人民就会不知廉耻。财货贿赂带入上层，赏功罚过不能信实，人民不知廉耻，却希望百姓能够安于危难，士兵能够捐躯报国，那是不可能的。朝廷不整肃，贵贱不分明，长幼没有次序，制度不明确，服制没有等级，君臣上下逾越法度，却希望百姓能够尊重君主的政令，那是不可能的。君主喜欢搞阴谋欺诈，臣子竞相征收苛捐杂税，使人民苟且侥幸，怨声载道，在这种情况下却妄想百姓能够爱戴国君，那是不可能的。拥有土地而不注重农业，统治国家而不能统一号令人民，却希望江山社稷不发生危机，那是不可能的。国君依靠占卜以求吉凶，喜欢任用巫医，那么鬼神就会频频作怪。因此功业没有建立起来，名声也没有得到彰显，却造成了三种祸患：一是成为独断专横的君主；二是成为贫穷卑贱的君主；三是成为治理短暂的君主。

一年之计，莫如树谷；十年之计，莫如树木；终身之计，莫如树人。一树一获者，谷也；一树十获者，木也；一树百获者，人也。我苟①种之，如神用之，举事如神，唯王之门。

凡牧民者，使士无邪行，女无淫事。士无邪行，教也；女无淫事，训也。教训成俗而刑罚省，数②也。凡牧民者，欲民之正也。欲民之正，则微邪不可不禁也。微邪者，大邪之所生也，微邪不禁，而求大邪之无伤国，不可得也。凡牧民者，欲民之有礼也，欲民之有礼，则小礼不可不谨也。小礼不谨于国，而求百姓之行大礼，不可得也。凡牧民者，欲民之有义也，欲民之有义，则小义不可不行。小义不行于国，而求百姓之行大义，不可得也。凡牧民者，欲民之有廉也，欲民之有廉，则小廉不可不修也。小廉不修于国，而求百姓之行大廉，不可得也。凡牧民者，欲民之有耻也，欲民之有耻，则小耻不可不饰③也。小耻不饰于国，而求百姓之行大耻，不可得也。凡牧民者，欲民之修小礼、行小义、饰小廉、谨小耻、禁微邪，此厉民④之道也。民之修小礼、行小义、饰小廉、谨小耻、禁微邪，治之本也。

[注释]

①苟：如果。②数：方法。③饰：通"饬"，整饬。④厉民：厉，通"砺"，磨砺。厉民，这里指训练人民。

[译文]

作一年的打算，最好是种植谷物；作十年的打算，最好是种植树木；作终身的打算，最好是培育人才。一次种植有一次收获，这是种植谷物；一次种植有十次收获，这是种植树木；一次种植有百次的收获，这是培养人才。如果我们注重培养人才，巧妙入神地使用人才，那么做事情就会得心应手，这是称王天下的关键。

凡是治理人民的，要使男人没有邪僻的行为，要使女人没有淫乱的事情。使男人没有邪僻的行为，要靠教化；使女人没有淫乱的事情，要靠训导。教化训导形成风气，刑罚自然就会减少了，这是治理的方法。凡是治理人民的，都要求人民走正道。要求人民走正道，那么小恶也不能不禁止。因为小恶是大恶产生的根源。如果小恶不禁止，却希望大恶不要危害国家，那是不可能的。凡是治理人民的，都要求人民有礼。要求人民有礼，那么就不得不重视小礼。国家不重视小礼，却希望百姓能够遵循大礼，那是不可能的。凡是治理人民的，都要求人民有义。要求人民有义，就不可不实行小义。国家不施行小义，却希望百姓能够行大义，那是不可能的。凡是治理人民的，都要求人民清廉。要求人民清廉，就不可不重视小廉。国家不重视小廉，却希望百姓行大廉，那是不可能的。凡是治理人民的，都要求人民懂得羞耻。要求人民懂得羞耻，就不可不整饬小耻。国家不整饬小耻，却希望百姓能够懂得大耻，那是不可能的。凡治理人民，要求人民重视小礼、实行小义、重视小廉、整饬小耻、禁止小邪，这是训练人民的办法。而人民能够做到重视小礼、实行小义、重视小廉、整饬小耻、禁止小邪，这是治国的根本。

凡牧民者，欲民之可御①也；欲民之可御，则法不可不审②。法者，将立朝廷者也，将立朝廷者，则爵服③不可不贵也。爵服加于不义，则民贱其爵服；民贱其爵服，则人主不尊；人主不尊，则令不行矣。法者，将用民力者也，将用民力者，则禄赏不可不重也。禄赏加于无功，则民轻其禄赏；民轻其禄赏，则上无以劝民；上无以劝民，则令不行矣。法者，将用民能者也，将用民能者，则授官不可不审。授官不审，则民间④其治；民间其治，则理不上通；理不上通，则下怨其上；下怨其上，则令不行矣。法者，将用民之死命者也，用民之死命者，则刑罚不可不审。刑罚不审,则有辟就⑤;有辟就,则杀不辜而赦有罪;杀不辜而赦有罪,则国不免于贼臣矣。故夫爵服贱、禄赏轻、民间其治、贼臣首难,此谓败国之教⑥也。

[注释]

①御:驾驭,管理。②审:王念孙云:"'审'本作'重',此言人主重民而轻法,则民不畏,民不畏则不可御,故曰:'欲民之可御,则法不可重。'"《北堂书钞》、《太平御览》"审"均作"重"。③爵服:爵位官服。④间:间隔,隔阂。⑤辟就:辟,同"避"。辟就,指有罪避刑,无罪就戮。⑥教:征兆。

[译文]

凡是治理人民的,都要求人民服从管理。要人民服从管理,那么就不可不重视法律的地位。法,是用来树立朝廷权威的。要建立朝廷的权威,就不可不重视爵位官服。爵位官服如果授给了不义的人,那么人民就鄙视爵位官服;人民如果鄙视爵位官服,那么国君就不会受到尊重;国君没有威信,法令也就无法推行了。法,是用来驱使民力的。驱使民力,就不可不重视禄赏。如果把禄赏授给没有功劳的人,人民就轻视禄赏;人民轻视禄赏,国君也就无法勉励人民;国君无法勉励人民,法令也就无法推行了。法,是用来发挥人民才能的。发挥人民的才能,就不可不慎重地委任官职。委任官职如果不慎重,人民就会对国君的治理有隔阂;人民对治理有隔阂,那么民情就不能上达国君;民情不能上达国君,人民就会怨恨国君;人民怨恨国君,法令也就无法推行了。法,是用来决定人民生死的。决定人民的生死,就不可不审慎地使用刑罚。如果刑罚不审慎,就会出现坏人逃罪而好人蒙冤的现象;坏人逃罪好人蒙冤,那么就会造成杀无辜而赦有罪的结果;杀无辜而赦有罪,国家也就难免被乱臣贼子篡夺了。因此爵位被鄙视,禄赏被轻视,人民对国君统治有隔阂,乱臣贼子作乱,这些都是国家败亡的征兆。

立 政

国之所以治乱者三，杀戮刑罚，不足用也。国之所以安危者四，城郭险阻，不足守也。国之所以富贫者五，轻税租，薄赋敛，不足恃也。治国有三本，而安国有四固，而富国有五事。五事，五经也。

君之所审者三：一曰德不当其位；二曰功不当其禄；三曰能不当其官；此三本者，治乱之原①也。故国有德义未明于朝者，则不可加于尊位；功力未见于国者，则不可授以重禄；临事②不信于民者，则不可使任大官；故德厚而位卑者谓之过；德薄而位尊者谓之失。宁过于君子，而毋失于小人；过于君子，其为怨浅；失于小人，其为祸深。是故国有德义未明于朝而处尊位者，则良臣不进；有功力未见于国而有重禄者，则劳臣不劝；有临事不信于民而任大官者，则材臣不用。三本者审，则下不敢求；三本者不审，则邪臣上通，而便辟③制威。如此，则明塞于上，而治壅于下，正道捐弃，而邪事日长。三本者审，则便辟无威于国，道涂④无行禽，疏远无蔽狱⑤，孤寡无隐治⑥，故曰：刑省治寡，朝不合众。

右三本。

[注释]

①原：同"源"。②临事：治理政事。③便辟：指君主身边受宠幸的小臣。④涂：同"途"。⑤蔽狱：冤狱。⑥隐治：郭沫若云："'孤寡无隐治'言孤寡无有隐藏于胸中，而不得控诉申辩之讼事。"指无处申诉。

[译文]

决定国家治乱的因素主要有三个，仅有杀戮和刑罚是不够用的。决定国家安危的因素主要有四个，仅仅依靠城郭险阻是不足以防守的。决定国家贫富的因素主要有五个，仅仅减轻租税、削减赋敛是不足以依赖的。所以说，治理国家有"三本"，使国家安定有"四固"，使国家富裕有"五事"。这五项，是治理国家的最根本的原则。

君主需要审慎处理的问题有三个：一是大臣的德行和他的职位不适合，二是大臣的功劳和他的俸禄不适合，三是大臣的能力和他的官职不适合。这三个根本的问题，就是国家治乱的根源。所以品德道义还没有在朝廷上显露出来的人，不可授予尊高的爵位；功业能力还没有在国内表现出来的人，不可给予优厚的俸禄；治理政事不能使人民信任的人，不可以让他做官。所以德行深厚而爵位卑微的，叫做"过"；德行浅薄而爵位尊贵的，叫做"失"。宁可对君子有过错，也不要对小人有过失。对君子有过错，带来的怨恨浅；对小人有过失，带来的祸乱深。因此在一个国家里，如果有品德道义没有在朝廷上显露出来而被授予高贵爵位的人，那么贤良的大臣就得不到推荐；如果有功劳还没有在国内表现出来却享有很高俸禄的人，那么勤奋的大臣就得不到鼓励；如果有治理政事不能使人民信任却做了大官的人，那么有才能的大臣就得不到重用。审慎处理这三个问题，那么臣下就不敢妄求官禄；如果不能审慎处理这三个问题，那么奸佞之臣就会上通君主，左右小臣就会专权施威。这样，在上君主就会被蒙蔽，在下政令就不能推行，治国的正道被抛弃，坏事就会逐渐多起来。审慎处理这三个问题，君主左右亲近的小臣就不会在国内滥施淫威，在道路上也见不到囚犯，边远的地方也不会有冤狱，孤寡无亲的人们也不会无处申诉了。所以说，刑罚减少了，政务精简了，朝廷就不用经常召集群臣商议国事了。

以上"三本"。

君之所慎者四：一曰大德不至仁，不可以授国柄。二曰见贤不能让，不可与尊位。三曰罚避亲贵，不可使主兵[1]。四曰不好本事，不务地利，而轻赋敛，不可与都邑。此四务者，安危之本也。故曰：卿相不得众，国之危也。大臣不和同，国之危也。兵主不足畏，国之危也。民不怀[2]其产，国之危也。故大德至仁，则操国得众。见贤能让，则大臣和同。罚不避亲贵，则威行于邻敌。好本事，务地利，重赋敛，则民怀其产。

右四固。

[注释]

①主兵：掌握兵权，统率部队。②怀：归向，依恋。

[译文]

君主必须谨慎对待的问题有四个：一是提倡大德而做不到仁的人，不可以授予他国家的大权；二是见到贤能而不谦让的人，不可以授予尊贵的爵位；三是掌握刑罚却不能处罚亲贵的人，不可以让他统率军队；四是不重视农业，不注重地利，而轻易地征收赋税的人，不可以让他担任地方官吏。这四个原则是国家安危的根本。所以说卿相得不到众人的支持拥护，国家就危险了；大臣不齐心协力，国家就危险了；军队的统帅不足以使人畏惧，国家就危险了；人民不依恋自己的田产，国家就危险了。因此，只有提倡大德而能做到仁的，才可以治理国家得到众人的拥护；只有见到贤能而能够谦让的，才能使大臣们齐心协力；只有掌握刑罚却不避亲贵的，才能够使邻敌受到震慑；只有重视农业、注重地利，而不轻易征收赋税的，才能使人民依恋自己的田产。

以上"四固"。

君之所务者五：一曰山泽不救①于火，草木不植②成，国之贫也。二曰沟渎不遂③于隘，鄣水不安其藏，国之贫也。三曰桑麻不植于野，五谷不宜其地，国之贫也。四曰六畜不育于家，瓜瓠荤菜百果不备具，国之贫也。五曰工事竞于刻镂，女事繁于文章④，国之贫也。故曰：山泽救于火，草木植成，国之富也。沟渎遂于隘，鄣水安其藏，国之富也。桑麻植于野，五谷宜其地，国之富也。六畜育于家，瓜瓠荤菜百果备具，国之富也。工事无刻镂，女事无文章，国之富也。

右五事。

[注释]

①救：禁止，防止。②植：种植，生长。③遂：畅通。④文章：色彩或花纹。

[译文]

君主必须致力解决的问题有五个：一是山林沼泽不能防止火灾，草木不能种植生长，国家就会贫穷；二是沟渠不能通畅，堤坝不能牢固，国家就会贫穷；三是桑麻没有种植在合适的田野上，五谷没有种植在合适的土地上，国家就会贫穷；四是农家不饲养六畜，蔬菜瓜果不齐备，国家就会贫穷；五是工匠在刻木镂金上竞争，女工在文采花饰上竞争，国家就会贫穷。所以说，山林沼泽能够防止火灾，草木能够种植生长，国家就会富足；沟渠通畅，堤坝牢固，国家就会富足；田野种植桑麻，土地种植五谷，国家就会富足；农家饲养六畜，蔬菜瓜果齐备，国家就会富足；工匠不追求刻木镂金，女工也不追求文采花饰，国家就会富足。

以上"五事"。

分国以为五乡，乡为之师。分乡以为五州，州为之长。分州以为十里，里为之尉。分里以为十游，游为之宗。十家为什，五家为伍，什伍皆有长焉。筑障塞匿①，一道路，博②出入，审闾闬③，慎筦键④，筦藏于里尉。置闾有司⑤，以时开闭。闾有司观出入者，以复⑥于里尉。凡出入不时，衣服不中，圈属群徒，不顺于常者，闾有司见之，复无时。若在长家子弟、臣妾、属役、宾客，则里尉以谯⑦于游宗，游宗以谯于什伍，什伍以谯于长家，谯敬⑧而勿复。一再则宥，三则不赦。凡孝悌忠信、贤良俊材，若在长家子弟、臣妾、属役、宾客，则什伍以复于游宗，游宗以复于里尉，里尉以复于州长，州长以计于乡师，乡师以著于士师⑨。凡过党，其在家属，及于长家；其在长家，及于什伍之长；其在什伍之长，及于游宗；其在游宗，及于里尉；其在里尉，及于州长；其在州长，及于乡师；其在乡师，及于士师。三月一复，六月一计，十二月一著。凡上⑩贤不过等，使能不兼官，罚有罪不独及，赏有功不专与。

孟春⑪之朝，君自听朝，论爵赏校官，终五日。季冬⑫之夕，君自听朝，论罚罪刑杀，亦终五日。正月之朔，百吏在朝，君乃出令，布宪于国。五乡之师、五属大夫，皆受宪于太史。大朝之日，五乡之师、五属大夫，皆身习宪于君前。太史既布宪，入籍于太府，宪籍分于君前。五乡之师出朝，遂于乡官，致于乡属，及于游宗，皆受宪。宪既布，乃反⑬致令焉，然后敢就舍。宪未布，令未致，不敢就舍，就舍谓之留令，罪死不赦。五属大夫，皆以行车朝，出朝不敢就舍，遂行。至都之日，遂于庙，致属吏，皆受宪。宪既布，乃发使者致令，以布宪之日，蚤晏⑭之时。宪既布，使者以发，然后敢就舍；宪未布，使者未发，不敢就舍，就舍谓之留令，罪死不赦。宪既布，有不行宪者，谓之不从令，罪死不赦。考宪而有不合于太府之籍者，侈⑮曰专制，不足曰亏令，罪死不赦。首宪⑯既布，然后可以布宪。

右首宪。

[注释]

①障塞：防御用的城堡。匿：疑为衍文。②抟：（日本）猪饲彦博云："'博'当为'抟'，同'专'，一也。"指设立一个出入口。③闾闬：古代里巷的门。④筦键：也作"管键"。管、筦，钥匙；键，锁簧。指钥匙和锁。⑤闾有司：古代看守门的官吏。⑥复：回报。⑦谯：通"诮"，责备。⑧敬：同"儆"，警告。⑨士师：古代执掌禁令刑狱的官名。⑩上：通"尚"。⑪孟春：农历正月。⑫季冬：农历十二月。⑬反：同"返"。⑭蚤晏：早晚。蚤，通"早"。⑮侈：多余的。⑯首宪：古代国君于岁首颁布的法令。

[译文]

把都城分为五个乡，每乡设立乡师；把乡分为五个州，每州设立州长；把州分成十个里，每里设立里尉；把里分为十个游，每游设立游宗；十家为一什，五家为一伍，什伍都设立什长和伍长。修筑围墙，统一道路，设立出入口。审慎看管里门，注意钥匙和锁，钥匙由里尉掌管。设立闾有司，按时开门关门。闾有司要密切观察出入的人，并向里尉回报。凡是出入不遵守时间，穿戴不合规定，家眷亲属中有异常行迹的，闾有司如有发现，随时上报。如果是本里家长的子弟、臣妾、属役和宾客，那么里尉要责备游宗，游宗要责备什长伍长，什长伍长要责备家长。责备和警告后，就不用上报了。一次两次可以宽恕，第三次就不赦免了。凡发现孝悌、忠信、贤良和优秀的人才，如果是在本里家长的子弟、臣妾、属役和宾客中，那么什长伍长要向游宗上报，游宗要向里尉上报，里尉要向州长上报，州长汇总后向乡师上报，乡师最后登记备案向士师上报。

凡是责罚受牵连犯罪的人，如果家属犯罪，应追究家长的责任；家长犯罪，应追究什长伍长的责任；什长伍长犯罪，要追究游宗的责任；游宗犯罪，要追究里尉的责任；里尉犯罪，要追究州长的责任；州长犯罪，要追究乡师的责任；乡师犯罪，要追究士师的责任。三个月上报一次，六个月汇总一次，十二个月登记备案一次。凡是推举贤才都不能越级，使用能臣都不可兼职；惩罚有罪的人，不单独惩罚犯罪者自身；赏赐有功的人，也不只赏赐立功者本人。

农历正月，国君亲自临朝听政，评定爵赏，考核官吏，用五天时间。农历十二月，国君也要临朝听政，论定罚罪刑杀，也用五天时间。正月初一，百官上朝，国君于是公布法令，并颁行全国。五乡乡师和五属大夫，都要到太史那里领受法令典籍。朝会之日，五乡乡师和五属大夫都要在国君面前亲自学习法令。太史已经宣布法令后，把法令的底本存放在太府收藏，就在国君的面前把法令的简册发下去。五乡乡师出朝以后，就马上到乡师的治事处，召集本乡的官吏，包括游宗，都要来领受法令。法令已经公布，于是要返回去回复命令，然后才可以回到住处。法令没有公布，命令没有回复，就不敢回到住处，否则就叫做滞留法令，那是死罪不赦的。五属大夫，都是乘车来朝会的，出朝之后不可回到住处，要马上出发。到达都邑的当天，来到祖庙，召集官吏，都来领受法令。法令已公布后，便派遣使者回复命令，派使者要在公布法令的当天，不论早晚。法令公布后，使者已派出，然后才可以回到住所。法令没有公布，使者没有派出，就不可以回到住所，否则叫做滞留法令，那是死罪不赦的。法令公布后，有不执行法令的，叫做不服从法令，那是死罪不赦的。检查法令的文件，如果发现有与太府所存底册不符的，多余的叫作"专制"，少了的叫做"亏令"，那是死罪不赦的。岁首颁布的法令已经公布，然后就可以按照法令执行了。

以上"首宪"。

凡将举事，令必先出。曰事将为，其赏罚之数①，必先明之。立事②者，谨守令以行赏罚，计事致令，复赏罚之所加。有不合于令之所谓者，虽有功利，则谓之专制，罪死不赦。首事既布，然后可以举事。

右首事。

[注释]

①数：规定。②立事：具体办事的人。

[译文]

凡是将要办事，一定要先制定相关的法令。事情将要办的时候，一定要先明确赏罚的规定。具体办事的人要严守法令来施行赏罚，检查工作，回复命令，报告执行赏罚的情况。如果有不合于法令的，即使有成效，那也叫做专制，那是死罪不赦的。首事的法令已经发布，然后就可以遵照办事了。

以上"首事"。

修火宪①，敬②山泽林薮积草，夫财之所出，以时禁发焉，使民足于宫室之用、薪蒸③之所积，虞师④之事也。决水潦，通沟渎，修障防，安水藏，使时水虽过度，无害于五谷，岁虽凶旱，有所秎获，司空之事也。相高下，视肥硗，观地宜，明诏⑤期，前后农夫，以时均修⑥焉，使五谷桑麻皆安其处，由田⑦之事也。行乡里，视宫室，观树艺，简⑧六畜，以时钧修焉，劝勉百姓，使力作毋偷，怀乐家室，重去乡里，乡师之事也。论百工，审时事，辨功苦，上完利⑨，监一五乡，以时钧修焉，使刻镂文采，毋敢造于乡，工师⑩之事也。

右省官。

立政 39

[注释]

①火宪：防火的法令。②敬：通"儆"，警备，戒备。③薪蒸：薪柴。④虞师：古代掌管山泽的官吏。⑤诏：通"召"，征召。⑥均修：全面安排。"钧修"同。⑦由田：古代掌管农事的官吏。⑧简：检查。⑨上：通"尚"，提倡，崇尚。完利：坚固适用。⑩工师：古代掌管营建工程和管教百工的官吏。

[译文]

制定防火的法令，戒备山林、湖泊、沼泽、草甸这些出产自然资源的地方，要按时封禁和开放，使人民有充足的建材和薪柴，这是虞师的职责。排泄积水，疏通沟渠，修建堤坝，加固水池，即使雨水过多的时候，也不会对农业造成危害，即使年成不好的时候，也会有所收获，这是司空的职责。观察地势的高下，分析土地的肥瘠，查明土地适宜生长的作物，明确征召的日期，合理安排农事和服役的先后，使农业作物的种植各得其适，这是由田的职责。巡视乡里，察看宫室，观察树木的生长，检查家畜的饲养，能按时地合理安排，劝勉百姓，使他们努力劳动而不要偷闲，留恋家室而不轻易离开乡里，这是乡师的职责。考核工匠，审定生产的任务，分辨产品质量的优劣，提倡产品的坚固适用，监督统一五乡，按时地合理安排，使各乡不能生产刻镂文采之类的奢侈品，这是工师的职责。

以上"省官"。

度爵而制服，量禄而用财。饮食有量，衣服有制，宫室有度，六畜人徒有数，舟车陈器有禁①。修生则有轩冕、服位、谷禄、田宅之分，死则有棺椁、绞衾、圹垄之度②。虽有贤身贵体，毋其爵不敢服其服；虽有富家多资，毋其禄不敢用其财。天子服文有章，而夫人不敢以燕③以饣食庙，将军大夫以朝，官吏以命，士止于带缘④。散民不敢服杂采，百工商贾不得服长鬈貂。刑馀戮民，不敢服绖，不敢畜连⑤乘车。

右服制。

[注释]

①禁：禁忌。②绞衾：入殓时裹束尸体用的束带和衾被。圹垄：坟墓。③燕：通"宴"，安逸，安闲。④缘：古时候衣服的边饰。⑤畜连：同"畜辇"，备有车马。

[译文]

按照爵位制定服饰的标准，根据俸禄规定花费的标准。饮食有一定的标准，衣服有一定的制度，房屋有一定的规定，家畜和奴仆有一定的数目，车船和陈设的器物有一定的禁忌。活着的时候，在车马、衣帽、职位、俸禄、田宅等方面，有相应的待遇；死了的时候，在棺木、衣被、坟墓等方面，也有一定的标准。即使是高贵的身份，没有那样的爵位也不能穿那样的衣服；即使有富饶的家产，没有那样的俸禄也不能有那样的花费。天子衣服的花纹样式有一定的规定，夫人不能穿常服去祭祀宗庙，将军大夫穿着朝服上朝，官吏穿着命服办事，士只在衣带的边饰上有所标志。平民不能穿杂有文饰的衣服，工匠商人不能穿用羔皮貂皮制成的衣服。受过刑或者正在服刑的人不能穿丝织的衣服，也不能备车和乘马。

以上"服制"。

寝兵①之说胜，则险阻不守。兼爱之说胜，则士卒不战。全生②之说胜，则廉耻不立。私议自贵之说胜，则上令不行。群徒比周③之说胜，则贤不肖④不分。金玉货财之说胜，则爵服下流。观乐玩好之说胜，则奸民在上位。请谒⑤任举之说胜，则绳墨⑥不正。谄谀饰过之说胜，则巧佞者用。

右九败。

[注释]

①寝兵：停止战争。②全生：人的欲望皆得其所宜。③比周：结党营私。④不肖：不贤。⑤请谒：请托。⑥绳墨：木工画直线用的工具。这里指用人的标准。

[译文]

停止战争的议论占了上风，那么险阻就不能固守。兼爱的议论占了上风，那么士卒就不肯作战。全生的议论占了上风，那么廉耻的品德就不能建立。私立异说、自命不凡的议论占了上风，那么君主的政令就无法推行。结党营私的议论占了上风，那么好人坏人就无法分辨。金玉财货的议论占了上风，那么就会出现卖官鬻爵的现象。观乐玩好的议论占了上风，那么奸邪之辈就会爬到高位。请托保举的议论占了上风，那么用人的标准就不会公正。阿谀奉承、文过饰非的议论占了上风，巧言奸佞的人就会被任用。

以上"九败"。

期而致①，使而往，百姓舍己以上为心者，教之所期也。始于不足见，终于不可及，一人服之，万人从之，训之所期也。未之令而为，未之使而往，上不加勉，而民自尽竭，俗之所期也。好恶形于心，百姓化于下，罚未行而民畏恐，赏未加而民劝勉，诚信之所期也。为而无害，成而不议，得而莫之能争，天道之所期也。为之而成，求之而得，上之所欲，小大必举，事之所期也。令则行，禁则止，宪之所及，俗之所被，如百体之从心，政之所期也。

右七观。

[注释]

①致：通"至"。

[译文]

受到征召就立刻来到，得到派遣就立刻前往，百姓能够舍弃自我而把君主作为自己的主宰，这是教化所期望的结果。开始的时候看不出迹象，结束的时候不可比拟，君主一人行事，臣民万人相从，这是训导所期望的结果。没有命令就主动行事，没有派遣就主动前往，上面不需要劝勉，人民就能够尽心竭力，这是形成风俗所期望的结果。君主的好恶在心里形成，百姓在下面就转化为行动，没有施行刑罚而人民就感到畏恐，没有施行奖赏而人民就受到劝勉，这是建立诚信所期望的结果。行事没有祸患，成事后没有异议，得到的成果没有人能够去争夺，这是遵守天道所期望的结果。行事能成功，要求能达到，君主所要求的，无论大事小事，都能够实现，这是办事所期望的结果。有令就能推行，有禁就能阻止，凡是法令所及和风俗所影响到的地方，就像人体各部分受到心脏指挥一样，这是为政所期望的结果。

以上"七观"。

乘 马

凡立国都，非于大山之下，必于广川之上。高毋近旱，而水用足；下毋近水，而沟防①省。因天材，就地利，故城郭不必中规矩②，道路不必中准绳③。

右立国。

[注释]

①沟防：沟渠和堤防。②规矩：规，校正圆形的工具。矩，校正方形的工具。③准绳：测定物体平直的工具。

[译文]

凡是建造都城，不是在大山的脚下，也要在大河的近旁。高不可靠近干旱的地方，以便保证水源的充足；低不可靠近水涝的地方，以便减免沟渠和堤防的修筑。要依靠天然的资源，凭借有利的地理环境，所以城墙的建造不一定要符合方圆的标准，道路的铺设也不一定要符合平直的准绳。

以上"立国"。

无为者帝①，为而无以为者王，为而不贵者霸。不自以为所贵，则君道也；贵而不过度②，则臣道也。

右大数。

[注释]

①帝：名词活用为动词，成就帝业，后"王"、"霸"与此同。②度：规范。

[译文]

实行无为而治的国君可成就帝业，为政而没有什么可做的国君可成就王业，为政而不妄自尊大的国君可成就霸业。不妄自尊大是做君主的准则；地位高贵而不超越规范，是做臣子的准则。

以上"大数"。

地者，政之本也。朝者，义之理也①。市者，货之准②也。黄金者，用之量也。诸侯之地、千乘之国者，器之制也③。五者其理可知也，为之有道。

地者，政之本也，是故地可以正④政也。地不平均和调，则政不可正也；政不正，则事⑤不可理也。春秋冬夏，阴阳之推移⑥也。时之短长，阴阳之利用也；日夜之易，阴阳之化也。然则阴阳正矣，虽不正，有余不可损，不足不可益也，天地⑦，莫之能损益也。然则可以正政者地也，故不可不止也。正地者，其实⑧必正，长亦正，短亦正，小亦正，大亦正，长短大小尽正。正⑨不正，则官不理；官不理，则事不治；事不治，则货不多。是故何以知货之多也？曰：事治。何以知事之治也？曰：货多。货多事治，则所求于天下者寡矣，为之有道。

右阴阳。

[注释]

①义之理：指贵贱等级的体现。②准：标准。③器之制：规定军赋的标准。④正：整顿、整治。⑤事：农业生产。⑥推移：变化、发展。⑦天地：郭沫若云："'也'误益为'地'。"⑧实：这里指土地的实际收益。⑨正：通"政"，政事。

[译文]

土地是治理国家的根本，朝廷是贵贱等级的体现，市场是商品供求流通的标准，黄金是财用计量的尺度，一个诸侯国拥有的土地和千辆兵车，是规定军赋的标准。这五个方面，道理是可以理解的，推行起来也是有一定规律的。

土地是治理国家的根本，因此土地可以整治国家的政事。土地不合理分配，政事就不可能得到整治。政事得不到整治，那么农业生产就得不到发展。春秋冬夏是阴阳推移的结果，昼夜的长短是阴阳作用的结果，白天黑夜的更替是阴阳变化的结果。阴阳的运动一般是正常的，即使偶然失常，多时不能减少，少时也无法增加，这是自然规律，没有人能够改变。但土地可以整治国家的政事，因此对于土地不可不加以整治。整治土地，其实际的收益也要进行核正。长的土地要整治，短的土地也要整治，大块土地要整治，小块土地也要整治，无论长短大小都要整治。国家政事不治理，官府就无法治理；官府无法治理，农业生产就无法治理；农业生产无法治理，那么物资就不会丰富。那么怎样知道物资丰富了呢？回答是看农业生产的治理。怎样知道农业生产治理得好呢？回答是看物资的丰富。物资丰富，农业生产治理得好，那么求助于别人的就少了，推行起来也是有一定规律的。

以上"阴阳"。

朝者，义之理也。是故爵位正而民不怨，民不怨则不乱，然后义可理。理不正则不可以治，而不可不理也①。故一国之人，不可以皆贵，皆贵则事②不成而国不利也。为事之不成，国之不利也；使无贵者，则民不能自理也。是故辨于爵列之尊卑，则知先后之序、贵贱之义矣，为之有道。

右爵位。

[注释]

①"理不正"两句：郭沫若云："当是'不正则不可以理也'。上'理'字及'治而不可不'五字当衍。"译文从此说。②事：农业生产。

[译文]

朝廷是贵贱等级的体现。所以爵位安排合理，人民就不会产生怨恨；人民没有怨恨，就不会作乱，然后贵贱等级也就可以体现了。如果安排不合理，也就不可能体现了。因此一国的臣民不可以都尊贵，都尊贵了就没有人从事农业生产，对国家也不利。因为没有人从事生产，对国家不利；假如没有尊贵的人，那么百姓是不能自己管理好自己的。所以分辨爵位排列的尊卑高下，就可以知道先后的次序和贵贱的区别，管理起来也是有一定规律的。

以上"爵位"。

市者，货之准也。是故百货①贱，则百利②不得。百利不得，则百事治。百事治，则百用节③矣。是故事者生于虑，成于务，失于傲。不虑则不生，不务则不成，不傲则不失。故曰：市者可以知治乱，可以知多寡，而不能为多寡，为之有道。

右务市事。

[注释]

①百货：货物多。②百利：利润高。③节：调节。

[译文]

市场是商品供求流通的标准。所以货物多而价格低廉，就没有高额利润；没有高额利润，各项生产就能治理得好。各项生产搞好了，各项需求也就能通过调节达到平衡。所以生产的发展产生于谋虑，成功于努力，失败于骄傲懈怠。不谋虑就不会产生，不努力就不会成功，不骄傲懈怠也就不会失败了。所以说，通过市场可以知道社会的治乱，可以了解物资的多寡，但不能通过市场来创造物资本身。掌握起来，也是有一定规律的。

以上"务市事"。

黄金者，用之量也。辨于黄金之理①，则知侈俭。知侈俭，则百用节矣。故俭则伤事②，侈则伤货③。俭则金贱，金贱则事不成，故伤事；侈则金贵，金贵则货贱，故伤货。货尽而后知不足，是不知量也；事已而后知货之有余，是不知节也。不知量，不知节，不可，为之有道。

右黄金。

[注释]

①理：这里指黄金的作用。②伤事：抑制生产。③伤货：浪费资源。

[译文]

黄金是财用计量的尺度。懂得黄金的作用，就懂得了叫奢侈和节俭。懂得奢侈与节俭，各项需求也就得到了合理的调节。因此过于节俭会抑制生产，过于奢侈会浪费资源。因为过于节俭，金价就降低了，金价降低农业生产就无法进行，所以说会抑制生产。过多奢侈，金价就会升高，金价升高，物价就降低了，所以说会浪费资源。资源消耗光了才知道不足，这是不了解需求数量的缘故；生产完之后才发觉物资有剩余，这是不懂得调节的缘故。不了解需求的数量，不懂得物质的调节，都不可以的。掌握它们，也是有一定规律的。

以上"黄金"。

诸侯之地、千乘之国者，器之制也。天下乘马服牛，而任之轻重有制①。有一宿之行，道之远近有数矣。是知诸侯之地、千乘之国者，所以知地②之小大也，所以知任之轻重也。重而后损之，是③不知任也；轻而后益之，是不知器也。不知任，不知器,不可,为之有道。

右诸侯之地千乘之国。

[注释]

①任:承载,负担。制:限度。②地:当为"器"之误。③是:代词,这。

[译文]

一个诸侯国拥有的土地和千辆兵车,是规定军赋的标准。天下各地的牛车马车,承载货物的重量都有一定的限度。了解了一夜的行程,道路的远近也就可以推算出来了。因此,知道一个诸侯国拥有的土地和兵车的数量,就可以推算出军赋的多少和负担的轻重了。负担过重然后再削减,这是不了解承担军赋的能力;负担过轻然后再增加,这是不了解所需军赋的数量。不了解承担军赋的能力和所需军赋的数量都是不可以的。掌握它们,也是有一定规律的。

以上"诸侯之地、千乘之国"。

地之不可食①者,山之无木者,百而当一。涸泽,百而当一。地之无草木者,百而当一。樊②棘杂处,民不得入焉,百而当一。薮③,镰缠④得入焉,九而当一。蔓山⑤,其木可以为材,可以为轴,斤斧得入焉,九而当一。泛山⑥,其木可以为棺,可以为车,斤斧得入焉,十而当一。流水,网罟⑦得入焉,五而当一。林,其木可以为棺,可以为车,斤斧得入焉,五而当一。泽,网罟得入焉,五而当一。命之曰:地均以实数。

方六里命之曰暴,五暴命之曰部,五部命之曰聚。聚者有市,无市则民乏⑧。五聚命之曰某乡,四乡命之曰方,官制⑨也。官成而立邑:五家而伍,十家而连,五连而暴,五暴而长,命之曰某乡,四乡命之曰都,邑制⑩也。邑成而制事:四聚为一离,五离为一制,五制为一田,二田为一夫,三夫为一家,事制⑪

也。事成而制器：方六里为一乘之地也；一乘者，四马也；一马，其甲七，其蔽⑫五；四乘，其甲二十有八，其蔽二十。白徒⑬三十人奉车两，器制⑭也。方六里，一乘之地也。方一里，九夫之田也。黄金一镒⑮，百乘一宿之尽也。无金则用其绢，季绢三十三制当一镒⑯。无绢则用其布，经暴布百两当一镒⑰。一镒之金，食百乘之一宿。则所市之地，六步一斗，命之曰中岁。有市，无市则民不⑱乏矣。方六里名之曰社，有邑焉，名之曰央，亦关市之赋⑲。黄金百镒为一箧，其货一谷笼为十箧。其商苟在市者三十人，其正月十二月，黄金一镒，命之曰正分。春日书比⑳，立㉑夏日月程，秋日大稽，与㉒民数得亡。三岁修封，五岁修界，十岁更制，经正也㉓。十仞见水不大潦㉔，五尺见水不大旱。十一仞见水轻征，十分去二三，二则去三四，四则去四，五则去半，比之于山㉕。五尺见水，十分去一，四则去三，三则去二，二则去一，三尺而见水，比之于泽。

距㉖国门以外，穷四竟㉗之内，丈夫二犁㉘，童五尺一犁，以为三日之功。正月令农始作，服于公田农耕。及雪释，耕始焉，芸㉙卒焉。士闻见、博学、意察㉚而不为君臣者，与㉛功而不与分焉。贾知贾之贵贱、日至于市而不为官贾者，与功而不与分焉。工治容貌㉜功能、日至于市而不为官工者，与功而不与分焉。不可使而为工㉝，则视货离㉞之实而出夫粟。是故智者知之，愚者不知，不可以教民。巧者能之，拙者不能，不可以教民。非一令而民服之也，不可以为大善。非夫人能之也，不可以为大功。是故非诚贾不得食于贾，非诚工不得食于工，非诚农不得食于农，非信士不得立于朝。是故官虚而莫敢为之请，君有珍车珍甲而莫之敢有，君举事臣不敢诬㉟其所不能。君知臣，臣亦知君知己也，故臣莫敢不竭力，俱操其诚以来。

道曰㊱：均地分力，使民知时也。民乃知时日之蚤晏㊲、日月之不足、饥寒之至于身也。是故夜寝蚤起，父子兄弟，不忘其功，为而不倦，民不惮劳苦。故不均之为恶㊳也，地利不可竭，民力不可殚㊴。不告之以时，而民不知；不道之以事，而民不为。与之分货㊵，则民知得正㊶矣，审其分㊷，则民尽力矣。是故不使而父子兄弟不忘其功。

右士农工商。

[注释]

①不可食：指不生产粮食。②樊：王引之云："草木无名'樊'者，'樊'当为'楚'，字形相似而误。楚，荆也，'楚棘杂处'谓荆棘丛生也。"③薮：草木茂盛的沼泽。④缠：王念孙云："'缠'当从宋本作'絰'。"绳索。⑤蔓山：丘陵地区。⑥汎山：高山地区。⑦罟：渔网。⑧乏：供给贫乏。⑨官制：指行政的组织体制。⑩邑制：居民的组织体制。⑪事制：生产的组织体制。⑫蔽：隐蔽，这里指盾牌兵。⑬白徒：临时征集的壮丁，未经训练。⑭器制：军赋制度。⑮锱：古代的重量单位，二十两为一锱。⑯季绢：一说为下等绢，一说为绢之轻细疏薄者也，译文从后说。制：布一丈八尺为一制。⑰经：应为"绖"，葛布，暴布：细布。⑱不：当为衍文，上文"聚者有市，无市则民乏"，可证。⑲关市之赋：指关税和市场税。⑳书比：公布税率。㉑立：疑为衍文，"春日"、"秋日"可证。㉒与：记录。㉓经正：正，同"政"。经政即常例。㉔十仞：古代一仞为七尺，俞樾云："'十仞'当为'一仞'。一仞见水，其地较高，故不大潦；五尺见水，其地较卑，故不大旱。若作'十仞'，则太愚绝矣。"俞说可信。潦：涝。㉕"十一仞"句："十"为衍文，应为"一仞"。王引之云："'五则去半'推之，则当为'一仞见水轻征，十分去一，二则去二，三则去三，四则去四，五则去半'。"此说可信。㉖距：到。㉗竟：边境，后来写作"境"。㉘犁：一副犁所耕种的土地。㉙芸：同"耘"，除草。㉚意察：识察，指断事精明。㉛与：参与。㉜容貌：样式。㉝工：同"功"。丁士涵云："'不可使为工'者，不可使而为三日之功也。"㉞货离："货"应为"贷"之误。陈奂云："贷离，犹差贷也。"指差额。㉟诬：谎报，捏造。

㊱道：郭沫若云："犹言也，是则'道曰'同于'语曰'。"㊲蚤晏：蚤，通"早"。蚤晏，即早晚。㊳恶：祸患。㊴殚：用尽，竭尽。㊵分货：分取收益。㊶正：同"征"，指应缴纳的租税。与"得"相对为文。㊷分：指收益和缴纳的标准。

[译文]

对于不产粮食的土地和不长树木的荒山，百亩折合成一亩。干涸的沼泽，百亩折合成一亩。对于不生长草木的土地，百亩折合成一亩。荆棘丛杂人们无法进入的土地，也是百亩折合成一亩。草木茂盛的沼泽带着镰刀绳索可以进去采伐的，九亩折合成一亩。丘陵地区的树木可以当材料，可以做车轴，人们可以进去采伐的，九亩折合成一亩。高山地区的树木可以做棺木，可以做车，人们可以进去采伐的，十亩折合成一亩。可以下网捕鱼的江河，五亩折合成一亩。森林的树木可以做棺木，可以做车，人们可以进去采伐的，也是五亩折合成一亩。可以下网捕鱼的湖泽，五亩折合成一亩。这就叫做按照实际的出产将山林河泽等土地折算成耕地的面积。

方圆六里的区域称为暴，五暴称为部，五部称为聚。聚要有集市，如果没有集市，人们的供给会很贫乏。五聚称为乡，四乡称为方，这是行政的组织制度。行政组织制度建立后，就要建立居民的组织制度。五家编成一伍，十家编成一连，五连编成一暴，五暴编成一长，称为乡，四乡称为都，这是居民的组织制度。居民的组织制度建立后，就要组织生产了。四聚作为一离，五离作为一制，五制作为一田，二田作为一夫，三夫作为一家，这是生产的组织制度。生产组织制度建立后，就要确定军赋了。六里方圆的土地要承担兵车一乘的军赋。一乘兵车配备四匹马，一匹马配备甲士七人，盾牌兵五人。四乘兵车则配备甲士二十八人，盾牌兵二十人。另外还配备壮丁三十人，负责兵车的供应给养，这就是军赋制度。方圆六里的土地要承担一乘兵车的军赋。方圆一里的土地，是由九个农夫负责耕种的。黄金二十两，是供应百乘兵车一宿的费用。没有黄金可以用丝绢来代替，细绢三十三制可折合成黄金一镒。没有细绢可以用布来代替，用葛布织成的一百匹细布可折合成黄金一镒。一镒黄金是供给百乘兵车一夜的费用。这样，承担军赋的地区，每六步土地要征粮一斗，这就是中等年成的税率。要有市场，没有市场，百姓的日常供给就会缺乏。方圆六里的地区称为社，有居民聚集的乡邑称为央，也要建立关税和市场税。黄金百镒算为一箧，货物一谷笼算作十箧。市场的商人如果达到了三十人，正月和十二月要征收黄金一镒，这就叫"正分"。每年的春分公布税率，立夏时要按月核实税额，秋分时要统计征税情况，还要统计市场交易人数的增减。三年修整一次田埂，五年修整一次田界，十年重新更定田界，这些都是常例。一般一仞深见水的土地，不会出现大涝；五尺深见水的土地，不会出现大旱。一仞见水的土地，要减轻租税十分之一，二仞见水的要减收十分之二，三仞见水的要减收十分之三，四仞见水的要减收十分之四，五仞见水的要减半，相当于山地的税率。五尺见水的土地，也要减轻租税十分之一，四尺见水的要减收十分之三，三尺见水的要减收十分之二，二尺见水的要减收十分之一，而三尺见水的土地，其税率就相当于沼泽了。

从国都到全国各地，成年男子按照两副犁、未成年男子按照一副犁所耕种的土地数额，为国家服役三天。正月就使百姓开始耕作，到公田去服役，从雪化耕种开始，直到锄草为止。那些见多识广、学问渊博、断事精明的士，但没有成为国家臣吏的，也要服役三日而不分配收益。对于了解物价情况，每天都到集市交易的商人，但没有成为官商的，也要服役三日而不分配收益。对于讲求器物的样式和功能，每天参加集市交易的手工业者，但没有成为官家工匠的，也要服役三日而不分配收益。不能完成三日劳役的人们，可以按照差额交纳粮食来补偿。因此只有聪明人能明白而愚蠢的人

乘马

不明白的事，不可以用来教育人民。只有灵巧的人能做到而笨拙的人做不到的技能，不可以用来教育人民。若不是下一道命令就会使百姓心悦诚服的政策，就不能达到大治；若不是人人都能做到，就不能实现大功。因此不是真正的商人，不能够以经商为生；不是真正的工匠，不能以做工为生；不是真正的农夫，不能以务农为生；不是名副其实的士人，不能在朝中做官。这样即使国家的官职有空缺，也没有人敢冒请补缺；即使国君有珍车、珍甲的待遇，也没有人敢妄求享有；即使国君要举办大事，臣下也不敢谎报他们做不到的事情。国君了解臣下，臣下也知道国君了解自己。所以，臣下没有敢不尽心竭力，都怀着忠诚之心来为君主服务。

俗话说：合理分配土地，实行分散经营，可以使百姓抓紧农时。这样百姓才会关注季节的早晚、时间的紧迫和饥寒的威胁。因此他们能够晚睡早起，父子兄弟全家关心农业生产，不知疲倦，人民不辞辛苦。而不把土地进行合理分配的祸患在于：土地的收益不能得到充分发掘，民力也不能得到充分发挥。不告知农业生产的季节，人民就不会抓紧；不指导农业的生产，人民就不会干活。和人民实行分取收益的制度，人民也就懂得了自己该收益的和该缴纳的。明确了收益和缴纳的标准，人民就会竭尽全力进行生产了。因此即使不督促，父子兄弟也会关心生产的。

以上"士农工商"。

圣人之所以为圣人者，善分民①也。圣人不能分民，则犹百姓也。于己不足，安得名圣？是故有事则用，无事则归之于民，唯圣人为善托业于民。民之生也，辟则愚②，闭则类③，上为一，下为二。

右圣人。

[注释]

①分民：许维遹曰："分，犹予也。"分民，即寄付于民。②愚：郭沫若云："当是'惠'字之误，假为'慧'。"③类：郭沫若云："假为'颣'，戾也。言民性，开之则智，塞之则悖。"

[译文]

圣人之所以成为圣人，就是因为他善于寄付于民。如果圣人做不到这一点，就如同普通百姓一样了。自己总是不满足，哪里能称得上圣人呢？因此国家有事就取用于民，无事就让财货留在百姓那里，只有圣人才善于把产业寄托于人民。人的本性，开导就会通情达理，堵塞就会悖逆。上面作出好的榜样，下面就会加倍仿效。

以上"圣人"。

时之处事精①矣，不可藏而舍也②。故曰：今日不为，明日忘③货，昔之日已往而不来矣。

右失时。

[注释]

①精：宝贵。②藏：留滞。舍：停止。③忘：通"亡"，即失也。

[译文]

农时对于农事来说非常宝贵，不能留滞使之停止不前。所以说：今天不进行生产，明天就没有收获。过去的时光，一去就不再回来了。

以上"失时"。

上地方八十里，万室之国一，千室之都四。中地方百里，万室之国一，千室之都四。下地方百二十里，万室之国一，千室之都四。以上地方八十里，与下地方百二十里，通①于中地方百里。

右地里。

[注释]

① 通：相当于、等于。

[译文]

方圆八十里的上等土地，可以负担一座万户人口城市和四座千户人口城镇的需求。方圆百里的中等土地，可以负担一座万户人口城市和四座千户人口城镇的需求。方圆一百二十里的下等土地，可以负担一座万户人口城市和四座千户人口城镇的需求。因此，方圆八十里的上等土地与方圆一百二十里的下等土地，都相当于方圆一百里的中等土地。

以上"地里"。

七 法

言是而不能立,言非而不能废,有功而不能赏,有罪而不能诛,若是而能治民者,未之有也。是必立,非必废,有功必赏,有罪必诛,若是安①治矣?未也。是何也?曰:形势器械未具②,犹③之不治也。形势器械具,四者备,治矣。不能治其民,而能强其兵者,未之有也。能治其民矣,而不明于为兵之数④,犹之不可。不能强其兵,而能必胜敌国者,未之有也;能强其兵,而不明于胜敌国之理,犹之不胜也。兵不必胜敌国,而能正⑤天下者,未之有也。兵必胜敌国矣,而不明正天下之分⑥,犹之不可。故曰:治民有器,为兵有数,胜敌国有理,正天下有分。

[注释]

①安:许维遹云:"安,亦则也。"②形势:治理百姓的客观形势。器械:治理百姓的设施。③犹:仍然,还。④为兵之数:用兵的策略。⑤正:匡正。⑥分:行动纲领。

[译文]

言论正确而不能接受,言论错误而不能废弃,有功却不能奖赏,有罪却不能惩罚,像这样能治理好人民的,没有这样的事。正确的一定要接受,错误的一定要废弃,有功的一定要奖赏,有罪的一定要惩罚,像这样就能治理好人民吗?还不能。为什么呢?回答是：治理百姓的客观形势和设施没有具备，仍然不能治理好。客观形势和设施都具备了，上面四项也能做到了，就可以治理好了。不能治理好人民，却能使军队强大，没有这样的事。能够治理好人民，但不懂得用兵的策略，还是不行。不能使军队强大而一定能战胜敌国的，没有这样的事。能够使军队强大却不懂得战胜敌国的道理，仍然不能战胜。军队不能够战胜敌国却能够匡正天下，没有这样的事。军队能够战胜敌国却不明白匡正天下的行动纲领，仍然不行。所以说：治理人民要有条件，治理军队要有策略，战胜敌国要懂得道理，匡正天下要明白纲领。

则、象、法、化、决塞、心术、计数①。根②天地之气，寒暑之和，水土之性，百姓鸟兽草木之生，物虽不③甚多，皆均有④焉，而未尝变也，谓之则。义也、名也、时也、似也、类也、比也、状也⑤，谓之象。尺寸也、绳墨也、规矩也、衡石也、斗斛也、角量也⑥，谓之法。渐也、顺也、靡也、久也、服也、习也⑦，谓之化。予夺也、险易也、利害也、难易也、开闭也、杀生也，谓之决塞。实也、诚也、厚也、施也、度也、恕也，谓之心术。刚柔也、轻重也、大小也、实虚也、远近也、多少也，谓之计数。不明于则，而欲出号令，犹立朝夕于运均之上⑧，檐⑨竿而欲定其末。不明于象，而欲论材审用，犹绝长以为短，续短以为长。不明于法，而欲治民一众，犹左书而右息⑩之。不明于化，而欲变俗易教，犹朝揉轮而夕欲乘车。不明于决塞，而欲驱众移民，犹使水逆流。不明于心术，而欲行令于人，犹倍招⑪而必拘之。不明于计数，而欲举大事，犹无舟楫而欲经于水险也。故曰：错仪画制⑫，不知则不可。论材审用，不知象不可。和民一众，不知法不可。变俗易教，不知化不可。驱众移民，不知决塞不可。布令必行，不知心术不可。举事必成，不知计数不可。

右七法。

[注释]

①则：规律。象：表象。法：标准。决塞：权衡。心术：思想品行。②根：穷究，追究。③不：衍文。④均有：即有均。均，法则。⑤仪：通"仪"，指仪表，外形。比：次序。⑥衡石：古代称量轻重的器具。斗斛：量器。角量：古代平斗斛的器具。⑦渐：渐进。顺：通"驯"，驯服。靡：通"磨"，磨炼。久：通"灸"，熏染。服：适应。习：习惯。⑧朝夕：古代测日影以定方向的仪器。均：制陶器的轮子。⑨檐：通"摇"，摇动。⑩息：止，阻止。⑪倍招：倍，通"背"。招，箭靶。倍招，是指背对着箭靶。⑫错仪画制：错，通"措"，设置。错仪画制，是指制定法令制度。

[译文]

七法是指规律、表象、标准、教化、权衡、心术和计数。探究天地间的元气，寒暑的协调，水土的特性，人类、鸟兽、草木的生长繁殖，万物虽然繁多，但都有一个共同的法则，而且是不曾改变的，称之为"规律"。事物的外形、名称、时间、相似、类别、次序、状态，称之为"表象"。尺寸、绳墨、规矩、衡石、斗斛、角量，称之为"标准"。使百姓渐进、驯服、磨炼、熏染、适应、习惯，称之为"教化"。斟酌予与夺、险与易、利与害、难与易、开与闭、死与生，称之为"权衡"。老实、忠诚、宽厚、博施、大度、容让，称之为"思想品行"。刚柔、轻重、大小、虚实、远近、多少，称之为"计数"。不明白规律，却想要发号施令，就好比把测方向的标杆插在转动的陶轮上，摇动竹竿而妄想稳定它的末端一样。不了解表象，而想要量才用人，就好比把长材短用，短材长用一样。不了解事物的标准，而想治理人民统一号令，就好比用左手写字，而用右手阻止一样。不明白教化，而想要改变风俗习惯，就好比早晨刚制造车轮，晚上就要乘车一样。不了解权衡的方法，而想驱使和调遣人民，就好比使水倒流一样。不了解思想品行，而想对别人发号施令，就好比背对着箭靶而要射中目标一样。不了解计数而想要办大事，就好比没有船只却想渡过急流险滩一样。所以说：制定法令制度，不了解规律不行；量才用人，不了解表象不行；治理人民统一号令，不了解标准不行；改变风俗习惯，不了解教化不行；驱使和调遣人民，不了解权衡不行；发号施令必定推行，不了解思想品行不行；办大事必定成功，不了解计数不行。

以上"七法"。

百匿①伤上威，奸吏伤官法，奸民伤俗教，贼盗伤国众。威伤，则重在下；法伤，则货上流；教伤，则从令者不辑②；众伤，则百姓不安其居。重在下，则令不行；货上流，则官徒毁③；从令者不辑，则百事无功；百姓不安其居，则轻民处而重民散④；轻民处，重民散，则地不辟；地不辟，则六畜不育；六畜不育，则国贫而用不足；国贫而用不足，则兵弱而士不厉；兵弱而士不厉，则战不胜而守不固；战不胜而守不固，则国不安矣。故曰：常令不审⑤，则百匿胜；官爵不审，则奸吏胜；符籍不审，则奸民胜；刑法不审，则盗贼胜；国之四经败，人君泄见危⑥。人君泄，则言实之士不进；言实之士不进，则国之情伪⑦不竭于上。

世主⑧所贵者宝也，所亲者戚也，所爱者民也，所重者爵禄也。亡君⑨则不然，致⑩所贵非宝也，致所亲非戚也，致所爱非民也，致所重非爵禄也。故不为重宝亏其命⑪，故曰令贵于宝；不为爱亲危其社稷，故曰社稷戚于亲；不为爱人枉其法，故曰法爱于人；不为重爵禄分其威，故曰威重于爵禄。不通此四者，则反于无有。故曰：治人如治水潦，养人如养六畜，用人如用草木。居⑫身论道行理，则群臣服教，百吏严断，莫敢开私焉。论功计劳，未尝失⑬法律也。便辟⑭、左右、大族、尊贵、大臣，不得增其功焉；疏远、卑贱、隐不知之人，不忘其劳，故有罪者不怨上，爱⑮赏者无贪心，则列陈⑯之士，皆轻其死而安难，以要上事⑰，本⑱兵之极也。

右四伤百匿。

[注释]

①匿：通"慝"，邪恶。②辑：和睦。③官徒毁：郭沫若云："'徒'疑'德'字之误。《左传·桓公二年》'国家之败由官邪也，官之失德宠赂章也'，其例证。"官徒毁，即指官德败坏。④轻民：从事手工业和商业的人。重民：从事农业的人。⑤常令：国家法令。审：严格。⑥泄：通"媟"，轻慢。见：王念孙云："'见'当为'则'。"⑦情伪：弊病。⑧世主：国君。⑨亡君：当为"明君"。《管子·法法》"明君不为亲戚危其社稷"，可证。⑩致：最。⑪命：政令。⑫居：下句为"群臣服教"，则"居"应为"君"之误。⑬失：失去，这里指违背。⑭便辟：谄媚逢迎的小人。⑮爱：应为"受"之误。⑯陈：通"阵"。⑰上事：正业，这里指为国立功。⑱本：孙蜀丞云："本者，主也。"治理。

[译文]

坏人当政会损害君主的权威，奸吏掌权会破坏国家的法制，奸民得势会伤害风俗和教化，贼盗得逞会伤害国内的民众。君主的权威被损害，权力就会下移；国家的法制被破坏，财货贿赂就会进入上层；教化被伤害，臣民就不会和睦；民众被伤害，百姓就不会安居乐业。君权下移，政令就无法推行；财货上流，官德就败坏了；臣民不和睦，什么事都办不成；百姓不能安居乐业，从事工商业的人就会增加而从事农业的人减少。从事工商业的人增加而从事农业的人减少，那么土地就得不到开辟；土地不开辟，六畜就不能繁育；六畜不繁育，那么国家就必然贫穷而财用不充足；国家贫穷财用不足,那么军队就会衰弱而士气不振;军队衰弱士气不振,那么作战也不能胜利、守城也不能稳固;作战不胜利守城不稳固,国家就不会安定了。所以说:国家的法令制度不严明,坏人就会当政;官爵制度不严明,奸吏就会掌权;符籍制度不严明,奸民就会得势;刑法制度不严明,盗贼就会得逞。国家的四种根本制度被破坏了,而君主又不重视,那么国家就会危险了。这是因为君主不重视,忠诚直言的人就不能进谏;忠诚直言的人不能进谏,国家的弊病君主也就不能掌握了。

一般君主所看重的是珍宝,所亲近的是亲戚,所爱护的是百姓,所重视的是爵禄。英明的君主则不是这样,他最看重的不是珍宝,最亲近的不是亲戚,最爱护的不是百姓,最重视的不是爵禄。所以,他不会为珍贵的珍宝损害政令,所以说政令比珍宝更贵重;不会为亲戚危害国家,所以说国家比亲戚更亲近;不会为爱护百姓而违反法律,所以说法律比百姓更值得爱护;不会为重视爵禄而削弱威信,所以说威信比爵禄更重要。君主如不懂得这四个方面,就会一无所得。所以说:治理人就如同治理水涝,养育人就如同养育六畜,任用百姓就如同使用草木。君主自身能够按理办事,群臣就会服从政令,百官断事严明,也就没有人敢徇私了。评计功劳,不能违背法令制度。谄媚逢迎的小人、左右的侍从、豪门大族、权贵之家和朝廷大臣,不能够凭特权增加功劳。关系疏远的、地位卑贱的、不知名的人,有功也不得埋没。因此犯罪受刑的人不会抱怨君上,有功受赏的人也不会滋长贪心,临阵参战的士兵们也会不怕牺牲而敢于赴难,争取为国立功,这是治军最重要的原则。

以上"四伤百匿"。

为兵之数,存乎聚财,而财无敌。存乎论工①,而工无敌。存乎制器,而器无敌。存乎选士,而士无敌。存乎政教,而政教无敌。存乎服习②,而服习无敌。存乎遍知天下,而遍知天下无敌。存乎明于机数③,而明于机数无敌。故兵未出境,而无敌者八。是以欲正天下,财不盖天下,不能正天下;财盖天下,而工不盖天下,不能正天下;工盖天下,而器不盖天下,不能正天下;器盖天下,而士不盖天下,不能正天下;士盖天下,而教不盖天下,不能正天下;教盖天下,而习不盖天下,不能正天下;习盖天下,而不遍知天下,不能正天下;遍知天下,而不明于机数,不能正天下。故明于机数者,用兵之势也,大者时也,小者计也。

王道非废也,而天下莫敢窥者,王者之正也。衡库④者,天子之礼也。是故器成卒选,则士知胜矣。遍知天下,审御机数,则独行而无敌矣。所爱之国,而独⑤利之;所恶之国,而独害之,则令行禁止,是以圣王贵之。胜一而服百,则天下畏之矣。立少而观多,则天下怀之矣。罚有罪,赏有功,则天下从之矣。故聚天下之精财⑥,论百工之锐器,春秋角试以练⑦,精锐为右,成器不课⑧不用,不试不藏。收天下之豪杰,有天下之骏雄,故举之如飞鸟,动之如雷电,发之如风雨,莫当其前,莫害⑨其后,独出独入,莫敢禁圉⑩。成功立事,必顺于礼义,故不礼不胜天下,不义不胜人⑪。故贤知⑫之君,必立于胜地,故正天下而莫之敢御也。

右为兵之数。

[注释]

①论工:考论工匠的技巧。②服习:军事训练。③机数:时机和谋略。④衡库:权衡利弊,心中有数。⑤独:特殊。⑥财:当为"材",《管子·幼官》"求天下之精材",可证。⑦角试:比试。练:通"拣",选择。⑧课:考核。⑨害:通"遏",阻止。⑩禁圉:同"禁御",抵抗。⑪礼:合乎礼。义:合乎义。⑫知:同"智"。

[译文]

　　治理军队的方法，在于积聚财富，使财富无敌于天下；在于考论工匠的技巧，使工匠的技巧无敌于天下；在于制造兵器，使兵器无敌于天下；在于选拔战士，使战士无敌于天下；在于管理教育，使管理教育工作无敌于天下；在于军事训练，使训练工作无敌于天下；在于调查各国情况，使调查工作无敌于天下；在于明察时机和策略，使明察时机和策略无敌于天下。因此军队还没有出国境，无敌于天下的八个方面都已经具备了。所以，想要匡正天下，财富不是无敌于天下就不能匡正天下；财富无敌于天下，但工匠的技巧不能无敌于天下也不行；工匠的技巧无敌于天下，但兵器不能无敌于天下也不行；兵器无敌于天下，但战士不能无敌于天下也不行；战士无敌于天下，但管理教育工作不能无敌于天下也不行；管理教育工作无敌于天下，但军事训练不能无敌于天下也不行；训练无敌于天下，但不了解各国情况也不行；了解了各国的情况，但不能明察时机和策略，还是不能匡正天下。所以，明察时机和策略是治理军队的关键，主要是掌握时机，其次是策略。

　　王道不可废止，天下之所以不敢觊觎推行王道的国家，就在于王道的正义。权衡利弊，心中有数，这是天子应遵守的礼数。所以，制造兵器选拔士兵，勇士就有了必胜的信心。了解各国的情况，善于掌握时机与策略，那么就所向无敌了。对于友好的国家，要给予特殊的扶持；对于敌对国家，要给予特殊的惩罚，这样就能令行禁止。因此，英明的君主都很重视它。战胜一个国家而使百国臣服，天下就会畏惧；扶植少数国家而给其他国家作示范，天下都会归附；惩罚有罪的，赏赐有功的，天下就会跟着归从了。因此，聚集天下的英才，探究工匠锐利的兵器，春秋两季进行比试，选择精锐的列为上等。制成的武器，不经考核不能使用，不经试验不能入库。收罗天下的豪杰，拥有天下的勇士，这样就可以举兵如同飞鸟,动兵如同雷电,发兵如同风雨,没有人能在前面阻挡,也没有人能从后面阻止,单独行动,没有人敢抵抗。成就功绩建立事业,一定要顺应礼义。如果不合乎礼就不能取胜于天下,不合乎义就不能战胜敌人。因此贤明智慧的君主,一定立于不败之地,所以能够匡正天下而没有人敢于抵挡。

以上"为兵之数"。

若夫曲制①时举,不失天时,毋圹②地利。其数多少,其要必出于计数。故凡攻伐之为道也,计必先定于内,然后兵出乎境,计未定于内,而兵出乎境,是则战之自胜③,攻之自毁也。是故张军④而不能战,围邑而不能攻,得地而不能实,三者见一焉,则可破毁也。故不明于敌人之政,不能加⑤也;不明于敌人之情,不可约⑥也;不明于敌人之将,不先军也;不明于敌人之士,不先陈也。是故以众击寡,以治击乱,以富击贫,以能击不能,以教卒练士击驱众白徒,故十战十胜,百战百胜。故事无备,兵无主,则不蚤知;野不辟,地无吏,则无蓄积;官无常⑦,下怨上,而器械不功⑧;朝无政,则赏罚不明;赏罚不明,则民幸生。故蚤知敌人如独行,有蓄积则久而不匮,器械功则伐而不费⑨,赏罚明则人不幸,人不幸则勇士劝之。故兵也者,审于地图,谋十官日⑩,量蓄积,齐⑪勇士,遍知天下,审御机数,兵主之事也。

故有风雨之行,故能不远道里矣;有飞鸟之举,故能不险山河矣;有雷电之战,故能独行而无敌矣;有水旱之功⑫,故能攻国救邑;有金城之守,故能定宗庙、育男女矣;有一体之治,故能出号令、明宪法矣。风雨之行者,速也;飞鸟之举者,轻也;雷电之战者,士不齐也;水旱之功者,野不收、耕不获也;金城之守者，用货财、设耳目也；一体之治者，去奇说、禁雕⑬俗也。不远道里，故能威绝域之民。不险山河，故能服恃固之国。独行无敌，故令行而禁止。故攻国救邑，不恃权与之国⑭，故所指必听。定宗庙、育男女，天下莫之能伤，然后可以有国。制仪法，出号令，莫不响应，然后可以治民一众矣。

右选陈。

[注释]

①曲制：何如璋："曲，部曲也。曲制，部曲之制也。"这里指军队。②圹：通"旷"，荒废。③胜：应为"败"之误，《管子·参患》"战之自败，攻之自毁"，可证。④张军：摆开阵势。⑤加：参与，这里指出兵。⑥约：宣战。⑦常：通"长"，首长。⑧功：通"工"，精巧、精良。⑨费：耗损。⑩谋十官日：何如璋云："当为'谋于日官'，与上句'审于地图'对文。谋日官，察天时也。地利天时乃兵事之本。"言之可信。⑪齐：整治，训练。⑫功：功效。⑬雕：通"彤"，装饰。⑭权与之国：盟国。

[译文]

至于军队要利用时机发动进攻，不要丧失天时，也不放弃地利。军事上数字的多少，关键在于经过精准计算。所以，凡是攻战的原则，都要求必须在国内做好计划，然后再举兵出境。在国内事先没有计划就举兵出境，这是自取失败。因此，摆开阵势却不能交战，包围城邑却不能发动进攻，夺得了土地却不能防守，这三种情况出现了任何一种，军队就可能被毁灭。所以，不了解敌人的政治，不可出兵；不了解敌人的军情，不可宣战；不了解敌人的将领，不可抢先采取军事行动；不了解敌人的士兵，不可先摆列阵势。所以必须用多数去进攻少数，用治国去进攻乱国，用富国去进攻穷国，用贤能的将帅去进攻无能的将帅，用经过训练的士卒去进攻临时征集未经训练的乌合之众，这样就可以做到十战十胜，百战百胜。所以，对战事没有准备，军队没有统帅，就不会预先掌握敌情；荒地没有开垦，土地没有官吏管理，就不可能有积蓄粮草；官府没有首长，工匠抱怨上级，制造的武器就不会精良；朝廷没有政令，赏罚就不会分明；赏罚不分明，百姓就侥幸偷生。所以预先掌握敌情，才能所向无敌；有积蓄粮草，才能够久战而不溃败；武器精良，打起仗来才不会有损耗；赏罚严明，人们才不会侥幸偷生；人们不侥幸偷生，勇士们就受到了勉励。所以，关于用兵，一定要了解地利，掌握天时，计算积蓄粮草，训练士兵，掌握各国的情况，掌握好战机和运用策略，这是统帅的职责。

军队有如风雨般的行进，所以不怕路途遥远；有如飞鸟般的举动，所以不怕山河险阻；有如雷电般的进攻，所以所向无敌；有如水旱般的功效，所以能攻进攻都市，救护城邑；有如金城般的防守，所以能够安定宗庙，繁育人口；有如一体般的统一协调，所以能够发布号令，严明法制。风雨般的行进，指速度快；飞鸟般的举动，指动作轻捷；雷电般的进攻，指使敌兵溃不成军；水旱般的功效，指使敌方的土地颗粒无收；金城般的防守，指使用财货、设置间谍；一体般的统一协调，指要禁止邪说和奢侈风俗。军队不怕路途遥远，所以能够威慑远方的臣民；不怕山河险阻，所以能够征服依靠天险防守的敌国；所向无敌，所以能够做到令行禁止；攻城略地，又不依靠盟国，所以攻无不克；安定宗庙，繁育儿女，天下没有人敢来伤害，然后就可以巩固政权。制定礼仪和法令，发号施令，没有人敢不响应，然后就可以治理人民统一天下了。

以上"选陈"。

五 辅

古之圣王，所以取明名广誉①，厚功大业，显于天下，不忘于后世，非得人者，未之尝闻。暴王之所以失国家，危社稷，覆宗庙，灭于天下，非失人者，未之尝闻。今有土之君，皆处欲安，动欲威，战欲胜，守欲固，大者欲王天下，小者欲霸诸侯。而不务②得人，是以小者兵挫而地削，大者身死而国亡，故曰：人不可不务也，此天下之极也。曰：然则得人之道，莫如利之。利之之道，莫如教之以政，故善为政者，田畴③垦而国邑实，朝廷闲而官府治，公法行而私曲④止，仓廪实而囹圄⑤空，贤人进而奸民退，其君子上中正而下谄谀，其士民贵武勇而贱得利，其庶人好耕农而恶饮食。于是财用足，而饮食薪菜饶。是故上必宽裕，而有解舍⑥。下必听从，而不疾怨。上下和同，而有礼义，故处安而动威，战胜而守固，是以一战而正诸侯。不能为政者，田畴荒而国邑虚，朝廷凶而官府乱，公法废而私曲行，仓廪虚而囹圄实，贤人退而奸民进，其君子上谄谀而下中正，其士民贵得利而贱武勇，其庶人好饮食而恶耕农。于是财用匮，而食饮薪菜乏。上弥⑦残苟，而无解舍，下愈覆鸷⑧而不听从，上下交引⑨而不和同，故处不安而动不威，战不胜而守不固，是以小者兵挫而地削，大者身死而国亡，故以此观之，则政不可不慎也。

[注释]

①明：盛。广：大。②务：致力于。③畴：田地。④私曲：偏私阿曲，不公正。⑤囹圄：监狱。⑥解舍：尹知章云："解，放也；舍，免也。"指免除徭役。⑦弥：更。⑧覆鸷：覆，通"愎"，固执。鸷，一种凶猛的鸟，引申为凶狠。⑨交引：争夺较量。

[译文]

古代的明君之所以能取得盛名广誉，建立丰功伟业，显赫天下并为后世铭记，没有听说不是因为深得人心的。暴君之所以亡国，危害社稷，覆灭宗庙，在天下湮没无闻，从来没有听说不是因为丧失民心的。当今拥有封土的国君，都想居处安定，行动威严，作战胜利，防守牢固，大的要称王于天下，小的要霸临诸侯，如果不注重得人心，轻者兵败地减，重者身死国亡。所以说，人心不可不重视，这是天下的最高准则。所以说，得人心的办法，最好是给予利益，而给予利益的途径，最好是通过政教。所以，善于执政的人，总是使田土垦辟而国家富裕，朝廷安闲而吏治清明，公法通行而偏曲戒止，仓廪充实而监狱空虚，贤人进用而奸佞罢退。贵族推崇公正而鄙薄油滑，士民贵重勇武而轻贱财利，平民喜欢从事农耕而厌恶吃喝玩乐。于是财用充足而人们饮食柴火蔬菜都很丰富。所以必须政府经济宽裕，赋税有所宽免，百姓才没有怨恨，乐于服从。上下和谐，恪守礼义，才能做到居处安定而行动威严，作战胜利而防守牢固，从而一战而匡正诸侯。不善于执政的人，田地荒芜而国库空虚，朝廷惊扰而官府混乱，公法废弛而偏曲横行，仓廪别无长物而监狱人满为患，贤人摈退而奸臣当道，贵族谄谀成风而贬斥公正，士民贵重财利而轻贱勇武，平民好吃懒做厌恶农耕，于是财用匮乏而饮食柴火蔬菜都很困难。君主更加残暴苛刻无所减免，百姓愈渐凶狠刁顽拒不服从，上下悖违离心离德，所以居处不安而行动不威，作战不胜而防守不固。因此轻者兵败地减，重者身死国亡，由此看来，执政是不可不慎重其事的。

德有六兴，义有七体，礼有八经，法有五务，权有三度。所谓六兴者何？曰：辟田畴，利坛宅①，修树艺，劝士民，勉稼穑，修墙屋，此谓厚其生。发伏利②，输墆积③，修道途，便关市，慎将宿④，此谓输之以财。导水潦，利陂沟，决潘渚⑤，溃泥滞，通郁闭，慎津梁，此谓遗之以利。薄征敛，轻征赋，弛刑罚，赦罪戾，宥小过，此谓宽其政。养长老，慈幼孤，恤鳏寡，问疾病，吊祸丧，此谓匡其急。衣冻寒，食饥渴，匡贫窭⑥，振罢露⑦，资乏绝，此谓振其穷。凡此六者，德之兴也。六者既布，则民之所欲，无不得矣。夫民必得其所欲，然后听上。听上，然后政可善为也，故曰：德不可不兴也。

[注释]

①坛宅：宅基。②伏利：尚未开发的资源。③墆积：贮积。墆，通"滞"。④将宿：送迎。⑤潘渚：使水回流的浅滩。⑥窭：贫穷，贫寒。⑦振：通"赈"，救济。罢露：王念孙云："罢露，谓室家疲敝也。"即疲敝困乏。罢，通"疲"，弊，露，败。

[译文]

德有"六兴"，义有"七体"，礼有"八经"，法有"五务"，权有"三度"。所谓"六兴"是什么呢？就是：开垦田土，建造住宅，讲究种植，鼓励士民，勤修农耕，修缮房屋，这叫改善生活。发掘潜在的地利，疏散积滞的物产，修建道路，便利贸易，重视迎送商旅往来，这叫输送财货。疏导积水，浚通沟渠，开畅回流，清除淤泥，打通河道淤塞，注意渡口桥梁，这叫提供便利。轻徭薄赋，宽缓刑罚，赦免罪犯，饶恕小过，这叫宽大政治。敬养老人，爱护幼孤，抚恤鳏寡，慰问疾病，凭吊祸丧，这叫救助急危。给寒冷的人衣服穿，给饥渴的人食物吃，救济贫穷的人，赈济破败人家，资助困绝的人，这叫赈救穷困。这六个方面，就是德的兴举。这六项实现以后，百姓的愿望就满足了。对百姓来说，他们的愿望必须得到满足，然后才肯服从君上；只有百姓服从，国家政事才好办。所以说，德是不可不兴的。

曰：民知德矣，而未知义，然后明行以导之义，义有七体。七体者何？曰：孝悌慈惠，以养亲戚。恭敬忠信，以事君上。中正比宜，以行礼节。整齐撙诎①，以辟刑僇②。纤啬③省用，以备饥馑。敦懞④纯固，以备祸乱。和协辑⑤睦，以备寇戎。凡此七者，义之体也。夫民必知义然后中正，中正然后和调，和调乃能处安，处安然后动威，动威乃可以战胜而守固，故曰：义不可不行也。

[注释]

①撙诎：节制，谦逊。②刑僇：同"刑戮"。③纤啬：尹知章云："纤，细也。啬，悭也。既细又悭，故财用省也。"计较细微，引申为节约。④敦懞：丰足。⑤辑：和，和睦。

[译文]

所以说，百姓知道了德，但还不懂得义，兴德以后还应当以身作则引导他们奉行仁义。义有"七体"，"七体"是什么呢？就是：以孝悌慈惠供养亲戚，以恭敬忠信事奉君上，以公正友爱执行礼节，以端正克制避免刑杀，以勤俭节约防备灾荒，以敦厚朴实戒备祸乱，以和睦协调防备战争。这七个方面，就是义的体现。对百姓来说，必须懂得义然后才能做到行为公正，行为公正然后才能和睦团结，和睦团结然后才能保证居处安定，居处安定然后才能实现行动威严，动威则作战胜利而防守牢固，所以说，义是不可以不行的。

曰：民知义矣，而未知礼，然后饰①八经以导之礼。所谓八经者何？曰：上下有义②，贵贱有分，长幼有等，贫富有度。凡此八者，礼之经也。故上下无义则乱，贵贱无分则争，长幼无等则倍③，贫富无度则失。上下乱，贵贱争，长幼倍，贫富失，而国不乱者，未之尝闻也。是故圣王饬此八礼，以导其民。八者各得其义④，则为人君者，中正而无私。为人臣者，忠信而不党。为人父者，慈惠以教。为人子者，孝悌以肃。为人兄者，宽裕以诲。为人弟者，比顺⑤以敬。为人夫者，敦懞⑥以固。为人妻者，劝勉以贞。夫然则下不倍上，臣不杀君，贱不逾贵，少不陵⑦长，远不间亲，新不间旧，小不加大，淫不破义，凡此八者，礼之经也。夫人必知礼然后恭敬，恭敬然后尊让，尊让然后少长贵贱不相逾越，少长贵贱不相逾越，故乱不生而患不作，故曰：礼不可不谨也。

[注释]

①饰：通"饬"，修治，整顿。②义：通"仪"，礼仪。③倍：通"背"，背弃，乖戾。④义：通"宜"。⑤比顺：顺从。⑥敦懞：宽厚。⑦陵：通"凌"，欺辱。

[译文]

所以说，百姓知道了义，但还不懂得礼，行义以后还应当整饬"八经"教导他们守礼。所谓"八经"是什么呢？就是：上下有礼仪，贵贱有本分，长幼有等级，贫富有法度。这八个方面，是礼的纲领。上下之间没有礼仪就会混乱，贵贱之间不守本分就会争执，长幼之间不遵等级就会背弃，贫富之间不依法度就会失控。上下混乱，贵贱分执，长幼背弃，贫富失控，而国家不发生动乱，是从来都没有听说过的，所以圣明的君主总是整饬这八礼来教导人民。八礼各得其宜，那么作为君主就公正无私，臣下恪守忠信而不结党营私，父母慈惠子女孝悌，兄长宽厚弟弟恭顺，丈夫敦厚妻子贞勉。

如果这样,就能做到下不叛上,臣不弑君,贱不越贵,少不欺长,疏不间亲,新不间旧,小不越大,淫不坏义。这八点是礼的总则。人们必须懂得礼然后才变得恭敬,然后才互相尊让,然后才能实现少长贵贱不相逾越,少长贵贱不相逾越,因此变乱不会滋生,祸患不会发作。所以说:礼是不可不重视的。

曰:民知礼矣,而未知务,然后布法以任力①,任力有五务。五务者何?曰:君择臣而任官,大夫任官辩②事,官长任事守职,士修身功③材,庶人耕农树艺。君择臣而任官,则事不烦乱。大夫任官辩事,则举措时。官长任事守职,则动作和。士修身功材,则贤良发。庶人耕农树艺,则财用足。故曰:凡此五者,力之务也。夫民必知务,然后心一,心一然后意专,心一而意专,然后功足观也。故曰:力不可不务也。

[注释]

①任力:安排人力。②辩:治理。③功:通"工",修治。

[译文]

所以说,百姓知道了礼,但还不懂得"务",应当公布法令来安排人力。安排人力有"五务","五务"是什么呢?就是:君主选择臣属而任命官职,大夫任官治事,官长任事守职,士修身治学,平民从事农耕种植。君主能择臣任官,国家政事就不烦乱;大夫任官治事,各项事务就能恰当处理;官长任事守职,行动就能协调;士修身治学,贤良人才就具备了;平民从事农耕,财用就富足了。这五个方面,都是力的专务。百姓必须懂得这些专务,然后才能统一思想,统一思想然后才能专心致志,思想统一而又专心致志,然后做事功效就很可观了。所以说:力是不可不务的。

曰:民知务矣,而未知权,然后考三度以动之。所谓三度者何？曰：上度之天祥，下度之地宜，中度之人顺，此所谓三度。故曰：天时不祥，则有水旱。地道不宜，则有饥馑。人道不顺，则有祸乱。此三者之来也，政召之。曰：审时以举事，以事动民，以民动国，以国动天下。天下动，然后功名可成也，故民必知权，然后举错①得。举错得则民和辑，民和辑则功名立矣。故曰：权不可不度也。

[注释]

①错：通"措"。

[译文]

所以说，百姓知道了"务"，但还不懂得"权"，必须探讨"三度"来动员他们。"三度"是什么呢？就是：对上考虑天时，对下测度地利，对中揣测人和，这就叫三度。天时不祥，则有水旱之灾；地利不适，则有灾荒；人和不遂，则有祸乱。这三者的形成，就是执政招致的。因此，应当审天时来办事，以其事动员百姓，以百姓动员国家，以国家动员天下。天下都行动起来了以后，就可以功成名就了。对百姓来说，他们必须懂得权衡，然后才能举措得当。举措得当，然后才能团结和睦。百姓团结和睦，君主就功成名就了。所以说：权是不可不审度的。

故曰：五经既布，然后逐奸民，诘①诈伪，屏②谗慝，而毋听淫辞，毋作淫巧。若民有淫行邪性，树为淫辞，作为淫巧，以上谄③君上，而下惑百姓，移国动众，以害民务者，其刑死流。故曰：凡人君之所以内失百姓，外失诸侯，兵挫而地削，名卑而国亏，社稷灭覆，身体危殆，非生于谄淫者，未之尝闻也。何以知其然也？曰：淫声谄耳，淫观谄目，耳目之所好谄心，心之所好伤民，民伤而身不危者，未之尝闻也。曰：实圹虚④，垦田畴，修墙屋，则国家富。节饮食，搏⑤衣服，则财用足。举贤

74 管子

良，务功劳，布德惠，则贤人进。逐奸人，诘诈伪，去谗慝，则奸人止。修饥馑，救灾害，振罢露，则国家定。

[注释]

①诘：整饬，治理。②屏：除去。③谄：迷惑。④旷虚：空地，荒地。⑤㩙：节省。

[译文]

所以说，以上五项纲领公布后，还要驱逐奸民，查究诈伪，摈退谗佞，不听浮夸不实的言辞，不造过度奇巧的物品。如果人们有无节制的习性和行为，就会传播使人迷惑的言论，制造过度奇巧物品，以迷惑君上，蛊惑百姓，扰乱全国风气，贻害人民劳务，对此要处以死刑、流徙。所以说，君主之所以内失百姓拥护，外失诸侯遵从，兵败地减，声名扫地而祸国殃民，以至于社稷覆灭、身体危险，没有听说不是因为沉溺于过度的声色之中。为什么这样说呢？荒淫无度的声音悦耳动听，无节制的活动迷惑眼睛，耳目之所好进一步迷惑了心，心所好最终伤害百姓。百姓受伤害而自身不危亡的事，从来没有听说过。所以，要移民旷野，开垦田地，修建房屋，这样国家就能富裕；节约饮食，限制衣服，财用就会充足；举荐贤良，注重功劳，广布德惠，贤人就得以进用；驱逐奸人，查究诈伪，摈退谗佞，奸人就会被禁止；防备饥荒，救助灾害，赈济破败，国家就会安定。

明王之务，在于强本事，去无用，然后民可使富。论贤人，用有能，而民可使治。薄税敛，毋苟①于民，待以忠爱，而民可使亲。三者，霸王之事也。事有本，而仁义其要也。今工以巧矣，而民不足于备用者，其悦在玩好。农以劳矣，而天下饥者，其悦在珍怪②，方丈③陈于前。女以巧矣，而天下寒者，其悦在文绣④。是故博带梨⑤，大袂列⑥，文绣染，刻镂削，雕琢采。关几⑦而不征，市鄽而不税。古之良工，不劳其知巧以为玩好。是故无用之物，守法者不失⑧。

[注释]

①苟：贪求。②珍怪：珍贵奇异之物。③方丈：指方丈之食，极丰盛的肴馔。④文绣：指花纹、色彩华美的衣饰。⑤博：宽大。梨：通"剺"，割。⑥列：通"裂"，分裂，割裂。⑦几：考察。⑧失：应为"生"，生产。

[译文]

英明君主的当务之急，在于强化农业，停止没有价值的生产，然后百姓才能富裕起来；选拔贤才，任用能人，人民才能得到治理；轻徭薄赋，不贪求于民，并以忠爱相待，他们才能变得亲近。这三项都是成就霸王之业的大事，从根本上来说，仁义最重要。现在工匠那么灵巧，但人民却感到器用不足，就是因为君主喜爱玩好之物；农民那么勤劳，天下却发生饥荒，就是因为君主喜爱极丰盛的肴馔；妇女那么灵巧，天下却有人挨寒受冻，就是因为君主喜欢华丽的服饰。因此，应当把宽厚的衣带裁细，把宽大的衣袖减小，把华丽的衣服染色，把精雕细刻的图案削平，关卡只是稽查询问而不课捐，市场只是存放货物而不收税。古代的优良工匠，并不用他的智慧和灵巧制造玩好之物。所以毫无价值的东西，恪守法纪的人从来不愿生产。

法 禁

　　法制不议,则民不相私。刑杀毋赦,则民不偷①于为善。爵禄毋假②,则下不乱其上。三者藏于官则为法,施于国则成俗,其余不强而治矣。君壹置其仪③,则百官守其法。上明陈其制,则下皆会其度矣。君之置其仪也不一,则下之倍法而立私理者必多矣。是以人用其私,废上之制而道其所闻,故下与官列④法,而上与君分威,国家之危必自此始矣。昔者圣王之治其民也不然,废上之法制者,必负以耻。财厚博惠以私亲于民者,正经⑤而自正矣。乱国之道,易国之常,赐赏恣于己者,圣王之禁也。圣王既殁,受之者衰,君⑥人而不能知立君之道,以为国本,则大臣之赘下而射人心者必多矣⑦。君不能审立其法以为下制,则百姓之立私理而径⑧于利者必众矣。

[注释]

　　①偷:苟且。②假:授予,给予。③壹:统一。仪:法度。④列:通"裂",对立。⑤经:这里指制度。⑥君:治理。⑦赘:通"缀",连缀,附着。射:这里指收买。⑧径:小路。这里指走捷径追求财利。

[译文]

　　法制不允许私下议论,那么百姓就不会营私舞弊;刑杀不允许赦免,那么百姓就不会苟且行善;爵禄的大权不轻易授予人,那么

法 禁　77

臣下就不会扰乱人君。这三个方面掌握在官府就是公法，施行到全国就成为习俗，其他事情不用勉强就可以治理好了。国君统一制定法度，百官就能够守法；上面明确公布法制，下面做事就都能合乎法制。国君制定法度不统一，那么下面违背法令而另立私理的人就必然会多了。这样人人另立私理，废弃国君的法制而称道他们所听到的私理。所以，在下与官府争议法制，在上与国君争夺权力，国家的危险一定从这里开始。从前，圣王治理人民不是这样的，对于废弃国君法制的人，一定使他蒙受耻辱。用大量钱财和博施恩惠来收揽人心的人，通过整顿制度而使其自然改正过来。圣王已经不在了，但后继的人却不振作。治理百姓而不懂立君之道，不能把法制作为立国的根本，那么拉拢下面收买人心的人就必然会多了。国君不能审定立法来作为下面遵守的规范，那么百姓自立私理而走捷径追求财利的人也必然会多了。

昔者圣王之治人也，不贵其人博学也，欲其人之和同①以听令也。《泰誓》曰："纣有臣亿万人，亦有亿万之心，武王有臣三千而一心。"故纣以②亿万之心亡，武王以一心存。故有国之君，苟不能同人心，一国威，齐士义，通③上之治以为下法，则虽有广地众民，犹不能以为安也。君失其道，则大臣比④权重以相举于国，小臣必循利以相就也⑤。故举国之士以为亡党⑥，行公道以为私惠⑦。进则相推于君，退则相誉于民，各便⑧其身，而忘社稷。以广其居，聚徒威群⑨。上以蔽君，下以索民。此皆弱君乱国之道也，故国之危也。

[注释]

①和同：和睦同心。②以：因为。③通：贯彻。④比：勾结。⑤循：遵循，这里指追求。就：靠近。⑥之：衍文。亡党：应为"己党"，下文"壶士以为亡资，修田以为亡本"，"亡"皆为"己"字之误。⑦私惠：私人的仁爱。

⑧便：有利、便利。⑨戚群：应为"成群"，下文"常反上之法制以成群于国"，可证。

[译文]

从前圣王管理人才，并不看重他的博学多才，但要求他能够和睦同心而听从君令。《泰誓》说："纣王有臣亿万人，也有亿万条心；周武王有臣三千人，却只有一条心。"所以，纣王因为亿万条心而灭亡，武王因为一条心而昌盛。因此，一国之君如不能协同人心，统一国威，齐整士兵的气概，把上面的治理措施贯彻到下面作为行为的规范，那么即使有广阔的土地，众多的人民，还是不能认为是安全的。君主失去了治国之道，大臣们就会勾结有权势的人在国中互相推举，小臣们也必然为追求私利而相互勾结。所以，他们推举国士作为自己的私党，施行公法作为自己的仁爱；在朝廷上向国君互相推举，在民间向百姓互相赞誉，各图己利，而忘掉了国家；借以扩大自己的势力范围，结聚徒党，对上蒙蔽国君，对下勒索百姓。这些都是削弱君主扰乱国家的行为，那么国家就危险了。

擅国权以深索于民者，圣王之禁也。其身旴任丁上者，圣王之禁也。进则受禄于君，退则藏禄于室，毋事治职①，但力事属，私王官，私君事，去非其人而人私行者②，圣王之禁也。修行则不以亲为本，治事则不以官为主。举毋能进毋功者，圣王之禁也。交人则以为己赐，举人则以为己劳，仕人则与分其禄者，圣王之禁也。交于利通③而获于贫穷，轻取于其民而重致④于其君，削上以附下，枉法以求于民者，圣王之禁也。用不称⑤其人，家富于其列⑥，其禄甚寡而资财甚多者，圣王之禁也。拂⑦世以为行，非上以为名，常反上之法制以成群于国者，圣王之禁也。饰于贫穷，而发⑧于勤劳，权于贫贱，身无职事，家无常姓⑨，列上下之间，议言为民者，圣王之禁也。壶⑩士以为亡资，修田以为亡本,则生之养,私不死⑪,然后失矫⑫以深与上为市者,圣王之禁也。审饰小节以示民,时言大事以动上,远交以逾群,假爵以临朝者,圣王之禁也。卑身杂处,隐行辟倚⑬,侧入迎远⑭,遁上而遁民者,圣王之禁也。诡俗异礼,大言法⑮行,难其所为,而高自错⑯者,圣王之禁也。守委⑰闲居,博分以致众,勤身遂行,说人以货财,济人以买誉,其身甚静,而使人求者,圣王之禁也。行辟而坚,言诡⑱而辩,术非而博,顺恶而泽⑲者,圣王之禁也。以朋党为友,以蔽恶为仁,以数变为智,以重敛为忠,以遂忿为勇者,圣王之禁也。固⑳国之本,其身务往㉑于上,深附于诸侯者,圣王之禁也。

[注释]

①治职:治理政务之职事,这里指本职。②去非其人而人私行者:俞樾云:"'去'乃'法'字之误,言法本非其人所宜行而其人私行之也。"③利通:显达。④致:献出。《论语·学而》:"事君能致其身。"⑤称:相称。⑥列:列次,这里指官位。⑦拂:违背。⑧发:孙星衍云:"'发'读为'废',古字通用。"⑨姓:通"生",财业。家无常生,即指家无恒产。⑩壶:应为"壹"之误,聚集。⑪"生之养"句:文义不可解,疑为"则私养必死之士"。⑫失矫:郭沫若云:"'失'殆'矢'字之误,《诗》'其直如矢'。'矫'谓强硬。言蓄养私士者有所恃,强直不让,因以深入要挟,使所求必得也。"⑬辟倚:邪僻不正。⑭侧入迎远:尹知章云:"侧身而入国。"这里指潜入。⑮法:通"废",与"大"同义。⑯错:通"措",安置。⑰委:委积、聚积。⑱诡:欺诈。⑲泽:润饰。⑳固:通"梱",危害。㉑往:通"诳",欺骗。

[译文]

独揽国家权力从而大肆搜刮百姓,这是圣王要禁止的。不肯为朝廷任职服务,这是圣王要禁止的。在朝廷向国君领受俸禄,退朝就把俸禄藏在私室,不做好本职工作,却努力做私事,私自任用国家的官吏,私自处理国君的政事,依法本不该去做的事而私自行事,这是圣王要禁止的。修德不以事亲为本,办事不以奉公为主,举用无能无功的人,这是圣王要禁止的。把结交人才当做自己的恩赐,把推荐人才当做自己的功劳,任用人才却要从中分取俸禄,这是圣王要禁止的。结交显贵又收揽穷人,轻易取信于民但对国君不尽心竭力,削弱国家的利益来依附百姓,枉法而收买人民,这是圣王要禁止的。享用与本人的身份不相称,家产超过职位等级所得的,俸禄很少而资财很多,这是圣王要禁止的。做违背世俗的事情,凭借非议君上来猎取名声,经常反对朝廷的法制而在国内结聚徒党,这是圣王要禁止的。打扮成贫穷的样子却不肯辛勤劳动,暂时安于贫贱,自身没有常业,自家没有恒产,在社会上下之间活动,而口口声声是为了人民,这是圣王要禁止的。供养游士作为自己的资本,修整田亩作为自己的本钱,私藏该死的人,然后非常强硬地与君主讨价争权,这是圣王要禁止的。谨慎修饰小节来给百姓看,经常议论大事来惊动国君,广泛结交凌驾同僚,凭借爵位操纵朝政,这是圣王要禁止的。屈身于百姓之中,暗地里做邪僻不正的事情,潜入别国或迎送外奸,欺瞒君主又欺瞒人民,这是圣王要禁止的。怪异的风俗和反常的礼节,言行夸大狂妄,把自己所做过的事说得很艰难,以此来抬高自己的位置,这是圣王要禁止的。拥有积蓄生活安闲,广施财物以收买百姓,殷勤行事,用财货取悦于人,用救济人来求取声誉,自己生活安闲而使人主动拥护,这是圣王要禁止的。行为邪僻而顽固,言语欺诈而诡辩,思想错误而广博,顺从恶行而伪饰,这是圣王要禁止的。以勾结朋党为友爱,以包庇罪恶为仁慈,以投机善变为才智,以横征暴敛为忠君,以发泄私愤为勇敢,这是圣王要禁止的。危害国家的根本,欺骗国君,密切勾结其他的诸侯国,这是圣王要禁止的。

圣王之身,治世之时,德行必有所是,道义必有所明。故士莫敢诡俗异礼,以自见①于国;莫敢布惠缓行,修上下之交,以和亲于民;故莫敢超等逾官,渔利苏②功,以取顺其君。圣王之治民也,进则使无由得其所利,退则使无由避其所害,必使反乎安其位,乐其群,务其职,荣其名,而后止矣。故逾其官而离其群者必使有害,不能其事而失其职者必使有耻。是故圣王之教民也,以仁错③之,以耻使之,修其能致其所成而止。故曰:绝而定,静而治,安而尊,举错而不变者,圣王之道也。

[注释]

①见:通"现",表现。②苏:取。③错:通"措",施行。

[译文]

作为圣王,治理世事的时候,对于德行一定要有正确的标准,对于道义一定要有明确的准则。所以士人们不敢有怪异的风俗和反常的礼节,也不敢在国内炫耀自我;也不敢布施小惠,缓行刑罚,修好上下的关系以收揽民心;也不敢超越等级和职位,谋取功利来讨好国君。圣王治理人民,对于谋求私利的人,要使他们无法得到利益,对于失职推卸责任的人,要使他们无法逃避惩罚,一定使他们回到自己的职位,乐于和同僚在一起,做好本职工作,珍惜自己的名声,这样才能罢休。所以,对于超越职权脱离同僚的人,一定要使他蒙受祸害;对于不能胜任而失职的人,一定要使他蒙受耻辱。因此,圣王教育人民,是用仁爱来推行,用惩罚来驱使,提高他们的能力使其有所成就才罢休。所以说:坚决镇定,静心图治,安国尊君,举措不变,这才是圣王的治世之道。

重 令

凡君国之重器，莫重于令。令重则君尊，君尊则国安；令轻则君卑，君卑则国危。故安国在乎尊君，尊君在乎行令，行令在乎严罚。罚严令行，则百吏皆恐；罚不严，令不行，则百吏皆喜。故明君察于治民之本，本莫要于令。故曰：亏令者死，益令者死，不行令者死，留令者死，不从令者死。五者死而无赦，惟令是视。故曰：令重而下恐。为上者不明，令出虽自上，而论可与不可者在下。夫倍上令以为威，则行恣于己以为私，百吏奚不喜之有？且夫令出虽自上，而论可与不可者在下，是威下系①于民也。威下系于民，而求上之毋危，不可得也。令出而留者无罪，则是教民不敬也。令出而不行者毋罪，行之者有罪，是皆教民不听也。令出而论可与不可者在官，是威下分也。益损者毋罪，则是教民邪途也。如此则巧佞②之人，将以此成私为交；比周③之人，将以此阿党取与④；贪利之人，将以此收货聚财；懦弱之人，将以此阿贵事富；便辟⑤伐矜之人，将以此买誉成名。故令一出，示民邪途五衢，而求上之毋危，下之毋乱，不可得也。

[注释]

①系：连接，这里指牵制。②巧佞：机巧奸诈，阿谀奉承。③比周：结

党营私。④阿：偏袒。与：党与，同党之人。⑤便辟：君主左右受宠幸的小臣。郭沫若认为此句应为"懦弱之人，将以此阿贵富，事便辟。"可信。

[译文]

　　君主统治国家的重要手段，没有比法令更重要的。法令威重，君主就有尊严；君主有尊严，国家就会安定。法令不威重，君主就会卑微；君主卑微，国家就危险了。所以，安定国家的关键在于尊重君主，尊重君主的关键在于施行法令，施行法令的关键在于严明刑罚。刑罚严明、法令施行，那么百官就会恭敬谨慎，恪尽职守；刑罚不严明、法令不施行，那么百官就会懈怠轻慢，玩忽职守。因此，贤明的君主考察治民的根本，没有比法令更重要的。所以说：删减法令的人，处死；增添法令的人，处死；不执行法令的人，处死；扣压法令的人，处死；不服从法令的人，处死。这五种情况都是死罪无赦，一切都只看法令行事。所以说：法令威重，下面就畏惧了。君主若昏庸糊涂，法令虽然从上面发出，但评议法令是否可行的权力在下面。如果违背君主的法令以行威，就可以放纵自己而肆意妄为，百官怎么会不玩忽职守呢？况且法令虽然从上面发出，但评议法令是否可行却取决于下面，这是君主的权威被下面牵制了。君主的权威被下面牵制，而希望君主没有危险，是不可能的。法令发出，而扣压者没有罪，那么这是教导百姓不尊敬君主；法令发出，而不执行者没有罪，执行的人反而有罪，这都是教导百姓不听从君主；法令发出，而评论是否可行的权力在百官，这是君主的权威向下分散了。擅自增删法令者没有罪，这是教导百姓寻找邪路。如果这样，阿谀逢迎的人，将由此谋求私利；结党营私的人，将由此党同伐异；贪图财利的人，将由此收聚财货；懦弱的人，将由此逢迎富贵的人，侍奉国君宠幸的小臣；自我夸耀的人，将由此收买荣誉，成就虚名。所以，法令一出，就引导百姓走上五条邪路，而希望君主没有危险，臣下不会作乱，是不可能的。

菽粟不足，末生①不禁，民必有饥饿之色，而工以雕文刻镂相稚也②，谓之逆。布帛不足，衣服毋度，民必有冻寒之伤，而女以美衣锦绣綦组③相稚也，谓之逆。万乘藏兵之国，卒不能野战应敌，社稷必有危亡之患，而士以毋分役相稚也，谓之逆。爵人不论能，禄人不论功，则士无为行制死节④，而群臣必通外请谒，取权道，行事便辟，以贵富为荣华以相稚也，谓之逆。

[注释]

①末生：即末业。②雕文刻镂：指在器物上刻镂花纹图案。稚：骄傲，放纵。③綦组：杂色丝带。④行制：依法行事。死节：为保全节操而死。

[译文]

粮食不充足，不禁止工商业，百姓一定会挨饿，而工匠们还在以雕刻花纹相互夸耀，这就叫做"逆"。布帛不充足，衣服没有节制，人民一定会受冻，而女工们还在以制作美丽衣服、锦绣丝带相互夸耀，这就叫做"逆"。拥有万辆兵车的大国，士卒却不能作战应敌，国家一定有危亡的祸患，而士还在以免服兵役相互夸耀，这就叫做"逆"。任用官职不考虑才能，授予赏禄不考虑功劳，士就不会依法行事，为国捐躯，而大臣们一定会结交外国、玩弄权术、趋炎附势，以富贵为光荣来互相夸耀，这就叫做"逆"。

朝有经臣，国有经俗，民有经产。何谓朝之经臣？察身能而受官，不诬于上；谨于法令以治，不阿党；竭能尽力而不尚①得，犯难离②患而不辞死；受禄不过其功，服位不侈其能，不以毋实虚受者，朝之经臣也。何谓国之经俗？所好恶不违于上，所贵贱不逆于令，毋上拂之事，毋下比③之说，毋侈泰④之养，毋逾等之服，谨于乡里之行，而不逆于本朝之事者，国之经俗也。何谓民之经产？畜长树艺，务时殖谷，力农垦草，禁止末事者，民之经产也。故曰：朝不贵经臣，则便辟⑤得进。毋⑥功虚取，奸邪得行，毋能上通。国不服经俗，则臣下不顺，而上令难行。民不务经产，则仓廪空虚，财用不足。便辟得进，毋功虚取，奸邪得行，毋能上通，则大臣不和。臣下不顺，上令难行，则应难不捷⑦。仓廪空虚，财用不足，则国毋以固守。三者见一焉，则敌国制之矣。故国不虚⑧重，兵不虚胜，民不虚用，令不虚行。凡国之重也，必待兵之胜也，而国乃重。凡兵之胜也，必待民之用也，而兵乃胜。凡民之用也，必待令之行也，而民乃用。凡令之行也，必待近者之胜⑨也，而令乃行。故禁不胜于亲贵，罚不行于便辟，法禁不诛于严重⑩，而害于疏远⑪，庆赏不施于卑贱二三⑫，而求令之必行，不可得也。能不通于官，受禄赏不当于功，号令逆于民心，动静诡于时变⑬，有功不必赏，有罪不必诛，令焉不必行，禁焉不必止，在上位无以使下，而求民之必用，不可得也。将帅不严威，民心不专一，陈士不死制⑭，卒士不轻敌，而求兵之必胜，不可得也。内守不能完⑮，外攻不能服，野战不能制敌，侵伐不能威四邻，而求国之重，不可得也。德不加于弱小，威不信⑯于强大，征伐不能服天下，而求霸诸侯，不可得也。威有与两立，兵有与分争，德不能怀远国，令不能一诸侯，而求王天下，不可得也。

[注释]

①尚：尊崇，注重。②离：通"罹"，遭受。③比：勾结，偏爱。④侈泰：奢侈无度。⑤便辟：谄媚逢迎之人。⑥毋：通"无"。⑦捷：胜利。⑧虚：徒然，白白地。⑨胜：克制，制服。⑩严重：指罪行严重的人。⑪疏远：指国君疏远的人。⑫二三："卑贱"与上文"严重"、"疏远"相对成文，所以"二三"应为衍文。⑬动静：这里指措施和政策。诡：违反。⑭制：军令。⑮完：完整。⑯信：通"伸"，伸展、延伸。

[译文]

　　朝廷要有"经臣",国家要有"经俗",人民要有"经产"。什么叫做朝廷的"经臣"呢?考察个人的能力接受官职,不欺骗君主;谨慎依据法令来治理国家,不偏袒私党;竭尽所能而不注重所得,遭受患难而不贪生怕死;接受的禄赏不超过自己的功劳,担任的官位不超过自己的才能,不凭空领受禄赏的,就是朝廷的"经臣"。什么叫做国家的"经俗"呢?喜好的和厌恶的,不违背君主的要求;重视的和轻视的,不违背法令的规定;不做违背君主的事,不说偏爱下级的话,不过奢侈的生活,不穿逾越等级的服饰,在乡里谨慎行事,不违背本朝政事的,就是国家的"经俗"。什么叫做人民的"经产"呢?饲养牲畜,搞好种植,抓紧农时,种植五谷,努力耕种,开垦荒地,禁止工商业生产的,就是人民的"经产"。所以说,如果朝廷不重视经臣,那么谄媚逢迎之人就会得势。无功的人获得官禄,奸邪之人就会为所欲为,无能的人混入上层。国家如果不施行经俗,那么臣子百姓不顺服,而国君的法令也难以推行。人民不注重经产,那么仓库粮库就会空虚,财用不充足。谄媚逢迎之人得势,无功的人获得官禄,奸邪之人为所欲为,无能的人混入上层,那么就会造成大臣之间的不和睦。臣子百姓不顺服,君主的法令难以施行,那么在应对国家危难的时候,就难以取胜。仓库粮库空虚,财用不充足,那么国家就无法固守。以上三种情况只要出现了任何一种,就会被敌国所控制。所以国家不会凭空就能强大,军队不会凭空就能胜利,人民不会凭空就能服从使用,法令不会凭空就能施行下去。凡是国家的强大,一定要依靠军队的胜利,然后国家才会强大。凡是军队的胜利,一定要依赖人民服从使用,然后军队才能胜利。凡是人民服从使用,一定要依靠法令的贯彻,然后人民才能服从使用。凡是法令的贯彻,一定要依靠法令制服君主亲近的人,然后法令才能贯彻下去。所以,禁令不能制服亲威贵族,刑罚不能施行到国君宠幸的人,法律禁令不惩罚罪行严重的人,而伤害国君疏远的人,庆赏不给卑贱的人,这样还希望法令能够贯彻下去,是不可能的。有能力的人不使他做官,受到的禄赏不符合他的功绩,号令违背百姓的心愿,措施违背时代的潮流,有功的人不一定赏赐,有罪的人不一定惩办,有令不一定施行,有禁不一定停止,国君没有办法驱使臣下,这样还希望百姓能够服从使用,是不可能的。将帅没有威严,民心不能专一,临阵的将士不服从军令,士卒不敢蔑视敌人,这样还希望军队能够胜利,是不可能的。国内的固守不能保持国土完整,对外的攻战不能征服敌国,野外的战斗不能克制敌军,侵伐不能威震四方邻国,这样还指望国家的强大,是不可能的。对弱小的国家没有施行德惠,对强大的国家没有伸展威势,征伐不能制服天下,这样还指望称霸诸侯,是不可能的。论威势,有和自己鼎足而立的;论兵力,有和自己分庭抗争的;恩德不能安抚远方的国家,号令不能统一众多的诸侯,这样还指望称王天下,是不可能的。

地大国富,人众兵强,此霸王①之本也,然而与危亡为邻矣。天道之数,人心之变。天道之数,至②则反,盛则衰。人心之变,有馀则骄,骄则缓怠。夫骄者,骄诸侯,骄诸侯者,诸侯失于外;缓怠者,民乱于内。诸侯失于外,民乱于内,天道也,此危亡之时也。若夫③地虽大,而不并兼,不攘夺④;人虽众,不缓怠,不傲下;国虽富,不侈泰,不纵欲;兵虽强,不轻侮诸侯,动众用兵必为天下政理⑤,此正天下之本而霸王之主也。

[注释]

①霸王:称霸称王。②至:极,尽头。③若夫:句首语气词,表示另提一件事。④攘夺:掠夺,夺取。⑤政理:即政治。

[译文]

  土地广阔国家富裕，人口众多兵力强盛，这虽然是称霸称王的根本，然而也就与危亡接近了。这是天道的规律，人心的变化。天道的规律是，事物发展到尽头就会走向反面，发展到极盛就会走向衰亡；人心的变化是，富有了就会产生傲慢，傲慢就会松懈怠惰。如果傲慢，一定会轻慢诸侯，轻慢诸侯的在国外就失去各诸侯国的支持；如果松懈怠惰，在国内人民就会造反叛乱。在国外失去诸侯国的支持，在国内人民造反叛乱，这正是天道的体现，也正是危亡的时刻了。如果土地广阔，而不进行兼并与掠夺；人口众多，而不松懈怠惰，不傲视臣民；国家富裕，而不奢侈无度，不放纵私欲；兵力强盛，而不轻侮诸侯，兴师动众采用军事行动也一定是为了天下的政事，这才是匡正天下的根本，称霸称王最重要的基础。

  凡先王治国之器三，攻而毁之者六。明王能胜其攻，故不益于三者，而自有国正天下；乱王不能胜其攻，故亦不损于三者，而自有天下而亡。三器者何也？曰：号令也，斧钺①也，禄赏也。六攻者何也？曰：亲也，贵也，货也，色也，巧佞也，玩好②也。三器之用何也？曰：非号令毋以使下，非斧钺毋以威众，非禄赏毋以劝民。六攻之败何也？曰：虽不听而可以得存者，虽犯禁而可以得免者，虽毋功而可以得富者。凡国有不听而可以得存者，则号令不足以使下；有犯禁而可以得免者，则斧钺不足以威众；有毋功而可以得富者，则禄赏不足以劝民。号令不足以使下，斧钺不足以威众，禄赏不足以劝民，若此则民毋为自用。民毋为自用则战不胜，战不胜而守不固，守不固则敌国制之矣。然则先王将若之何？曰：不为六者变更于号令，不为六者疑错③于斧钺，不为六者益损于禄赏。若此则远近一心，远近一心则众寡同力，众寡同力则战可以必胜，而守可以必固。非以并兼攘夺也，以为天下政治也，此正天下之道也。

[注释]

①斧钺：古代的兵器，这里指刑罚。②玩好：供玩赏的奇珍异宝。③疑错：废置，废弃。

[译文]

先代君主治理国家的手段有三个，破坏和毁灭国家的因素有六个。英明的君主能够战胜这六个破坏因素，所以治理国家的手段虽然不超过三个，却能够保有国家并匡正天下。昏乱的君主不能战胜这六个破坏因素，所以治理国家的手段虽然不少于三个，即使拥有了天下最终也会灭亡。三种手段是什么？回答是：号令、刑罚、禄赏。六种破坏因素是什么？回答是：亲戚、权贵、财货、美色、奸佞之臣和玩赏的奇珍异宝。三种手段的作用在哪里？回答是：没有号令就无法役使臣民，没有刑罚就无法威慑民众，没有禄赏就无法激励人民。六个破坏因素的破坏作用在哪里？回答是：虽然不听从号令，却可以平安无事；虽然触犯禁令，却可以免于刑罚；虽然没有功绩，却可以获得财富。凡是国家有不听从号令而可以平安无事的，那么号令就不足以役使臣民；有触犯禁令而免于刑罚的，那么刑罚就不足以威慑民众；有无功而获得财富的，那么禄赏就不足以激励人民。号令不足以役使臣民，刑罚不足以威慑民众，禄赏不足以激励人民，如果这样，人民就不会为君主效力了。人民不会为君主效力，作战就不会取胜；作战不会取胜，国家的防守就不会巩固；国家的防守不巩固，就会被敌国所控制。那么先代君主对此是怎么办的呢？回答是：不会因为以上六个因素而变更号令，不会因为以上六个因素而废置刑罚，不会因为以上六个因素而增减禄赏。这样一来就可以做到远近的人同心同德；远近的人同心同德，就可以实现齐心协力；齐心协力，就可以做到作战必胜、防守必固了。所有这些都不是为了兼并和掠夺，而是为了天下的政事，这才是匡正天下的准则。

法　法

不法①法则事毋常，法不法则令不行。令而不行，则令不法也。法而不行，则修令者不审也。审而不行，则赏罚轻也。重而不行，则赏罚不信也。信而不行，则不以身先之也。故曰：禁胜②于身，则令行于民矣。

[注释]

①法：合法的手段。此处用为动词。②胜：禁得起，这里指约束。

[译文]

不用合法的手段推行法度，国事就没有常规；法度不用合法的手段推行，政令就不能贯彻。法令不能贯彻，那是因为政令不合法。合法仍不能贯彻，那是因为制定政令不周密。政令周密仍不能贯彻，那是因为赏罚太轻了。赏罚重仍不能贯彻，那是因为赏罚没有兑现。赏罚兑现仍不能贯彻，那是因为君主没有以身作则。所以说：禁令能够约束君主自身，政令就可以在民众中施行了。

闻贤而不举，殆；闻善而不索①，殆；见能而不使，殆；亲人而不固，殆；同谋而离，殆；危人而不能，殆；废人而复起，殆；可而不为，殆；足而不施，殆；几而不密，殆。人主不周密，则正言直行之士危；正言直行之士危，则人主孤而毋内②；

人主孤而毋内,则人臣党而成群。使人主孤而毋内,人臣党而成群者,此非人臣之罪也,人主之过也。

[注释]

①索:寻找。②内:丁士涵云:"内,犹亲也。"亲信。

[译文]

听说贤才而不荐举,要危险;听到好人而不寻找,要危险;见到能人而不任用,要危险;爱人而不长久,要危险;共同谋事而不团结,要危险;想惩罚人而不能,要危险;已被废黜的人再起用,要危险;本来可以做而不去做,要危险;家富足而不施舍,要危险;机要的事而不能保密,要危险。人君行事不周密,正言直行的人就危险;正言直行的人危险,君主就会孤立没有亲信;君主孤立没有亲信,那么人臣就会结党营私。使君主孤立没有亲信,人臣结党营私,这不是人臣的罪过,而是君主自身的错误。

民毋重罪,过不大也;民毋大过,上毋赦也。上赦小过,则民多重罪,积之所生也。故曰:赦出则民不敬①,惠行则过日益。惠赦加于民,而囹圄②虽实,杀戮虽繁,奸不胜③矣。故曰:邪莫如蚤禁之。赦过遗善④,则民不励。有过不赦,有善不遗,励民之道,于此乎用之矣。故曰:明君者,事断者也。

[注释]

①敬:通"儆",儆惧。②囹圄:监牢。③胜:尽。④遗善:指遗漏的善事、善言、善行等。

[译文]

人民没有犯重罪,那是因为过失不大;人民不犯大过,那是因为君主不施行赦免。君主赦免小的过失,那么人民就会犯重罪,这是由小过逐渐积累所形成的。所以说,施行赦免,人民就不会儆惧;施行恩惠,过失就会日益增多。对人民施行恩惠和宽赦政策,监牢虽满，杀戮虽多，奸邪的事也不会杜绝。所以说：奸邪的事不如早早禁止。赦免过失遗忘善行，人民就不会受到激励；有过失不赦免，有善行不遗忘，激励人民的政策，在这时就能发挥作用了。所以说：英明的君主，就是善于决断政事的人。

君有三欲于民，三欲不节，则上位危。三欲者何也？一曰求，二曰禁，三曰令。求必欲得，禁必欲止，令必欲行。求多者，其得寡。禁多者，其止寡。令多者，其行寡。求而不得，则威日损；禁而不止，则刑罚侮①；令而不行，则下凌上。故未有能多求而多得者也，未有能多禁而多止者也，未有能多令而多行者也。故曰：上苛则下不听，下不听而强以刑罚，则为人上者众谋之矣。为人上而众谋之，虽欲毋危，不可得也。号令已出，又易之。礼义已行，又止之。度量已制，又迁②之。刑法已错③，又移之。如是，则庆赏虽重，民不劝也。杀戮虽繁，民不畏也。故曰：上无固植④，下有疑心，国无常经，民力必竭，数也。

[注释]

①侮：轻慢。②迁：变更。③错：通"措"，施行。④植：通"志"，意志。

[译文]

君主对人民有三种欲望，如果三种欲望不节制，君主的地位就危险了。三种欲望是什么呢？一是索取，二是禁止，三是法令。索取一定希望得到，禁止一定希望制止，法令一定希望推行。但索取太多，所得到的反而少；禁止太多，所制止的反而少；法令太多，所推行的反而少。索取却得不到，威势就会日益降低；禁止得不到制止，刑罚就会被轻慢；法令得不到施行，下面就欺凌君上。所以从来就没有想多求就能多得的，想多禁就能多止的，想多法令就能多施行的。所以说：上面过于苛刻，下面就不会听从；下面不听从而用刑罚来强迫，做君主的就将被众人谋算。君主被众人谋算，即使想没有危险，也是不可能的。号令已发出又改变，礼仪已施行又废止，度量已制定又变更，刑法已施行又改变，如果这样，赏赐即使厚重，人民也不会受到勉励；杀戮即使再多，人民也不畏惧了。所以说：上面没有坚定的意志，下面就有疑心，国家没有常法，民力就会枯竭，这都是规律。

明君在上位，民毋敢立私议自贵者。国毋怪严①，毋杂俗，毋异礼，士毋私议。倨傲易令，错仪画②制，作议者尽诛。故强者折，锐者挫，坚者破。引之以绳墨，绳之以诛僇③。故万民之心皆服而从上，推之而往，引之而来，彼下有立其私议自贵、分争而退者，则令自此不行矣。故曰：私议立则主道④卑矣。况主⑤倨傲易令，错仪画制，变易风俗，诡服殊说犹立。上不行君令，下不合于乡里，变更自为，易国之成俗者，命之曰不牧之民。不牧之民，绳之外也，绳之外诛，使贤者食于能，斗士食于功。贤者食于能，则上尊而民从；斗士食于功，则卒轻患而傲敌。上尊而民从，卒轻患而傲敌，二者设⑥于国，则天下治而主安矣。

[注释]

①怪严：郭沫若云："民有疾苦，则形之于歌谣以讽刺时政，故善为政者畏之。此'无怪严'即无怪吟。"②画：制定、规划。③僇：通"戮"，诛戮。④主道：君主治国之道。⑤主：与文意不符，疑为"夫"字之误。⑥设：设置，这里指具备。

[译文]

英明的君主在上，人民就不敢私立异说而妄自尊大。国家没有怪吟，没有杂乱的风俗，没有怪异的礼节，士人也就不会私立异说。对于傲慢不恭，改变法令，私自布政立法，制造异说的都要诛罚。所以强硬的就会屈服，尖刻的就会受挫折，顽固的就会被攻破。用法度来引导，用杀戮来管制。所以，万民都会心服而听从上面，招之即来，挥之即去。如果下面私立异说妄自尊大，分庭抗争而不负责任，法令从此也就不能施行了。所以说：私立异说，君主治国之道就会被轻视，何况还有傲慢不恭，改变法令，私自布政立法，改易风俗，奇装异服，奇谈怪论存在呢！对上不执行君令，在下不合乡里的习俗，随意更改，改变国家风俗的，称为不服从治理的人。不服从治理的人，是在法度容许的范围以外。法度容许范围以外的人，要惩罚。使贤能的人靠能力生活，武士靠战功生活。贤能的人靠能力生活，君主就有尊严而人民顺从；武士靠战功生活，士卒就不怕患难而傲视敌人。君主有尊严而人民服从，士卒不怕患难而傲视敌人，国家具备这两个方面，天下就能治理好，君主就可安全了。

凡赦者，小利而大害者也，故久而不胜其祸。毋赦者，小害而大利者也，故久而不胜其福。故赦者，奔马之委①辔，毋赦者，痤睢之矿石也②。爵不尊，禄不重者，不与图难犯危，以其道为未可以求之也。是故先王制轩冕，所以著③贵贱，不求其美。设爵禄，所以守其服④，不求其观也。使君子食于道，小人食于力。君子食于道，则上尊而民顺；小人食于力，则财厚而养足。上尊而民顺，财厚而养足，四者备体⑤，则胥足上尊时而王不难矣⑥。

文有三侑⑦，武毋一赦。惠者多赦者也，先易而后难，久而不胜其祸。法者先难而后易，久而不胜其福。故惠者民之仇雠也，法者民之父母也。太上⑧以制制度，其次失而能追⑨之，虽有过，亦不甚矣。明君制宗庙，足以设宾⑩祀，不求其美。为宫室台榭，足以避燥湿寒暑，不求其大。为雕文刻镂，足以辨贵贱，不求其观；故农夫不失⑪其时，百工不失其功，商无废利，民无游日，财无砥堆⑫。故曰：俭其道乎！

[注释]

①委：抛弃，舍弃。②痤疽：即痤疽。矿：为"砭"字之误。砭石，古代用来治痤疽、除脓血的石针。③著：明显，显著。④服：服饰制度。⑤备体：尹知章云："谓备具而成体。"即齐备，完整。⑥胥：通"须"，等待。足上尊：因上文而衍。《管子·君臣下》："上尊而民顺，财厚而备足，四者备体，须时而王不难矣。"可证。⑦侑：通"宥"，宽容，宽恕。⑧太上：最上，最高。⑨追：补救。⑩宾：即宾尸，祭祀名。⑪失：耽误。⑫砥堆：久积不能流通。

[译文]

凡施行赦免，总是小利而大害，所以长久施行祸害无穷。不施行赦免，是小害而大利，所以长久施行受益匪浅。因此，施行赦免，好比奔马丢弃了缰绳；不施行赦免，好比用砭石治疗痤疽。爵位不尊贵，俸禄不厚重，就不会有人赴难冒险，因为政策还不足以满足人们的要求。所以，先王规定轩冕，是用来分辨贵贱等级的，不是追求豪华；设立爵禄，是用来保持服饰制度的，不是追求美观。要使君子靠治国之道来生活，百姓靠出力劳动生活。君子靠治国之道生活，君主就有尊严而人民顺从；百姓靠出力劳动生活，财物丰厚而给养充足。君主有尊严而人民顺从，财物丰厚而给养充足，四个条件都具备，那么等待时机成就王业就不难了。

文人有三次宽恕，武人没有一次赦免。恩惠就是多赦免，施行起来先易后难，长久施行祸害无穷；施行法令先难后易，长久施行受益匪浅。所以，施行恩惠的人，是人民的仇敌；施行法令的人，是人民的父母。最上等的是用法制规范人的行为，其次是有错误而能补救，即使有过失，也不会很严重。英明的君主建造宗庙，足以宾尸设祭就可以了，不追求它的豪华；修筑宫室台榭，足以防避燥湿寒暑就可以了，不追求它的大气；雕刻花纹，足以分辨贵贱等级就可以了，不追求它的美观。所以，农夫不耽误生产时节，工匠不丧失工作，商人不能无利可图，人民没有游荡的时间，财货也没有长久积压的。所以说：节俭才是治国之道啊！

令未布而民或为之，而赏从之，则是上妄予也。上妄予，则功臣怨。功臣怨，而愚民操事于妄作。愚民操事于妄作，则大乱之本也。令未布而罚及之，则是上妄诛也。上妄诛则民轻生，民轻生则暴人兴，曹①党起而乱贼作矣。令已布而赏不从，则是使民不劝勉，不行制，不死节。民不劝勉，不行制，不死节，则战不胜而守不固。战不胜而守不固，则国不安矣。令已布而罚不及，则是教民不听。民不听，则强者立；强者立，则主位危矣。故曰：宪律制度必法道，号令必著明，赏罚必信密②，此正民之经也。

[注释]

①曹：群。②信密：王念孙云："'密'本作'必'，后人罕闻'信必'之语，故以意改之，不知'信必'者，信赏必罚也。"

[译文]

法令还没有公布，有的人做到了，就给予赏赐，这是君主的错误赏赐。君主错赏，功臣就会抱怨；功臣抱怨，愚民就会胡作非为；愚民胡作非为，这是国家大乱的根源。法令还没有公布，就给予惩罚，这是君主的错罚。君主错罚，人民就会轻生；人民轻生，残暴的人就会兴风作浪，朋党林立，乱贼造反。法令已经公布，而不能依法施行赏赐，这就使人民得不到勉励，不执行法令，不为国捐躯。人民得不到勉励，不执行法令，不为国捐躯，那么作战不能取胜而防守不能稳固；战不胜而守不固，国家也就不安全了。法令已经公布，而不能依法执行刑罚，这就是引导人民不听从法令。人民不听从法令，强暴的人就会兴起；强暴的人兴起，君主的地位就危险了。所以说：法律制度一定要符合治国之道，号令一定要严明，赏罚一定要兑现，这才是规正人民的准则。

凡大国之君尊，小国之君卑。大国之君所以尊者，何也？曰：为之用者众也。小国之君所以卑者，何也？曰：为之用者寡也。然则为之用者众则尊，为之用者寡则卑，则人主安能不欲民之众为己用也。使民众为己用，奈何？曰：法立令行，则民之用者众矣；法不立，令不行，则民之用者寡矣。故法之所立，令之所行者多，而所废者寡，则民不诽议①；民不诽议，则听从矣。法之所立，令之所行，与其所废者钧②，则国毋常经；国毋常经，则民妄行矣。法之所立，令之所行者寡，而所废者多，则民不听；民不听，则暴人起而奸邪作矣。计上之所以爱民者，为用之爱之也。为爱民之故，不难毁法亏令，则是失所谓爱民矣。夫以爱民用民，则民之不用明矣。夫至③用民者，杀之危之，劳之苦之，饥之渴之，用民者将致之此极也，而民毋可与虑害己者。明王在上，法道行于国，民皆舍所好而行所恶。故善用民者，轩冕不下儗④，而斧钺不上因⑤。如是，则贤者劝而暴人止；贤者劝而暴人止，则功名立其后矣。蹈白刃，受矢石，入水火，以听上令。上令尽行，禁尽止，引而使之，民不敢转其力。推而战之，民不敢爱⑥其死，不敢转其力，然后有功；不敢爱其死，然后无敌；进无敌，退有功，是以三军之众皆得保其首领⑦，父母妻子完安于内。故民未尝可与虑始，而可与乐成功。是故仁者、知者、有道者，不与大⑧虑始。

[注释]

①诽议：责难，非议。②钧：通"均"，平均。③至：当为"善"字，下文"故善用民者，轩冕不下儗，而斧钺不上因"可证。④不下儗：郭沫若

98　管　子

云："'不下僣'者，言赏不吝。"⑤不上因：郭沫若云："'不上因'者，言刑不滥。"⑥爱：吝惜。⑦首领：头颅，代指生命。⑧大：当为"人"字之误。

[译文]

大国君主的地位尊贵，小国君主的地位卑微。大国君主的地位之所以尊贵，为什么呢？回答是：被他使用的人多。小国君主的地位之所以卑微，为什么呢？回答是：被他使用的人少。被君主使用的人多就尊贵，使用的人少就卑微，那么君主怎么能够不希望更多的人为自己所用呢？要使更多的人为自己所用，怎么办？回答是：法律确立政令施行，所使用的人就多了；法律不确立，政令不施行，所使用的人就少了。所以，确立的法律和施行的政令多，而被废弃的少，人民就不会非议，人民不非议就会听从法令了。确立的法律和施行的政令，如果与被废弃的相等，国家就没有常法；国家没有常法，人民就会胡作非为了。确立的法律和施行的政令少，而被废弃的多，人民就不会听从。人民不听从法令，残暴的人就要兴起，奸邪的人就要作乱了。考察君主之所以爱民的原因，是因为要使用他们才爱他们的。为了爱民，不惜毁坏法度，损害法令，那么就失去了爱民的意义了。用爱民的办法使用人民，很明显人民是不会听从使用的。善于使用人民的，可用杀戮、危害、劳累、饥饿、口渴等方式，使用人民如果达到这种境地，而人民并不认为是伤害自己的。贤明的君主在上，道德和法令通行于全国，人民都会舍弃个人的私欲而从事厌恶的公务。所以，善于使用人民的，赏赐不吝惜，刑罚不滥用。这样，贤能的人受到勉励而残暴的人被制止。贤能的人受到勉励而残暴的人被制止，功业和名声随之就建立起来了。人们踩着白刃，冒着矢石，赴汤蹈火来执行君主的法令。君主的法令都施行了，禁止的都制止了，召来使用他们，人民不敢转移力量；指挥他们战斗，人民不敢吝惜生命。不敢转移力量，然后可以立功；不敢吝惜生命，然后可以无敌。前进无敌，退守有功，所以三军的将士都能够保住生命，使父母妻子在国内完好安居。所以，不可以与人民商量事业的开始，而可以同他们欢庆事业的成功。因此，有仁德的人、有智慧的人、有道的人，都不与人民商量事业之开始。

国无以小与不幸而削亡者，必主与大臣之德行失于身也，官职、法制、政教失于国也，诸侯之谋虑失于外也，故地削而国危矣。国无以大与幸而有功名者，必主与大臣之德行得于身也，官职、法制、政教得于国也，诸侯之谋虑得于外也，然后功立而名成。然则国何可无道？人何可无求①？得道而导之，得贤而使之，将有所大期于兴利除害。期于兴利除害莫急于身，而君独甚。伤也，必先令之失。人主失令而蔽，已蔽而劫②，已劫而弑。

凡人君之所以为君者，势也。故人君失势，则臣制之矣。势在下，则君制于臣矣；势在上，则臣制于君矣。故君臣之易位，势在下也。在臣期年，臣虽不忠，君不能夺也。在子期年，子虽不孝，父不能服也。故《春秋》之记，臣有弑其君，子有弑其父者矣。故曰：堂上远于百里，堂下远于千里，门廷远于万里。今步者一日，百里之情通矣，堂上有事，十日而君不闻，此所谓远于百里也。步者十日，千里之情通矣，堂下有事，一月而君不闻，此所谓远于千里也。步者百日，万里之情通矣，门廷有事，期年而君不闻，此所谓远于万里也。故请③入而不出，谓之灭；出而不入，谓之绝；入而不至，谓之侵；出而道止，谓之壅。灭绝侵壅之君者，非杜其门而守其户也④，为政之有所不行也。故曰：令重于宝，社稷先于亲戚，法重于民，威权贵于爵禄。故不为重宝轻号令，不为亲戚后社稷，不为爱民枉法律，不为爵禄分威权。故曰：势非所以予人也。

[注释]

①求：当为"贤"字，下文"得贤而使之"，可证。②劫：威逼，胁制。③请：通"情"，情况。④杜：封闭。

[译文]

国家没有因为小和不幸而削弱灭亡的，一定是因为君主和大臣自身失去了德行，国内的官职、法制、政教有失误，国外对诸侯国的外交政策有失误，所以土地才被削减，甚至国家被灭亡。国家也没有因为大和侥幸而功成名就的，一定是因为君主和大臣自身有德行，国内的官职、法制、政教有成就，国外对诸侯国的外交政策有成就，然后才功成名就。既然如此，治国怎么可以没有政策呢？用人怎么可以没有贤人？有了政策就要施行，得到贤才就要使用，这对于国家的兴利除害大有希望。希望兴利除害，没有比以身作则更急迫的了，而这对于国君来说尤为重要。如事业受到了损害，一定是法令有失误。君主因法令失误而受到蒙蔽，因受到蒙蔽而被胁制，因受胁制而被杀。

人君之所以成为人君，是因为有权势。所以，人君失去了权势，臣下就控制他了。权势在下面，君主就被臣下所控制；权势在上面，臣下就被君主所控制。所以，如果君臣的地位颠倒了，那是因为权势在下面了。权势在大臣手中一整年，即使臣下不忠，君主也不能夺取他的权力；权势在儿子手中一整年，即使儿子不孝，父亲也不能制服他。所以《春秋》记录，有臣下杀死君主的，有儿子杀死父亲的。所以说：堂上比百里还远，堂下比千里还远，门庭比万里还远。现在，有人步行一天，一百里地之内的情况就知道了，而堂上有事，过了十天君主还不知道，这就叫比百里还远；有人步行十天，一千里地之内的情况就可以知道了，而堂下有事，过了一个月君主还不知道，这就叫比一千里还远；有人步行一百天，一万里地之内的情况就知道了，而门庭有事，过了一年君主还不知道，这就叫比一万里还远。所以，情况通报上去而法令不施行，叫做"灭"；法令施行而情况不能通报，叫做"绝"；情况通报上去而不能到达君主手中，叫做"侵"；法令施行而中途却停止了，叫做"壅"。有了灭、绝、侵、壅现象的国君，并不是有人封闭了他的门户，而是施行的政令无法推行的缘故。所以说：政令比珍宝还重要，国家要放在亲戚的前面，法度比人民还重要，威权比爵禄还重要。所以，不能为了贵重的珍宝而看轻法令，不能为了亲戚而把国家放在后面，不能为了爱民而歪曲法律，不能为了爵禄而分散权威。所以说：权势是不能用来给予他人的。

政者，正也。正也者，所以正定万物之命也。是故圣人精德立中以生正，明正以治国。故正者所以止过而逮不及也。过与不及也，皆非正也。非正，则伤国一也。勇而不义①，伤兵；仁而不法，伤正。故军之败也，生于不义。法之侵②也，生于不正，故言有辩而非务者，行有难而非善者。故言必中务③，不苟为辩。行必思善，不苟为难。规矩者，方圜之正也。虽有巧目利手，不如拙规矩之正方圜也。故巧者能生规矩，不能废规矩而正方圜。虽圣人能生法，不能废法而治国。故虽有明智高行，倍法而治，是废规矩而正方圜也。

[注释]

①义：正义。②侵：侵害。③中务：切中时务。

[译文]

政，就是正。所谓正，是用来公正确定万物的命运。因此，圣人精修德性树立中道以培植公正，明确公正来治理国家。所以，"正"是用来制止过分和补充不足的。过分与不足，都不是正。不正，就会损害国家。勇敢而不符合正义，会损害军队；仁义而不合法度，会损害公正。所以军队的失败，源于不符合正义；法度的侵害，源于不公正。言论有雄辩而不务实效的，行为有敬惧而不慎重的。所以，言论一定要切中时务，不苟且于雄辩；行动一定要慎重，不苟且于敬惧。规矩，是校正方圆的。即使有巧目利手，也不如粗糙的规矩能校正方圆。所以，灵巧的人可以制作规矩，但不能废弃规矩而校正方圆。圣人能制定法令，但不能废弃法令而治理国家。所以，即使有明彻的智慧、高尚的德行，如果违背法令而治理国家，也就等于废弃了规矩来校正方圆。

一曰：凡人君之德行威严，非独能尽贤①于人也，曰人君也，故从而贵之，不敢论其德行之高卑。有故为其杀生急于司命②也，富人贫人使人相畜也，贵人贱人使人相臣也。人主操此六者以畜其臣，人臣亦望此六者以事其君。君臣之会，六者谓之谋③。六者在臣期年，臣不忠，君不能夺。在子期年，子不孝，父不能夺。故《春秋》之记，臣有弑其君，子有弑其父者，得此六者而君父不智④也。六者在臣则主蔽矣，主蔽者，失其令也。故曰：令人而不出，谓之蔽；令出而不入，谓之壅；令出而不行，谓之牵；令人而不至，谓之瑕。牵瑕蔽壅之事⑤君者，非敢杜其门而守其户也，为令之有所不行也。此其所以然者，由贤人不至而忠臣不用也。故人主不可以不慎其令。令者，人主之大宝也。

一曰：贤人不至，谓之蔽。忠臣不用，谓之塞。令而不行，谓之障。禁而不止，谓之逆。蔽塞障逆之君者，不敢杜其门而守其户也，为贤者之不至，令之不行也。

[注释]

①贤：超过。②司命：传说掌管人的生命的神。③谓之谋：俞樾云：

"'六者谓之谋',当作'六者为之媒',言君臣会合,皆此六者为之媒也。"④智:通"知",知道。⑤事:为衍文,下文"蔽塞障逆之君者",可证。

[译文]

有一种说法是:人君德行的威严,不仅仅是因为他的才能超过别人,而是因为他是人君,所以人们听从他尊崇他,不敢评论他德行的高低。因为他掌握着生杀的大权,比司命之神还威严;掌握着使人贫富,让人供养的大权;掌握着使人贵贱,使人臣服的大权。君主掌握这六种权力来蓄养臣下,臣下也看着这六种权力来事奉君主,君臣的结合,就是以这六种权力为媒介的。这六者掌握在大臣手里一年,即使大臣不忠,君主也不能夺其权力;在儿子手里一年,即使儿子不孝,父亲也不能夺取他的权力。所以《春秋》记载,有臣下杀死君主的,有儿子杀死父亲的,就是因为他们掌握了这六种权力,而君父还不知道呢。这六者掌握在臣下手里,君主就被蒙蔽了。君主被蒙蔽,就丧失了政令。所以说:政令只能报入而不能发出叫做"蔽",政令发出而不能报入叫做"壅",政令发出而不能施行叫做"牵",政令报入而不能到达君主手中叫做"瑕"。有牵、瑕、蔽、壅现象的君主,不是有人封守了他的门户,而是政令不能施行的缘故。这种情况之所以出现,是因为贤人不来,忠臣不用。所以,君主对于政令不可以不慎重。政令,就是君主的大宝。

还有一种说法是:贤人不来叫做"蔽",忠臣不用叫做"塞",政令不能施行叫做"障",有禁令却不能制止叫做"逆"。有蔽、塞、障、逆现象的君主,并不是有人封闭了他的门户,而是因为贤人不来,政令不能施行的缘故。

凡民从上也,不从口之所言,从情之所好者也。上好勇,则民轻死;上好仁,则民轻财。故上之所好,民必甚焉。是故明君知民之必以上为心也，故置法以自治，立仪以自正也。故上不行，则民不从，彼民不服①法死制，则国必乱矣。是以有道之君，行法修制，先民②服也。

凡论人有要③：矜物之人，无大士焉。彼矜者，满也；满者，虚也。满虚在物，在物为制也。矜者，细之属也。凡论人而远古④者，无高士焉。既不知古而易⑤其功者，无智士焉。德行成于身而远古⑥，卑人也。事无资，遇时而简⑦其业者，愚士也。钓名之人，无贤士焉。钓利之君，无王主焉。贤人之行其身也，忘其有名也。王主之行其道也，忘其成功也。贤人之行，王主之道，其所不能已也。

[注释]

①服：遵守。②先民：先于百姓。③要：要领。④远古：应为"违古"，下同。⑤易：轻视。⑥"德行"句：郭沫若云："'德行成于身'疑有夺误，疑'成'上脱一'未'字。"郭说可信。⑦简：简弃。

[译文]

人民追随君主，不是追随君主所说的话，而是追随君主性情所喜好的。君主喜好勇敢，人民就会轻视死亡；君主喜好仁义，人民就会轻视财货。所以君主喜爱什么，百姓就更加爱好什么。因此，贤明的君主知道人民一定是以君主为中心的，所以制定法制来治理自己，树立礼仪来规正自己。所以君主不施行，人民就不会听从。人民不能遵守法制，不能为法制而死，那么国家一定会混乱的。所以有道的君主，施行法令，修订制度，总是先于人民遵守法制。

凡评定人物都有要领：骄傲的人，没有伟大的人物。骄傲，就是自满；自满，就是空虚。以自满空虚的态度行事，就会被人所控制。骄傲的人，属于渺小一类的人。凡评价人物而违背古道的，没有高士。既不知古道而轻视功业的，没有智士。自身的德行还不够而违背古道的，是卑下的人。事业没有凭借，遇到机会就简弃其业的，是愚蠢的人。骗取虚名的人，没有贤士。骗取货利的君主，没有成就王业的。贤人立身行事，不把名声放在心上；成就王业的君主施行王道，不把成败放在心上。贤人立身行事，成就王业的君主施行王道，是不会停止的。

明君公国一民以听于世①，忠臣直进以论其能②。明君不以禄爵私所爱，忠臣不诬能以干爵禄③。君不私国，臣不诬能，行此道者，虽未大治，正民之经④也。今以诬能之臣，事私国之君，而能济⑤功名者，古今无之。诬能之人易知也。臣度之先王者，舜之有天下也，禹为司空，契为司徒，皋陶为李⑥，后稷为田，此四士者，天下之贤人也，犹尚精一德以事其君；今诬能之人，服事⑦任官，皆兼四贤之能。自此观之，功名之不立，亦易知也。故列尊禄重，无以不受也。势利官大，无以不从也。以此事君，此所谓诬能篡利之臣者也。世无公国之君，则无直进之士；无论能⑧之主，则无成功之臣。昔者三代之相授也，安得二⑨天下而杀之？

[注释]

①一：统一。听：治理、处理。②直进：以直道进身。论：识别。③诬：欺骗，捏造。干：追求，求取。④经：通"径"，方法。⑤济：成就。⑥李：通"理"，狱官。⑦服事：担任官职。⑧论能：识别贤能。⑨二：另一个。

[译文]

贤明的君主以公治国统一人民来处理世事，忠臣以直道进身来识别他们的才能。贤明的君主不会私自把爵禄授予所爱的人，忠臣不会冒充有才能来求取爵禄。君主不以私治国，大臣不冒充有才能，能够这样行事的，虽不能够实现大治，但也是规正人民的方法。当前任用冒充有才能的大臣，事奉以私治国的君主，这样能成就功业的，从古至今都没有。冒充有才能的人是很容易识破的。我想起先王的情况，舜有天下的时候，禹为司空，契为司徒，皋陶为狱官，后稷为农官，这四人都是天下的贤人，还尚且各精通一事来侍奉君主。现在冒充有才能的人，担任官职，都是身兼四贤的才能。由此看来，功业名声没有建立起来，也就容易理解了。所以对高爵重禄无不接受，对势利官大无不去做的人，用他们来侍奉君主，就是所谓冒充有才能、篡夺爵禄的大臣。世上没有以公治国的君主，就没有以直道进身的士人；没有识别贤能的君主，就没有成就功业的大臣。从前三代的授受天下，难道会有另一个天下可供营私的吗？

贫民伤财莫大于兵①，危国忧主莫速于兵。此四患者明矣，古今莫之能废也。兵当废而不废，则古今②惑也。此二者③不废而欲废之，则亦惑也。此二者，伤国一也。黄帝唐虞，帝之隆也，资有天下，制在一人。当此之时也，兵不废。今德不及三帝，天下不顺，而求废兵，不亦难乎？故明君知所擅，知所患，国治而民务积，此所谓擅也。动与静，此所患也。是故明君审其所擅以备其所患也。猛毅④之君，不免于外难；懦弱之君，不免于内乱。猛毅之君者轻诛，轻诛之流⑤，道正者不安。道正者不安，则材能之臣去亡矣。彼智者知吾情伪⑥，为敌谋我，则外难自是至矣。故曰：猛毅之君，不免于外难。懦弱之君者重诛，重诛之过，行邪者不革⑦。行邪者久而不革，则群臣比周。群臣比周，则蔽美扬恶。蔽美扬恶，则内乱自是起。故曰：懦弱之君，不免于内乱。明君不为亲戚危其社稷，社稷戚于亲；不为君欲变其令，令尊于君；不为重宝分其威，威贵于宝；不为爱民亏其法，法爱于民。

[注释]

①兵：这里指战争。②古今：衍文，涉上文"古今莫之能废也"而衍。

③此二者：衍文，涉下文"此二者伤国一也"而衍。④猛毅：凶暴严酷。⑤流：流弊。⑥情伪：弊病。⑦革：改变。

[译文]

劳民伤财没有比战争更严重的，危国伤君没有比战争更快速的。这四种祸患是很明显的，古往今来没有能够废除。战争应当废除而没有废除，是疑惑的；战争不应废除却想要废除，也是疑惑的。这两者对于国家的损害，是一样的。黄帝、唐尧、虞舜的时候，是帝业的兴盛时期，拥有天下的资财，权力掌握在一个人手中。在这个时候，战争都没有废除。现在君主的德行还赶不上三帝，天下又不太平，却想要废除战争，不是很难吗？所以，贤明的君主知道专务什么，防患什么。国家安定而人民有积蓄，这就是所谓专务的事；动静失宜，这就是所要防患的事。因此，贤明的君主总是审慎对待所专务的事而防备所忧患的事。凶暴严酷的君主，不能避免外患；懦弱的君主，不能避免内乱。凶暴严酷的君主轻易杀人，轻杀的流弊，使德行端正的人感到不安全。德行端正的人感到不安全，那么有才能的人就会离开。智者知道我们的弊病，为敌国图谋我们，那么外患从此就来了。所以说：凶暴严酷的君主不能避免外患。懦弱的君主难以诛杀，难以诛杀的过失，使走邪道的人不会改正；走邪道的人长久而不改，群臣就会结党营私；群臣结党营私，就会蒙蔽好的宣扬坏的；蒙蔽好的宣扬坏的，内乱从此就发生了。所以说：懦弱的君主不能避免内乱。贤明的君主不会为亲戚损害他的国家，国家比亲戚更值得关怀；不会为君主的私欲改变法令，法令比人君更值得尊奉；不会为贵重的珍宝分散威势，威势比珍宝更贵重；不会为爱民损害法度，法度比百姓更值得爱惜。

兵法

明一者皇,察道者帝,通德者王,谋得兵胜者霸①。故夫兵,虽非备道至德也,然而所以辅王成霸。今代之用兵者不然,不知兵权②者也。故举兵之日而境内贫,战不必胜,胜则多死,得地而国败。此四者,用兵之祸者也。四祸其国,而无不危矣。大度之书曰:举兵之日而境内不贫,战而必胜,胜而不死,得地而国不败,为此四者若何?举兵之日而境内不贫者,计数③得也;战而必胜者,法度审也;胜而不死者,教器备利④,而敌不敢校⑤也;得地而国不败者,因其民也。因其民,则号制有发也;教器备利,则有制也;法度审,则有守也;计数得,则有明也。治众⑥有数,胜敌有理⑦,察数而知理,审器而识胜,明理而胜敌。定宗庙,遂⑧男女,官四分,则可以定威德,制法仪,出号令,然后可以一众治民。

[注释]

①谋得兵胜者霸:尹知章云:"所谋必得,用兵必胜,故霸。"②权:衡量。③计数:筹划。④教器备利:即教备器利。指训练有素、武器精良。⑤校:抵抗,对抗。⑥众:军队。⑦理:规律,道理。⑧遂:养育。

[译文]

明白万物根本的,可成皇业;明察治世之道的,可成帝业;通晓以德治国的，可成王业；所谋必得、用兵必胜的，可成霸业。所以，战争虽不是什么完备的道、至上的德，但可以用来辅助王业成就霸业。现代用兵的人却不是这样，不知道用兵是要权衡得失的。所以，发动战争就使国内贫穷，打起仗来没有必胜的把握，打了胜仗却伤亡过多，夺得了土地国家却衰败了。这四种情况，是用兵的祸害。国家有这四种祸害，没有不危亡的。《大度》说：发动战争而国家不贫穷，打起仗来有必胜把握，打了胜仗伤亡不多，夺得了土地而国家不衰败，如何做到这四点呢？发动战争而国内不贫穷，是因为筹划得当；打起仗来有必胜把握，是因为法度严明；打了胜仗伤亡不多，是因为训练有素、武器精良，敌人不敢抵抗；夺得了土地而国家不衰败，是因为顺应了民心。顺应了民心，号令、制度就有法可依；训练有素、武器精良，就有控制的力量；法度严明，军队就有遵循；筹划得当，用兵就有明见。治理军队要有方法，战胜敌国要有规律，明察治兵的方法就可以了解治军的水平，审查武器的优劣就可以了解战胜的原因，掌握了规律就可以战胜敌人。安定宗庙，养育儿女，管好四民，就可以树立威德，制定仪法，发布号令，然后就可以统一军队治理百姓了。

兵无主，则不蚤知敌。野无吏，则无蓄积。官无常，则下怨上。器械不巧，则朝无定①。赏罚不明，则民轻其产②。故曰：蚤知敌，则独行。有蓄积，则久而不匮。器械巧，则伐而不费。赏罚明，则勇士劝也。

三官不缪③，五教不乱，九章著明，则危危而无害，穷穷而无难④。故能致远以数，纵⑤强以制。三官：一曰鼓，鼓所以任也，所以起也，所以进也；二曰金，金所以坐⑥也，所以退也，所以免也；三曰旗，旗所以立兵也，所以利兵也，所以偃兵也。此之谓三官，有三令而兵法治也。五教：一曰教其目以形色之旗，二曰教其身⑦以号令之数，三曰教其足以进退之度，四曰教其手以长短之利，五曰教其心以赏罚之诚。五教各习，而士负⑧以勇矣。九章：一曰举日章则昼行，二曰举月章则夜行，三曰举龙章则行水，四曰举虎章则行林，五曰举鸟章则行陂，六曰举蛇章则行泽，七曰举鹊章则行陆，八曰举狼章则行山，九曰举韟章则载食而驾。九章既定，而动静不过。

三官、五教、九章，始乎无端，卒乎无穷。始乎无端者，道也；卒乎无穷者，德也。道不可量，德不可数也。故不可量，则众强不能图。不可数，则伪诈不敢向。两者备施，则动静有功。径⑨乎不知，发乎不意。径乎不知，故莫之能御也；发乎不意，故莫之能应也，故全胜而无害。因便而教，准利而行。教无常，行无常。两者备施，动乃有功。

[注释]

①巧：当为"功"字，下同。定：当为"政"字。《七法》"器械不功，朝无政，则赏罚不明"可证。②产：应为"生"字，《七法》"赏罚不明，则民幸生"可证。③缪：通"谬"，错误。④危危、穷穷：尹知章云："皆重有其事。"指极度危险、极度贫困。⑤纵：通"从"，服从。⑥坐：防守。⑦身：当为"耳"字之误。⑧负：恃也，依靠，凭借。⑨径：应为"经"，下同。《幼官》"器成不守，经不知"可证。

[译文]

军队没有统帅，就不会预先掌握敌情；土地没有官吏管理，就不可能有粮草积蓄；官府没有首长，工匠抱怨上级；制造的武器不精良，朝廷没有政令；赏罚不分明，百姓就侥幸偷生。所以说：预先掌握敌情，才能所向无敌；有粮草积蓄，才能够久战而不溃败；武器精良，打起仗来才不会有损耗；赏罚严明，勇士们就会受到勉励。

"三官"不错，"五教"不乱，"九章"著明，那么即使军队处于极度危险的境地也没有祸害，处于极度贫困的境地也不会遇难。所以有办法进行远征，有法度使强国服从。所谓"三官"：第一是鼓，鼓是用来作战的，用来发动进攻，用来乘胜追击的；第二是金，金是用来防守的，用来退兵，用来停战的；第三是旗，旗是用来召集军队的，用来节制军队，用来抑止军队的。这就是三官，有这三种号令，兵法就能发挥作用了。所谓"五教"：一是教战士眼观各种形色的旗令，二是教战士耳听各种号令的声音，三是教战士前进后退的步伐，四是教战士手持各种长短武器的作用，五是教战士心存赏罚制度的诚意。五教熟习了，战士就能依靠它勇敢无敌了。所谓"九章"：一是举日章，表示白日行军；二是举月章，表示夜里行军；三是举龙章，表示涉水行军；四是举虎章，表示穿林行军；五是举鸟章，表示丘陵行军；六是举蛇章，表示沼泽行军；七是举鹊章，表示陆上行军；八是举狼章，表示山上行军；九是举韇章，表示载上粮食驾车行军。九章已经确定，军队的行动就有了规范。

运用三官、五教和九章，要做到开始时没有开端，结束时没有尽头。开始时没有开端，就像"道"；结束时没有尽头，就像"德"。道是无法量度的，德是无法测算的。无法量度，所以众多的强国也不能图谋我军；无法测算，所以诈伪的敌军也不敢对抗我军。两者兼备同时施行，无论出动或静守都能成功。过境要使敌人不知，发兵要出敌不意。过境使敌人不知，就没有人能够防御；发兵出敌不意，就没有人能够应付。所以我军能大获全胜而没有损失。要根据当时的情况进行训练，要按照作战有利进行部署行动。训练没有常规，行动也没有常规。两者兼备同时施行，一旦发兵就能成功。

　　器成教施，追亡逐遁若飘风，击刺若雷电。绝地不守，恃固不拔①。中处而无敌，令行而不留。器成教施，散之无方，聚之不可计。教器备利，进退若雷电，而无所疑匮。一气专定，则傍②通而不疑；厉士利械，则涉难而不匮。进无所疑，退无所匮，敌③乃为用。凌山阬，不待钩梯；历水谷，不须舟楫。径于绝地，攻于恃固。独出独入，而莫之能止。宝不独人，故莫之能止。宝不独见，故莫之能敛④。无名之至尽，尽而不意，故不能疑神⑤。

[注释]

①不拔：与文意不符，应为"必拔"。②傍：通"旁"，广泛，普遍。③敌：郭沫若云："此'敌'字非仇敌之敌。"这里指军队。④"宝不"句：张佩纶云："当作'独闻独见，故莫之能敛。''闻'误作'宝'，余皆衍复。"⑤丕：通"丕"，大。疑：通"拟"，比拟。

[译文]

兵器精良，训练有素，追逐逃兵就像飘风一样，击杀敌军就像雷电一样。敌人虽据有绝地也不能防守，虽凭借险固也不能抗拒。我军处于主动地位所向无敌，军令畅通无阻则不留滞。兵器精良，训练有素，分散时没有法度，聚合时不能测度。训练有素、武器精良，军队的进退就会像雷电一样，而没有停滞和溃散。能做到专心一意，就会畅通无阻；能做到强兵利器，即使遇险也不会溃散。进军无阻碍，退军不溃散，军队就能为我所用了。越过山冈不用钩梯，经过水沟不用船只，可以经过绝险的地势，可以攻克依险固守的堡垒，独出独入，没有人能够阻挡。独闻独见，没有人能够约束。这种用兵就达到了"无名"的极致，难以意想，所以，其伟大可与神相比拟。

畜之以道，则民和；养之以德，则民合。和合故能谐，谐故能辑①，谐辑以悉，莫之能伤。定一至，行二要，纵三权，施四教，发五机②，设六行，论七数，守八应，审九器，章十号，故能全胜。大胜无守也，故能守胜。数战则士罢③，数胜则君骄，夫以骄君使罢民，则国安得无危？故至善不战，其次一④之。破大胜强，一之至也。乱之不以变，乘⑤之不以诡，胜之不以诈，一之实也。近则用实，远则施号。力不可量，强不可度，气不可极，德⑥不可测，一之原也。众若时雨，寡若飘风，一之终也。

利适⑦，器之至也。用敌，教之尽也。不能致器者，不能利适。不能尽教者，不能用敌。不能用敌者穷，不能致器者困。远⑧用兵，则可以必胜。出入异涂，则伤其敌。深入危之，则士自修。士自修，则同心同力。善者之为兵也，使敌若据虚，若搏景⑨。无设无形焉，无不可以成也。无形无为焉，无不可以化也，此之谓道矣。若亡而存，若后而先，威不足以命之。

[注释]

①辑：结聚，聚集。②四教、五机：应为"四机"、"五教"。"四机"见《幼官》，"五教"见本篇。③罢：古同"疲"，疲惫。④一：这里指一战胜敌。⑤乘：追逐。⑥德：许维遹云："'德'犹心也。"⑦利适：于省吾云："'利'本应作'制'。"郭沫若云："'适'字均当为'敌'。"利适，指控制军队。⑧远：张文虎云："'远'疑当作'速'。所谓兵贵神速，即上风雨雷电之喻是也。"⑨搏景：亦作"搏影"。比喻难以捉摸。

[译文]

用道来养兵，人民就会和睦；用德来养兵，人民就会团结。和睦团结就能协调一致，协调一致就能结聚力量，协调一致结聚力量，那么就没有人能够伤害了。定于"一至"，实行"两要"，总揽"三权"，掌握"四机"，熟习"五教"，筹划"六行"，讲求"七数"，做到"八应"，审明"九章"，谨慎"十号"，这样就能大获全胜了。大胜而不固守一处，所以能以守取胜。频繁战斗使士兵疲惫，多次胜利使君主骄傲，以骄傲的君主去驱使疲惫的士兵，国家怎么能够不危险呢？所以，最好的用兵是不战而胜，其次是一战胜敌。打败大国强敌，这是一战胜敌的典范。扰乱敌人不用权变，追逐敌人不用诡计，战胜敌人不用诈谋，这是一战胜敌的实质。用实力征伐近敌，用号令威慑远敌，力量不可度量，强盛不可测度，士气没有极限，军心无法捉摸，这是一战胜敌的根本。军队结聚时像时雨一样密集，军队撤离时像飘风一样迅速，这是一战胜敌的最终表现。

控制军队，是武器精良的结果；使用军队，是训练有素的结果。不能使武器精良，就不能控制军队；不能使军队训练有素，就不能使用军队。不能使用军队，将会走投无路；不能控制军队，将会陷于困境。用兵神速，可以大获全胜。军队出入路途不同，就会劳伤战士。深入敌境处于危险，战士就会自我警戒，自我警戒就会同心协力了。善于用兵的人，使军队如同在虚空的地方，如同在和影子搏斗，无法捉摸。没有方位、没有形体，因而没有不可以形成的；没有形体、没有作为，因而没有不可以变化的，这些就叫做用兵之道。它好像没有却实际存在，好像在后面而实际领先，"威"字都不足以来称名它。

小 匡

桓公自莒反于齐，使鲍叔牙为宰。鲍叔辞曰："臣，君之庸臣也。君有①加惠于其臣，使臣不冻饥，则是君之赐也。若必治国家，则非臣之所能也，其唯管夷吾乎！臣之所不如管夷吾者五：宽惠爱民，臣不如也；治国不失秉②，臣不如也；忠信可结于诸侯，臣不如也；制礼义③可法于四方，臣不如也；介胄执枹④，立于军门，使百姓皆加勇，臣不如也。夫管仲，民之父母也，将欲治其子，不可弃其父母。"公曰："管夷吾亲射寡人，中钩，殆于死。今乃用之，可乎？"鲍叔曰："彼为其君动也，君若宥⑤而反之，其为君亦犹是也。"公曰："然则为之奈何？"鲍叔曰："君使人请之鲁。"公曰："施伯，鲁之谋臣也。彼知吾将用之，必不吾予也。"鲍叔曰："君诏使者曰：'寡君有不令之臣在君之国，愿请之以戮群臣⑥。'鲁君必诺。且施伯之知夷吾之才，必将致鲁之政，夷吾受之，则鲁能弱齐矣，夷吾不受，彼知其将反于齐，必杀之。"公曰："然则夷吾受乎？"鲍叔曰："不受也。夷吾事君无二心。"公曰："其于寡人犹如是乎？"对曰："非为君也，为先君与社稷之故。君若欲定宗庙，则亟请之，不然无及也。"

[注释]

①有：通"又"。②秉：通"柄"，权柄。尹知章注："秉，柄也，所操以作事。国柄者，赏罚之纪要也。"③义：通"仪"，仪法。④枹：同"桴"，鼓槌。⑤宥：宽恕。⑥戮群臣：应为"戮于群臣"。

[译文]

齐桓公从莒返回齐国后，就任命鲍叔牙为宰相。鲍叔推辞说："我是您的庸臣。国君又对我施以恩惠，使我不至于挨饿受冻，就已经是国君的恩赐了。如果一定要我治理国家，却不是我能做到的，只有管夷吾才可当此重任。我有五个方面不及管夷吾：宽惠爱民，我不如他；治国不失权柄，我不如他；以忠实守信的态度同各诸侯国结交，我不如他；制定礼仪规范四方的国家，我不如他；披甲戴盔，手拿鼓槌，站在军门，使百姓都勇气倍增，我不如他。管仲，是人民的父母，想要治理儿子，不能废弃他们的父母。"桓公说："管夷吾曾经亲自用箭射我，射中了我的衣带钩，几乎使我丧命。现在却要用他，可以吗？"鲍叔说："他是为了侍奉自己的君主这样做的，您如果宽恕他，使他返回齐国，他为您将也会这样的。"桓公说："那么应该怎么办呢？"鲍叔说："您可派使者到鲁国请他回来。"桓公说："施伯，是鲁国的谋臣。他知道我将起用管仲，一定不肯给我。"鲍叔说："您告诉使者这样说：'我们国君有一个不服从命令的臣子在贵国，希望送还我们，以便在群臣面前处死。'鲁国国君一定答应。但施伯知道夷吾的才干，必定把鲁国的政事交给他。夷吾如果接受，鲁国就能削弱齐国。夷吾如果不接受，施伯知道他将返回齐国，一定杀死他。"桓公说："那么管夷吾会接受吗？"鲍叔说："不会。因为夷吾侍奉君主是没有二心的。"桓公说："他对我也能这样吗？"回答说："不是为了您，而是为了先君和国家的缘故。您若想安定国家，就赶快去要回他，否则，就来不及了。"

公乃使鲍叔行成①,曰:"公子纠,亲也。请君讨之。"鲁人为杀公子纠。又曰:"管仲,仇也。请受而甘心焉②。"鲁君许诺。施伯谓鲁侯曰:"勿予。非戮之也,将用其政也。管仲者,天下之贤人也,大器也。在楚则楚得意于天下,在晋则晋得意于天下,在狄则狄得意于天下。今齐求而得之,则必长为鲁国忧,君何不杀而受之其尸?"鲁君曰:"诺。"将杀管仲,鲍叔进曰:"杀之齐,是戮齐也;杀之鲁,是戮鲁也。弊邑③寡君愿生得之,以徇于国,为群臣僇④;若不生得,是君与寡君贼比也,非弊邑之君所谓⑤也,使臣不能受命。"于是鲁君乃不杀,遂生束缚而柙⑥以予齐。鲍叔受而哭之,三举,施伯从而笑之,谓大夫曰:"管仲必不死。夫鲍叔之忍⑦,不僇贤人;其智,称贤以自成也。鲍叔相公子小白,先入得国,管仲、召忽奉公子纠后入,与鲁以战,能使鲁败,功足以。得天与失天,其人事一也。今鲁惧,杀公子纠、召忽,囚管仲以予齐,鲍叔知无后事,必将勤管仲以劳其君愿⑧,以显其功。众必予之有得⑨,力死之功,犹尚可加也;显生之功,将何如!是昭德以贰君⑩也,鲍叔之知,是不失也。"至于堂阜之上,鲍叔祓⑪而浴之三。桓公亲迎之郊,管仲诎缨插衽⑫,使人操斧而立其后。公辞斧三,然后退之。公曰:"垂缨下衽,寡人将见。"管仲再拜稽首曰:"应公之赐,杀之黄泉,死且不朽。"

[注释]

①行成:议和。②请受而甘心焉:《左传正义》作"请受而戮之",与文意相符。受,通"授",授予。③弊邑:同"敝邑",古代对自己国家的谦称。④僇:通"戮",杀戮。⑤谓:应为"请"字之误。⑥柙:关闭猛兽的笼槛,这里指押解犯人的囚笼或囚车。⑦忍:应为"忈",古"仁"字。⑧勤:帮助。愿:郭沫若认为当为"顾",即顾遇。⑨得:应为"德"。⑩贰君:尹知

章云："为君之副贰。"即宰相。⑪祓：古代为除灾求福而举行的一种仪式。
⑫诎缨插衽：垂下帽缨，掩着衣襟，指罪人的服饰。

[译文]

桓公于是派遣鲍叔去议和，对鲁国国君说："公子纠，是亲人。请鲁国杀掉他。"鲁国便替齐国杀了公子纠。又说："管仲，是仇人。请交给我们来处理。"鲁君答应了。施伯对鲁侯说："不要交给他们。齐国不是要杀他，而是要用他管理政事。管仲，是天下的贤人，是大材。楚国用他，那么楚国将会得志于天下；晋国用他，那么晋国就会得志于天下；狄国用他，那么狄国将会得志于天下。现在齐国如果得到管仲，将来一定成为鲁国长期的忧患，您何不把他杀掉，把尸体给齐国呢？"鲁君说："好。"将要杀管仲，鲍叔进言说："把他杀死在齐国，这是为齐国殉节而死；把他杀死在鲁国，这是为鲁国殉节而死。我们国君希望活捉管仲，使他为齐国殉节而死，在群臣面前杀他。如果不能活捉他，这等于您和我们国君的叛贼站在一起了，这不是我们国君所请求的，作为使臣我不能接受你们的意见。"于是鲁君就没有杀管仲，而把管仲捆绑起来，关在囚车里交给了齐国使者。鲍叔接收后，为管仲回齐被杀而大哭多次。施伯跟在后面大笑起来，对鲁国大夫们说："管仲一定不会死。以鲍叔之仁德，不会杀戮贤人；以鲍叔的才智，一定会推举贤人而使其成就功业。鲍叔辅佐公子小白，能先进入齐国而获得君位，管仲与召忽辅佐公子纠后入齐国，因此与鲁国发生战争，能使鲁军败退，鲍叔的功劳已很大了。无论是得天与失天，他们所做的事都是一样的。现在鲁国害怕了，杀死了公子纠和召忽，把管仲关押送回齐国，鲍叔知道没有后顾之忧了，一定会帮助管仲效力于国君的知遇之恩，来成就管仲的功业和名声。众人一定会称赞他有德，鲍叔辅佐桓公得到君位的功劳还不算大，那么使国君得到管仲并使他能实现功业的功劳，简直无以复加了！这次让管仲昭著德行而立为国相,以鲍叔的才智,是不会错过这一步的。"到了堂阜地区,鲍叔再三为管仲举行除灾驱邪、沐浴洁身的仪式。桓公亲自到郊外迎接。管仲垂下帽缨掩着衣襟,派人拿着斧子站在他的背后。桓公再三下令执斧人走开,然后他们退下。桓公说:"既然已经垂下帽缨,拉下衣襟了,我就接见。"管仲再拜叩头说:"承受您的恩赐,就是死在黄泉,也不朽了。"

公遂与归,礼之于庙,三酌而问为政焉。曰:"昔先君襄公,高台广池,湛乐①饮酒,田猎毕弋②,不听国政,卑圣侮士,唯女是崇,九妃六嫔,陈妾数千。食必粱肉,衣必文绣,而戎士冻饥。戎马待游车之弊③,戎士待陈妾之余。倡优④侏儒在前,而贤士大夫在后。是以国家不日益,不月长,吾恐宗庙之不扫除,社稷之不血食⑤,敢问为之奈何?"管子对曰:"昔吾先王周昭王、穆王世法文武之远迹,以成其名。合群国⑥,比校民之有道者,设象⑦以为民纪。式美⑧以相应,比缀⑨以书,原本穷末。劝之以庆赏,纠之以刑罚,粪除其颠旄⑩,赐予以镇抚之,以为民终始。"公曰:"为之奈何?"管子对曰:"昔者圣王之治其民也,参其国而伍其鄙,定民之居,成民之事,以为民纪。谨用其六秉,如是而民情可得,而百姓可御。"桓公曰:"六秉者何也?"管子曰:"杀、生、贵、贱、贫、富,此六秉也。"桓公曰:"参国奈何?"管子对曰:"制⑪国以为二十一乡:商工之乡六,士农之乡十五。公帅十一乡,高子帅五乡,国子帅五乡。参国故为三军,公⑫立三官之臣。市立三乡,工立三族,泽立三虞,山立三衡。制五家为轨,轨有长。十轨为里,里有司。四里为连,连有长。十连为乡,乡有良人。三乡一帅。"桓公曰:"五鄙奈何?"管子对曰:"制五家为轨,轨有长。六轨为邑,邑有司。十邑为率⑬，率有长。十率为乡，乡有良人。三乡为属，属有帅⑭。五属一⑮大夫，武政听属，文政听乡，各保而听，毋有淫佚⑯者。"

[注释]

①湛乐：过度逸乐。②毕弋：毕为捕兽所用之网，弋为射鸟所用的系绳之箭。泛指打猎。③戎马：《齐语》作"戎车"。弊：通"敝"。破旧，破损。④倡优：古代以音乐歌舞或杂技谐娱人的艺人。⑤血食：受享的祭品。⑥群国：《齐语》作"群叟"。⑦象：典型、模范。⑧美：郭沫若云："'美'《齐语》作'权'，则'美'殆'券'字之误。言券契表格等有法式，使民照样填写也。"⑨比缀：编排连缀。⑩粪除其颠旄：郭沫若云："当作'粪除其颠毛'，谓髡刑也。"粪除，清除。颠毛，头顶上的毛发。髡刑，古代一种剃去罪人须发的刑罚。⑪制：规定。⑫公：应为"宫"，指士乡。⑬率：《齐语》作"卒"，形近而误，下同。⑭属有帅：王念孙云："'属有帅'当作'属有大夫'。此涉上文'连有帅'而误。"⑮一：应为"五"之误。《齐语》"属有大夫，五属故立五大夫，各使治一属焉"可证。⑯淫佚：本指纵欲放荡，这里指荒废。

[译文]

桓公丁是和管仲一起回去，在庙堂上以礼相待，酒过三酌后，向管仲询问如何治理政事。桓公说："从前先君襄公，建筑高台大池，过度饮酒作乐，田猎捕射，不料理国家政事，卑视圣贤，侮慢士子，只宠爱女色，妃嫔众多，后宫有妾数千。他们吃的是精美的食物，穿的是华丽的衣服，而战士们却挨饿受冻。战车的补充要等待游车用完的破损的车，战士的供给要等待后宫享用后的剩余。倡优侏儒站在国君面前，而贤人大夫站在后面。所以国家不会得到发展，我担心宗庙将无人打扫，社稷将无人祭祀，请问该怎么办呢？"管子回答说："从前我们的先王周昭王和周穆王世代效法文王、武王的远大业绩，因而成就了他们的名声。集合德高望重的老人，考核百姓中表现好的，树立典范作为百姓的榜样。契券表格都有一定法式，编排连缀而成书简，追溯事物的由来。用赏赐勉励表现好的人，用刑罚纠正表现坏的人。有的剪掉顶发，有的加以赏赐来安抚百姓，以此治理人民要始终如一。"桓公说："怎么做呢？"管仲回答说："从前圣明的君王治理百姓，三分其国，五分其鄙，安定百姓的居处，安排人民职业，以此作为治理百姓的体制。谨慎地使用国君的六种权力，这样民情就可以掌握，百姓就可以统治了。"桓公问："什么是六种权力？"管仲回答说："使人死，使人生，使人尊贵，使人卑贱，使人贫困，使人富足，这就是六种权力。"桓公问："三分国家怎么做？"管仲回答说："规定把全国划分为二十一个乡，商人工匠之乡有六个，士人农民之乡有十五个。你统帅十一个乡，高子统帅五个乡，国子统帅五个乡。三国就成了三军。士乡设立三个官府的官吏，商乡设立三乡之官，工乡设立三族之官，水乡设立三虞之官，山乡设立三衡之官。规定五家为一轨，轨设有轨长。十轨为一里，里设有里司。四里为一连，连设有连长。十连为一乡，乡设有良人。三乡为一帅。"桓公问："五分其鄙怎么做？"管仲回答说："规定五家为一轨，轨设有轨长。六轨为一邑，邑设有邑司。十邑为一卒，卒设有卒长。十卒为一乡，乡设有良人。三乡为一属，属设有大夫，五属就设有五个大夫。武功方面的事就听从属，文治方面的事听从乡，各尽其职，不得有所荒废。"

桓公曰："定民之居，成民之事，奈何？"管子对曰："士农工商四民者，国之石民①也，不可使杂处。杂处则其言咙②，其事乱。是故圣王之处士必于闲燕③，处农必就田壄，处工必就官府，处商必就市井。今夫士群萃而州处④，闲燕则父与父言义，子与子言孝，其事君者言敬，长者言爱，幼者言弟⑤。旦昔⑥从事于此，以教其子弟，少而习焉，其心安焉，不见异物而迁焉。是故其父兄之教，不肃而成；其子弟之学，不劳而能。夫是故士之子常为士。今夫农群萃而州处，审其四时，权节⑦具，备其械器用，此⑧耒耜谷芨。及寒击槁除⑨田，以待时乃耕，深耕、均种、疾耰。先雨芸⑩耨，以待时雨。时雨既至，挟其枪刈耨镈，以旦暮从事于田壄。税⑪衣就功，别苗莠，列疏遬⑫。首戴苎蒲⑬，身服袯襫⑭，沾体涂足，暴其发肤，尽其四支⑮之力，以疾从事于田野。少而习焉，其心安焉，不见异物而迁焉。是故其父兄之教，不肃而成；其子弟之学，不劳而能。是故农之子常为农，朴野而不慝⑯，其秀才之能为士者，则足赖也。故以耕则多粟，以仕则多贤，是以圣王敬畏戚农。今夫工群萃而州处，相良材，审其四时，辨其功苦⑰，权节其用，论比计制断器⑱，尚完利⑲。相语以事，相示以功，相陈以巧，相高以知事⑳。旦昔从事于此，以教其子弟。少而习焉，其心安焉，不见异物而迁焉。是故其父兄之教，不肃而成；其子弟之学，不劳而能。夫是故工之子常为工。令夫商群萃而州处，观凶饥，审国变，察其四时，而监其乡之货，以知其市之贾㉑。负任担荷，服牛轺马，以周四方。料㉒多少，计贵贱，以其所有，易其所无，买贱鬻贵。是以羽旄㉓不求而全，竹箭有余于国，奇怪时来，珍异物聚。旦昔从事于此，以教其子弟。相语以利，相示以时，相陈以知贾。少而习焉，其心安焉，不见异物而迁焉。是故其父兄之教，不肃而成；其子弟之学，不劳而能。夫是故商之子常为商。相地而衰其政㉔，则民不移。正旅旧，则民不惰。山泽各以其时至，则民不苟。陵陆丘井田畴均，则民不惑。无夺民时，则百姓富。牺牲不劳㉕，则牛马育。"

[注释]

①石民：尹知章云："四者，国之本，犹柱之石也。"②啧：语言杂乱。③闲燕：安静、清静的地方。④群萃、州处：均指聚居。⑤弟：通"悌"，敬爱兄长。⑥昔：通"夕"。旦夕，即早晚，日常。⑦权节：平衡调节。⑧此：

应为"比"字之误。⑨槁：枯草。除：整治。⑩芸：通"耘"，除草。⑪税：通"脱"，脱去。⑫遬：即"速"字。疏遬，指苗的疏密。⑬苎蒲：用苎麻和蒲草编成的斗笠。⑭被襫：蓑衣。⑮支：通"肢"。⑯朴野：质朴。慝：邪恶。⑰功苦：尹知章云："功谓坚美，苦谓滥恶。"精密完美的器物饮食叫做功，质量低劣叫做苦。⑱论比：选择比较。计制：考计规格。断器：裁断器物。⑲完利：坚固实用。⑳知事：通晓事理。㉑贾：通"价"，价格。㉒料：预料。㉓羽旄：本指雉羽和旄牛尾。这里指珍贵的东西。㉔政：《齐语》作"征"。衰：由大到小依照一定的标准递减。衰征，即根据土地的差等来征税。㉕劳：王念孙云："'劳'读为'捞'。"夺取。

[译文]

桓公问："安定百姓的居处，安排百姓的职业，怎么做呢？"管子回答说："士、农、工、商四种百姓，是国家的柱石之民，不能让他们杂居在一起。如果杂居在一起，他们的语言就混杂了，他们的职事就混乱了。因此圣贤的君王使士的居处靠近幽静的地方，使农民的居处靠近田野，使工匠的居处靠近官府，使商人的居处靠近市场。使士聚居在一个地区，闲暇时为父的与为父的谈论义，为子的与为子的谈论孝，事奉君主的谈论恭敬，年长的谈论亲爱兄弟，年幼的谈论敬爱兄长。朝夕从事这方面的工作，来教育他们的子弟。年小时候就学习这些，他们安心于此，不会见异思迁。所以父兄的教导，不必严厉也能教好；子弟的学习，不必勤苦也能学好。这样，士的子弟长期为士。使农民聚居在一个地方，观察四季的变化，安排用具，准备器械，如耒耜谷芨。在寒冷的时候，就要除去枯草修治田地，季节到了就要耕种，耕地要深，下种要匀，覆种要快。下雨前就要除草松土，等待时雨的到来。时雨过后，就要拿着各种农具，从早到晚在地里劳作。脱去上衣干活，分辨禾苗野草，排列疏密得当。头上戴着斗笠，身上穿着蓑衣，满身沾满了泥水，暴露着肌肤，竭尽四肢的力量，在地里努力劳作。年小时候就学习这些，他们安心于此，不会见异思迁。所以父兄的教导，不必严厉也能教好；子弟的学习，不必勤苦也能学好。这样，农民的子弟长期为农民，他们质朴而不奸邪，其中优秀的人能够成为士，足以值得信赖。所以农民耕种就能多产粮食，农民做官就能多出贤才，因此圣明的君王敬服农民、亲近农民。使工匠们聚居在一个地区，选择好的材料，观察四季的变化，分辨材料质量的好坏，安排用具，选择比较、考计规格、裁断器物，讲究坚固实用。他们相互谈论工事，相互展示成品，相互交流技术，相互推崇事理。朝夕从事这方面的工作，来教育他们的子弟。年小时候就学习这些，他们安心于此，不会见异思迁。所以父兄的教导，不必严厉也能教好；子弟的学习，不必勤苦也能学好。这样，工匠的子弟长期为工匠。使商人们聚居在一个地方，他们眼看凶年的饥荒，审视国家政策的变化，观察四季的变化而监视地方的货物，来了解市场的价格。他们肩挑背负，赶牛驾马，走遍四方。他们预料物资的多少，计算货物的贵贱，用他们所有的，交换他们所没有的，低价买进高价卖出。所以像羽旄这样的珍品不用求取自己就会来，竹箭一类的产品在国内还有盈余，奇怪的物品时常出现，珍异的货物也有聚集。朝夕从事这方面的工作，来教育他们的子弟。他们相互谈论利益，相互观察时机，相互交流行情。年小时候就学习这些，他们安心于此，不会见异思迁。所以父兄的教导，不必严厉也能教好；子弟的学习，不必勤苦也能学好。这样，商人的子弟长期为商人。国家能根据土地的好坏征收赋税，百姓就不会外流。施政不遗弃功臣故旧，百姓就不会怠惰。山林湖泽能按季节开放，百姓就不会苟且从事。各种土地能分配均匀，百姓就不会疑惑。不耽误农时，百姓就能富足；祭品不从百姓夺取，牛马就能繁育。"

桓公又问曰："寡人欲修政以干时①于天下，其可乎？"管子对曰："可。"公曰："安始而可？"管子对曰："始于爱民。"公曰："爱民之道奈何？"管子对曰："公修公族，家修家族，使相连以事，相及以禄，则民相亲矣。放旧罪，修旧宗，立无后，则民殖矣。省刑罚，薄赋敛，则民富矣。乡建贤士，使教于国，则民有礼矣。出令不改，则民正矣，此爱民之道也。"公曰："民富而以②亲，则可以使之乎？"管子对曰："举财长工，以止③民用；陈力尚贤，以劝民知；加刑无苛，以济百姓。行之无私，则足以容众④矣；出言必信，则令不穷矣，此使民之道也。"

[注释]

①干时：求合于当时。②以：同"已"，已经。③止：王念孙云："'止'当为'足'。"④容众：本指心怀宽广，这里指团结民众。

[译文]

桓公又问道："我想修明政事来适应天下的形势，可以吗？"管子回答说："可以。"桓公说："从哪里开始做起呢？"管子回答说："从爱民开始做起。"桓公说："如何才能做到爱民呢？"管子回答说："国君整治公族，士大夫整治家族，使他们的事业互相关联，俸禄互相补助，人民就能相亲了。释放旧罪犯，整治旧宗族，为无后的人立嗣，那么百姓就会增加了。减轻刑罚，减少赋税，人民就会富足。各乡推荐贤士，使他们在国内施教，人民就有礼了。发出的政令不会轻易改变，人民就会正直。这些就是爱民之道。"桓公说："人民富足而又相亲，该如何使用他们呢？"管子说："开发资财提倡百工，以满足人们的需用；宣扬智力尊崇贤人，以勉励人们；施行刑罚但不苛刻，以帮助百姓。实行这些措施的时候没有私心，就能够团结民众；说出的话要讲信用，法令就会畅通无阻。这就是用民之道。"

桓公曰："民居定矣，事已成矣，吾欲从事于天下诸侯，其可乎？"管子对曰："未可，民心未吾①安。"公曰："安之奈何?"管子对曰:"修旧法,择其善者,举而严用之;慈于民,予无财;宽政②役,敬百姓,则国富而民安矣。"公曰:"民安矣,其可乎?"管仲对曰:"未可。君若欲正卒伍,修甲兵,则大国亦将正卒伍,修甲兵。君有征战之事,则小国诸侯之臣有守圉③之备矣。然则难以速得意于天下。公欲速得意于天下诸侯,则事有所隐而政有所寓。"公曰:"为之奈何?"管子对曰:"作内政而寓军令焉。为高子之里,为国子之里,为公④里,三分齐国,以为三军。择其贤民,使为里君。乡有行伍⑤,卒长则其制令,且以田猎,因以赏罚,则百姓通于军事矣。"桓公曰:"善。"于是乎管子乃制五家以为轨,轨为之长。十轨为里,里有司。四里为连,连为之长。十连为乡,乡有良人。以为军令。是故五家为轨,五人为伍,轨长率之。十轨为里,故五十人为小戎,里有司⑥率之。四里为连,故二百人为卒,连长率之。十连为乡,故二千人为旅,乡良人率之。五乡一帅,故万人为一军,五乡之帅率之。三军故有中军之鼓,有高子之鼓,有国子之鼓。春以田,曰搜,振旅⑦。秋以田,曰狝,治兵⑧。是故卒伍政,定于里;军旅政,定于郊。内教既成,令不得迁徙。故卒伍之人,人与人相保,家与家相爱,少相居,长相游,祭祀相福,死丧相恤,祸福相忧,居处相乐,行作相和,哭泣相哀。是故夜战其声相闻,足以无乱;昼战其目相见,足以相识。欢欣足以相死,是故以守则固,以战则胜。君有此教士三万人,以横行于天下,诛无道以定周室,天下大国之君莫之能圉也。

[注释]

①吾:衍文。②政:通"征",税赋。③圉:通"御",抵挡,防御。④公:国君。⑤行伍:我国古代的兵制,五人为伍,五伍为行,泛指军队。⑥里有司:应为"里司",依上文"十轨为里,里有司"而衍。⑦振旅:古代春季进行的练兵仪式。⑧治兵:古代秋季进行的练兵仪式。振旅、治兵这里泛

指整顿部队，操练士兵。

[译文]

桓公说："居民居处已安定，百姓的职事已完成，我想要不定地会见天下的诸侯，可以吗？"管子回答说："不可以。民心还没有安定。"桓公说："怎样做才能安定民心呢？"管子回答说："整治旧法，选择其中较好的，拿来严格执行；对人民要慈爱，要救济贫困的人；放宽赋税徭役，敬重百姓，那么国家就会富裕而民心就会安定了。"桓公说："民心安定，可以了吧？"管仲回答说："不可以。您如果要整治军队，修缮甲兵，那么其他大国也将整治军队，修缮甲兵；您有征战的举动，那么小国诸侯的大臣们就会有防守抵御的准备。那样，是难以迅速得志于天下的。您想迅速得志于天下的诸侯，就应该行事有所隐藏，政事有所寄寓。"桓公说："那怎么做呢？"管子回答说："整治内政要寄寓军令。建立高子所管辖的里，建立国子所管辖的里，建立您所管辖的里，三分齐国，作为三军。选拔其中贤能的人，任为里君。每乡都有军队的编制，卒长有发号施令的权力，以此进行田猎，凭借田猎的成绩实行赏罚，那么百姓就会懂得军事了。"桓公说："好。"于是管仲制定五家为一轨，设有轨长。十轨为一里，设有里司。四里为连，设有连长。十连为乡，设有良人。以此来施行军令。因此，五家为轨，五人为伍，由轨长率领。十轨为里，五十人为一小戎，由里司率领。四里为连，二百人为一卒，由连长率领。十连为乡，二千人为一旅，由乡良人率领。五乡为一帅，一万人为一军，由五乡之帅率领。三军中有中军的鼓，有高子的鼓，有国子的鼓。春天田猎，叫做搜，整顿军队，训练士兵；秋天田猎，叫做狝，整顿军队，训练士兵。所以卒伍之政，在里内确定；军旅之政，在郊外确定。国内的教令已经完成，军令就不能更改。因此，卒伍的人，人与人互相保护，家与家互相关爱，年少时就一起居住，年长时一同交游，祭祀时互相祈福，死丧时互相抚恤，祸福时互相担忧，居处时互相娱乐，行作时互相配合，哭泣时互相哀悼。因此，夜间作战，他们能够相互听见声音，就可以不乱；白天作战，他们眼睛相互一看，就可以相识。欢欣的友谊足以使他们相互以死捍卫。所以，用他们来防守就坚固，用他们来作战就会取胜。您有这样经过训练的士兵三万人，就可以横行天下，诛罚无道的诸侯国，安定周王室，天下大国的君主就没有人能够抵抗了。

正月之朝，乡长复①事，公亲问焉，曰："于子之乡，有居处为义、好学、聪明、质仁，慈孝于父母、长弟②于乡里者，有则以告。有而不以告，谓之蔽贤，其罪五。"有司已于事而竣③。公又问焉，曰："于子之乡，有拳勇④、股肱之力、筋骨秀出于众者，有则以告。有而不以告，谓之蔽才，其罪五。"有司已于事而竣。公又问焉，曰："于子之乡，有不慈孝于父母、不长弟于乡里、骄躁淫暴、不用上令者，有则以告。有而不以告，谓之下比⑤，其罪五。"有司已于事而竣。于是乎乡长退而修德，进贤。桓公亲见之，遂使役之官。公令官长，期而书伐⑥以告，且令选官之贤者而复之，曰："有人居我官有功，休德维顺，端悫⑦以待时使，使民恭敬以劝。其称秉言⑧，则足以补官之不善政。"公宣问⑨其乡里，而有考验，乃召而与之坐，省相其质，以参其成功，成事可立，而时。设问国家之患而不肉⑩，退而察问其乡里，以观其所能，而无大过，登以为上卿之佐，名之曰三选。高子国子退而修乡，乡退而修连，连退而修里，里退而修轨，轨退而修家。是故匹夫有善，故可得而举也；匹夫有不善，故可得而诛也。政既成，乡不越长，朝不越爵。罢士⑪无伍，罢女无家。士三出妻，逐于境外。女三嫁，入于春谷⑫。是故民皆

小匡　129

勉为善，士与其为善于乡，不如为善于里；与其为善于里，不如为善于家。是故士莫敢言一朝之便，皆有终岁之计；莫敢以终岁为议，皆有终身之功。

[注释]

①复：报告。②弟：通"悌"，尊敬兄长。③竣：退。④拳勇：勇壮。⑤下比：庇护坏人。比，勾结，庇护。⑥伐：通"阀"，功劳，功业。⑦端悫：正直诚谨。⑧称秉言：王绍兰云："'秉'当依《齐语》读为谤，'称'即偁之借字，《说文》'偁，扬也'，谓扬其谤言令上闻也。"⑨宣问：国君向臣下发问。⑩肉：依《齐语》作"疚"，困惑。⑪罢士：品行不端的男子。⑫舂谷：舂捣谷物。古代女奴从事的一种苦役。

[译文]

正月国君听朝，乡长报告政事，桓公亲自询问，说："在你们乡里，有无平时行义、好学、聪明、质仁、对父母孝顺、尊敬兄长而闻名乡里的人？有这样的人就要报告。有而不报告，叫做埋没贤德，有五种罪。"有司报告完毕退出去了。桓公又问："在你们乡中，有无勇壮、四肢和筋骨强壮出众的人？有这样的人就要报告。有而不报告，叫做埋没人才，有五种罪。"有司报告完毕退出去了。桓公又问："在你们乡中，有无对父母不孝顺，在乡里不尊敬兄长，骄傲淫暴，不遵守国家法令的人？有这样的人就要报告。有而不报告，叫做庇护坏人，有五种罪。"有司报告完毕退出去了。于是乡长都回去整治德政，推荐贤士。桓公亲自接见，使这些人在官府任职。桓公命令官长，满一年后记录并报告其任职成绩，且命令挑选贤能的官吏上报。桓公说："有人在我官府有功，有美德又顺从，正直诚谨等待任用，使百姓恭敬而勉励。至于人民的非议言辞，足以补救官府政事的不完善。"桓公还询问乡里，验证其能力。然后召来与他共坐，仔细观察他的素质，以便考验他的功绩，事实确可成立，就让他待时任用。考问国家的忧患而不会有困惑，到乡里调查了解他的能力，而没有大的过失，便可以提拔做上卿的助手，这叫做"三选"。这样，高子、国子便回去整治乡，乡长回去整治连，连长回去整治里，里长回去整治轨，轨长回去整治家。所以即使一个普通的人做了好事，也可以得到荐举；一个普通的人做了坏事，也要受到处分。政事确定后，乡中没有超越尊长的行为，朝中没有超越爵位的事情。品行不端的男人，没有人和他为伍；品行不端的女人，没有人会去娶她。男子三次抛弃妻子，就把他逐出境外；女人三次改嫁，就让她做舂谷的劳役。这样人们都会勉励做善事，士人与其在乡里做善事，还不如在里中做善事；与其在里中做善事，还不如在家中做善事。所以，士人不敢贪图一时的利益，都有一年的计划；不敢只考虑一年的事情，都有终身的奋斗目标。

正月之朝，五属大夫复事于公。择其寡功者而谯①之曰："列地②分民若一，何故独寡功？何以不及人？教训不善，政事其不治，一再则宥，三则不赦。"公又问焉，曰："于子之属，有居处为义、好学、聪明、质仁、慈孝于父母、长弟于乡里者，有则以告。有而不以告，谓之蔽贤，其罪五。"有司已事而竣。公又问焉，曰："于子之属，有拳勇、股肱之力秀出于众者，有则以告。有而不以告，谓之蔽才，其罪五。"有司已事而竣。公又问焉，曰："于子之属，有不慈孝于父母、不长弟于乡里，骄躁淫暴、不用上令者，有则以告。有而不以告者，谓之下比，其罪五。"有司已事而竣。于是乎五属大夫退而修属，属退而修连，连退而修乡，乡退而修卒，卒退而修邑，邑退而修家。是故匹夫有善，可得而举；匹夫有不善，可得而诛。政成国安，以守则固，以战则强。封内治，百姓亲，可以出征四方，立一霸王矣。

[注释]

①谯：通"诮"，责备。②列地：即列土。列，通"裂"，指分封土地。

[译文]

正月国君听朝，五属大夫报告政事。桓公挑选缺少功绩的责备说："分封的土地和人民都是一样的，为什么只有你缺少功绩呢？为什么赶不上别人呢？教训不善，政事治理不好，一次两次可以宽恕，三次就不能赦免了。"桓公又询问说："在你们属里，有无平时行义、好学、聪明、质仁、对父母孝顺、尊敬兄长名闻于乡里的人？有这样的人就要报告。有而不报告，叫做埋没人才，有五种罪。"有司报告完毕退出去了。桓公又询问说："在你们属里，有无勇壮、四肢力量出众的人？有这样的人就要报告。有而不报告，叫做埋没人才，有五种罪。"有司报告完毕退出去了。桓公又询问说："在你们属里，有无对父母不孝顺，在乡里不尊敬兄长，骄傲淫暴，不遵守国家法令的人？有这样的人就要报告。有而不报告，叫做庇护坏人，有五种罪。"有司报告完毕退出去了。于是五属大夫们都回去整治属，各属回去整治连，各连回去整治乡，各乡回去整治卒，各卒回去整治邑，各邑回去整治家。所以即使一个普通的人做了好事，也可以得到荐举；一个普通的人做了坏事，也要受到处分。政事确定，国家安定，以此来防守就坚固，以此来作战就会胜利。国内安定，百姓亲附，可以征讨四方无道的诸侯，建立霸王之业。

桓公曰："卒伍定矣，事已成矣，吾欲从事于诸侯，其可乎？"管子对曰："未可。若军令则吾既寄诸内政矣。夫齐国寡甲兵，吾欲轻重罪而移之于甲兵①。"公曰："为之奈何？"管子对曰："制重罪入以兵甲犀胁②二戟，轻罪入兰盾鞈革二戟③，小罪入以金钧分④，宥薄罪入以半钧，无坐抑⑤而讼狱者，正三禁之而不直，则入一束矢以罚之。美金以铸戈剑矛戟，试诸狗马；恶金以铸斤斧钼夷锯橺，试诸木土。"

桓公曰："甲兵大足矣，吾欲从事于诸侯，可乎？"管仲对曰："未可。治内者未具也，为外者未备也。"故使鲍叔牙为大谏⑥，王子城父为将，弦子旗为理⑦，宁戚为田，隰朋为行⑧，曹孙宿处楚，商容处宋，季劳处鲁，徐开封处卫，晏尚处燕，审友处晋。又游士八十人，奉之以车马衣裘，多其资粮，财币足之，使出周游于四方，以号召收求天下之贤士。饰玩⑨好，使出周游于四方，鬻之诸侯，以观其上下之所贵好，择其沉乱者而先政⑩之。

[注释]

①"轻重罪"句：郭沫若云："'轻重罪'，'罪'殆'罚'字之误，谓减轻重罚，作赎刑以富甲兵也。"②胁：即胁驱，驾马用的器具。③兰：通"籣"，盛弩矢的袋子。秿革：古代用皮革制的胸甲。④钧分：一钧半。钧，古代重量单位，三十斤为一钧。⑤坐抑：俞樾云："'坐'当为'挫'，言人有挫折屈抑，则宜讼，若无是则讼，是好讼也，故必有以禁之。"⑥大谏：古代官名，掌谏诤。⑦理：狱官。⑧行：尹知章云："行，谓行人也，所以通使诸侯。"指外交官。⑨饰玩：装饰品、玩赏品。⑩政：通"征"，征讨。

[译文]

桓公说："军队已定，政事已成，我想要不定期会见诸侯，可以吗？"管子回答说："不可以。关于军事我已寄寓在内政了。齐国缺乏盔甲兵器，我想用减轻重罪的办法，把赎金用在盔甲兵器上。"桓公说："怎么做呢？"管子回答说："规定犯重罪者要交纳武器、盔甲、犀皮做的胁驱和两支戟，犯轻罪者要交纳弩矢袋、盾牌、护胸甲和两支戟，犯小罪者要交纳金属一钧半；免除罪罚的，要纳金属半钧。至于没有冤屈而讼狱的，已经指出并多次劝阻而无效的，要交纳一束箭以示惩罚。好的金属用来铸造戈剑矛戟，试用于狗马来检验其是否锋利；不好的金属用来铸造斧子、锄头、镰锯等，试用于伐木松土来检验其是否实用。"

桓公说："盔甲兵器十分充足了，我想要不定期会见诸侯，可以吗？"管仲回答说："不可以。治理内政和从事外交的人还不齐备。"于是任命鲍叔牙为大谏，王子城父为将，弦子旗为狱官，宁戚为田官，隰朋为外交官，曹孙宿驻楚国，商容驻宋国，季劳驻鲁国，徐开封驻卫国，晏尚驻燕国，审友驻晋国。又派出游士八十人，给他们供应车马衣裘，多带物资粮食，财宝货币很充足，让他们周游四方，去号召收求天下的贤士。带上装饰品和玩赏品，周游四方，卖给各国诸侯，来考察诸侯国上下所看重的和所喜好的，选择其中荒淫昏乱的诸侯国先征讨。

公曰："外内定矣，可乎？"管子对曰："未可，邻国未吾亲也。"公曰："亲之奈何？"管子对曰："审吾疆埸①，反其侵地，正其封界，毋受其货财，而美②为皮币，以极聘俯于诸侯③，以安四邻，则邻国亲我矣。"桓公曰："甲兵大足矣，吾欲南伐，何主？"管子对曰："以鲁为主，反其侵地常、潜，使海于有弊④，渠弥于河潴⑤，纲山于有牢⑥。"桓公曰："吾欲西伐，何主？"管子对曰："以卫为主，反其侵地吉台原姑与柒里，使海于有弊，渠弥于有潴，纲山于有牢。"桓公曰："吾欲北伐，何主？"管子对曰："以燕为主，反其侵地柴夫、吠狗，使海于有弊，渠弥于有潴，纲山于有牢。"四邻大亲。既反其侵地，正其封疆，地南至于岱阴，西至于济，北至于海，东至于纪随，地方三百六十里。三岁治定，四岁教成，五岁兵出。有教士三万人，革车八百乘。诸侯多沉乱，不服于天子。于是乎桓公东救徐州，分吴半，存鲁蔡陵⑦，割越地；南据宋郑，征伐楚，济汝水，逾方地，望⑧文山，使贡丝于周室。成周反胙于隆岳⑨，荆州诸侯，莫不来服。中救晋公，禽狄王，败胡貉，破屠何，而骑寇始服。北伐山戎，制泠支，斩孤竹，而九夷始听。海滨诸侯，莫不来服。西征攘白狄之地，遂至于西河。方舟投柎⑩，乘桴⑪济河，至于石沈。县⑫车束马，逾太行与卑耳之貉⑬，拘秦夏⑭。西服流沙西虞，而秦戎始从。故兵一出而大功十二，故东夷、西戎、南蛮、北狄，中诸侯国，莫不宾服。与诸侯饰牲为载书，以誓要⑮于上下荐神。然后率天下定周室，大朝诸侯于阳谷。故兵车之会六，乘车之会三，九合诸侯，一匡天下。甲不解垒⑯，兵不解翳⑰，弢⑱无弓，服⑲无矢，寝⑳武事，行文道，以朝天子。

[注释]

①埸：疆界，边境。②美：《齐语》作"而重为之皮币"，"美"应为"更"字之误。③极：屡次，一再。聘䞉：古代诸侯之间聘问之礼。④弊：通"蔽"，屏障。⑤渠弥：小海。河睹：应为"有睹"。下文"渠弥于有睹"和《齐语》均为"有睹"。睹，通"渚"，水中小洲。⑥纲山：《齐语》作"环山"。牢：坚固，牢固。⑦蔡陵：应为"陵蔡"。陵，通"凌"，侵犯，欺侮。⑧望：遥祭。⑨隆岳：对春秋齐国的敬称。⑩方舟：两船相并。柎：木筏。⑪桴：小竹筏或小木筏。⑫县：同"悬"。⑬貉：王念孙云："'貉'当为'溪'字之误也。"⑭秦夏：丁士涵云："'秦夏'疑'泰夏'之误。'泰'与'大'同。"⑮誓要：约誓。⑯垒：通"累"，捆绑。⑰翳：掩蔽物。⑱弢：弓袋。⑲服：通"箙"，盛箭之器。⑳寝：停止，平息。

[译文]

桓公说："外交与内政都已安定，可以了吧？"管子回答说："不可以。因为邻国还没有亲附我们。"桓公说："怎么办能使他们亲附我们呢？"管子回答说："审查我们的边境，返还侵占的土地，订正邻国的边界，不要接受他们的货财，再拿出皮币，与各国诸侯往来聘问，来安定四邻，那么邻国就会亲附我国了。"桓公说："盔甲兵器十分充足了，我想要南征，应以哪个诸侯国为主要依靠？"管子回答说："以鲁国为主要依靠，返还侵占他们的常、潜两地，使齐国有大海作屏蔽，有小海作外围，有环山作工事。"桓公说："我想要西征，应以哪个诸侯国为主要依靠？"管子回答说："以卫国为主要依靠，返还侵占他们的土地台、原、姑与柒里，使齐国有大海作屏蔽，有小海作外围，有环山作工事。"桓公说："我想要北征，应以哪个诸侯国为主要依靠？"管子回答说："以燕国为主要依靠，返还侵占他们的土地柴夫和吠狗，使齐国有大海作屏蔽，有小海作外围，有环山作工事。"四邻很是亲附。已经返还侵占的土地，订正领国的边界，齐国的领土南至泰山以北，西至济水，北至大海，东至纪随两地，地方共三百六十里。三年治理安定，四年训练完成，五年就可出兵。有训练有素的士兵三万人，兵车八百辆。当时的诸侯大多荒淫昏乱，不服从天子的号令。于是，桓公向东救援徐州，分吴地一半的土地；救援鲁国，侵凌蔡国，分割越地。南面凭借宋、郑两国，讨伐楚国，渡过汝水，越过方城，遥祭文山，使楚国向周王室贡丝。周天子送祭肉给齐国，荆州的诸侯没有不来归顺的。在中原援救晋公，擒获狄王，打败胡貉，攻破屠何，骑寇也开始顺服了。北伐山戎，制服泠支，斩杀孤竹国君，九夷也开始顺从了。沿海的诸侯国，没有不来归顺的。向西夺取白狄的土地，直到西河，并船编筏，乘筏渡河，到了石枕。悬吊兵车、捆束战马，越过太行山与卑耳山的溪谷，拘捕大夏。又向西征服流沙西虞之地，秦地的戎人也开始服从了。所以，兵一出动就完成大功十二项，东夷、西戎、南蛮、北狄和中原诸侯各国，没有不服从的。桓公与诸侯摆设祭品、书写盟誓，并把约誓进奉给上下诸神。然后，率领天下的诸侯安定周王室，在阳谷大会诸侯。因而，有兵车的会六次，乘车的会三次，九次会合诸侯，一匡天下。铠甲不解捆绑，兵器不开箱盖，弓袋没有弓，箭箙没有箭，停息武事，推行文治，来朝拜周天子。

　　葵丘之会，天子使大夫宰孔致胙于桓公曰："余一人之命①有事于文武，使宰孔致胙。"且有后命曰："以尔自卑劳，实谓尔伯舅②毋下拜。"桓公召管仲而谋，管仲对曰："为君不君，为臣不臣，乱之本也。"桓公曰："余乘车之会三，兵车之会六，九合诸侯，一匡天下。北至于孤竹、山戎、秽貉，拘秦夏。西至流沙西虞。南至吴、越、巴、牂牁、𩰚、不庾、雕题、黑齿，荆夷之国，莫违寡人之命，而中国卑我。昔三代之受命者，其异于此乎？"管子对曰："夫凤凰鸾鸟不降，而鹰隼鸱枭丰；庶神不格③，守龟④不兆，握粟而筮者屡中；时雨甘露不降，飘风暴雨数臻⑤；五谷不蕃，六畜不育，而蓬蒿藜藿并兴。夫凤凰之文，前德义，后曰昌。昔人之受命者，龙龟假，河出图，雒出书，地出乘黄⑥。今三祥未见有者，虽曰受命，无乃失诸乎？"桓公惧，出见客曰："天威不违颜咫尺，小白承天子之命而毋下拜，恐颠蹶⑦于下，以为天子羞。"遂下拜，登受赏服、大路⑧、龙旗九游、渠门赤旂。天子致胙于桓公而不受，天下诸侯称顺焉。

[注释]

　　①之命：衍文。《齐语》"余一人有事于文武"可证。②伯舅：周王朝对异姓诸侯的称呼。③格：感通。④守龟：天子诸侯占卜用的龟甲。⑤臻：到，来到。⑥乘黄：传说中的神马名。⑦颠蹶：颠倒失次。⑧大路：即大辂，玉辂，古时天子所乘之车。

[译文]

　　葵丘大会诸侯，周天子派大夫宰孔给桓公送祭肉说："我本人在先王文武的庙中有祭祀之事，派遣宰孔把祭肉送来。"而且后面还有命令说："因为你谦卑劳苦，告诉伯舅你不必下拜接受赏赐。"桓公便召见管仲商量，管仲回答说："作为国君不行君礼，作为臣子不行臣礼，这是国家混乱的根源。"桓公说："我做到乘车之会三，兵车之会六，九合诸侯，一匡天下。北至孤竹、山戎、秽貉，拘捕大夏国君。西至流沙西虞。南至吴、越、巴国、牂柯、鼷、不庾、雕题、黑齿，荆夷之国没有敢违抗我的命令，而中原诸国却轻视我。从前夏、商、周三代受命为王的，和这有不同吗？"管子回答说："凤凰鸾鸟不降临，鹰隼鸱枭很多；众神不显灵，守龟不预兆，而用粟草卜筮的就屡屡灵验；时雨甘露不下降，而飘风暴雨就多次来临；五谷不丰收，六畜不繁育，而各种杂草却很茂盛。凤凰羽毛的文采，前面象征德义，后面象征日昌。从前受命为王的，总是龙龟来临，黄河出图，洛水出书，土地出现乘黄神马。现在这三种吉祥物都没有出现，即使纵然受命为王，难道不是失策吗？"桓公听后很惶恐，出来接见宾客说："天子的威严就在面前，不离咫尺，我小白虽然敬奉天子的命令而不必下拜受赐，但恐怕下面颠倒失次，而为天子蒙羞。"于是下拜，然后登堂领受赏服、大辂、龙旗九游和渠门赤旗。天子给桓公祭肉而命令不必下拜受赐，但桓公没有领受，天下的诸侯称颂桓公守礼。

桓公忧天下诸侯。鲁有夫人庆父之乱，而二君弑死，国绝无后。桓公闻之，使高子存之。男女不淫，马牛选具①，执玉以见，请为关内之侯，而桓公不使也。狄人攻邢，桓公筑夷仪以封之。男女不淫，马牛选具，执玉以见，请为关内之侯，而桓公不使也。狄人攻卫，卫人出旅②于曹，桓公城楚丘封之。其畜以散亡，故桓公予之系马③三百匹。天下诸侯称仁焉。于是天下之诸侯，知桓公之为己勤也。是以诸侯之归之也，譬若市人。桓公知诸侯之归己也，故使轻其币④而重其礼。故使天下诸侯以疲马犬羊为币，齐以良马报；诸侯以缕帛布鹿皮四分⑤以为币，齐以文锦虎豹皮报。诸侯之使，垂橐而入，攡⑥载而归。故钩⑦之以爱，致之以利，结之以信，示之以武。是故天下小国诸侯，既服桓公，莫之敢倍⑧而归之，喜其爱而贪其利，信其仁而畏其武。桓公知天下小国诸侯之多与己也，于是又大施忠⑨焉。可为忧者为之忧，可为谋者为之谋，可为动者为之动。伐谭莱而不有⑩也，诸侯称仁焉。通齐国之鱼盐于东莱，使关市几⑪而不正，壥⑫而不税，以为诸侯之利，诸侯称宽焉。筑蔡、鄢陵、培夏、灵父丘，以卫戎狄之地，所以禁暴于诸侯也。筑五鹿、中牟、邺盖与牡丘，以卫诸夏之地，所以示劝于中国也。教大成，是故天下之于桓公，远国之民望如父母，近国之民从如流水。故行地滋远，得人弥众，是何也？怀其文而畏其武。故杀无道，定周室，天下莫之能圉，武事立也。定三革⑬，偃五兵，朝服以济河，而无怵惕焉，文事胜也。是故大国之君惭愧，小国诸侯附比⑭。是故大国之君事如臣仆，小国诸侯欢如父母。夫然故大国之君不尊，小国诸侯不卑。是故大国之君不骄，小国诸侯不慑。于是列广地以益狭地，损有财以与无财。周⑮其君子，不失成功；周其小人，不失成命。夫如是，居处则顺，出则有成功。不称动⑯甲兵之事，以遂文武之迹⑰于天下。

桓公能假其群臣之谋，以益其智也。其相曰夷吾，大夫曰宁戚、隰朋、宾胥无、鲍叔牙。用此五子者何功⑱，度义光德，继法绍终，以遗后嗣，贻孝昭穆，大霸天下，名声广裕，不可掩也，则唯有明君在上，察相⑲在下也。

[注释]

①选具：齐全，齐备。②旅：同"庐"，寄居。③系马：在厩内系养的良马。④币：礼物。⑤分：通"介"，个。⑥攗：拾取。⑦钧：郭沫若云："当以作'钓'为是，钓谓引致也。"⑧倍：通"背"，背弃，背叛。⑨忠：应为"惠"。⑩有：占有。⑪几：通"讥"，查看。⑫壥：古代城市平民的房地。这里指收取房税。⑬三革：指甲、胄、盾，古代多用犀、兕、牛之皮革制成。

小匡 139

⑭附比：归附从属。⑮周：周济，救济。⑯称动：举行。⑰迹：通"绩"，功绩。⑱何功：郭沫若云："'何'读为'荷'。"荷功，即任事。⑲察相：明察的相臣。

[译文]

桓公为天下的诸侯解忧。鲁国有庄公夫人和庆父的作乱，两个国君被杀，国家没有继承人。桓公知道后，使高子保存它。使他们男女不相乱杂，使牛马齐备。他们拿着玉来拜见桓公，请求作为齐国的关内侯，但桓公没有答应。狄人攻伐邢国，桓公修筑夷仪城加以封赐。使他们男女不相乱杂，使牛马齐备。他们拿着玉来拜见桓公，请求作为齐国的关内侯，桓公没有答应。狄人攻伐卫国，卫国人集聚在曹地，桓公修筑楚丘城封赐给他们。他们的牲畜已经散失，所以桓公送给他们良马三百匹。天下的诸侯都称道桓公仁义。于是天下的诸侯都知道桓公是为他们而服务，所以，诸侯都来归附桓公，像赶集一般。桓公知道诸侯来归附他，因而少收他们进献的礼物而多给回报。所以天下的诸侯用瘦马犬羊作为礼物，齐国则用良马来回报；诸侯用素绸和鹿皮四张作为礼物，齐国则用花锦和虎豹皮回报。各国诸侯的使者，空囊而来，满载而归。所以，用仁爱来钓取，用利益来吸引，用诚信来结交，用武力来威慑，于是天下小国的诸侯，都服从桓公，没有人敢违背都来归附了。他们喜欢桓公的仁爱，又贪图桓公的好处；相信桓公的仁义，又害怕桓公的武力。桓公看到天下小国诸侯都来与自己亲睦，于是广施恩惠。可以为其分忧的就为其分忧，可以为其谋事的就为其谋事，可以为其动兵的就为其动兵。攻伐谭、莱两地，而并不自己占有，诸侯都称道桓公仁义。使齐国东莱的鱼盐流通于各个诸侯国，关卡和市场只是查看而不征税，只收取房税而不收商品税，以此来照顾各诸侯的利益，诸侯都称道桓公宽惠。修筑蔡、鄢陵、培夏、灵父丘等城，来防御戎狄之地，用来制止诸侯国内的暴乱。修筑五鹿、中牟、邺盖、牡丘等城，来保卫诸夏之地，用来表示对中原诸国的勉励。教化大功告成，所以天下对待桓公，远国的人民盼望他如同盼望父母，近国的人民跟从他如同流水。所以，土地日益扩大，人口日益增加，这是为什么呢？因为感怀他的文治而畏惧他的武功。诛杀无道的诸侯，安定周王室，天下没有人能够抵御，正是由于武备的成功。停止使用各种革甲，收起各种兵器，穿着朝服过河而不会有戒惧，正是由于文治的成功。因此大国的国君惭愧，小国的国君来归附。大国的国君事奉齐国如同臣仆，小国的诸侯喜欢齐国如同父母。这样，大国的国君不会显得那么尊贵，小国的诸侯也不会显得卑微。所以大国的国君不会骄傲，小国的诸侯不会恐惧。于是分取土地多的来增加土地少的，削减有财的来补给无财的。周济君子，不使他失去成功的机会；周济小人，不使他失去完成使命的职责。如果像这样的话，平时居处安顺，出门行事就会成功。不必发动战争，就能在天下完成文王、武王的功绩。

桓公能够善于依靠群臣的意见来增加自己的智慧。宰相有管仲，大夫有宁戚、隰朋、宾胥无、鲍叔牙。用这五个人来任事，制定法度，宣扬德行，继承仪法，昭示天下，来流传后世，奉孝祖庙，称霸天下，名声远扬，是不可湮没的。这就是因为有明君在上，明察的相臣在下的缘故。

初，桓公郊迎管子而问焉，管仲辞让，然后对以参国伍鄙，立五乡以崇化，建五属以厉武①，寄兵于政，因罚，备器械，加兵无道诸侯，以事周室。桓公大说②，于是斋戒十日，将相管仲。管仲曰："臣斧钺之人也，幸以获生，以属③其腰领，臣之禄也。若知国政，非臣之任也。"公曰："子大夫受政，寡人胜任；子大夫不受政，寡人恐崩。"管仲许诺，再拜而受相。三日，公曰："寡人有大邪三，其犹尚可以为国乎？"对曰："臣未得闻。"公曰:"寡人不幸而好田④,晦夜⑤而至禽侧,田莫⑥不见禽而后反。诸侯使者无所致,百官有司无所复。"对曰:"恶则恶矣,然非其急者也。"公曰:"寡人不幸而好酒,日夜相继,诸侯使者无所致,百官有司无所复。"对曰:"恶则恶矣,然非其急者也。"公曰:"寡人有污行,不幸而好色,而姑姊⑦有不嫁者。"对曰:"恶则恶矣,然非其急者也。"公作色曰:"此三者且可,则恶有不可者矣?"对曰:"人君唯优与不敏为不可。优则亡众,不敏则不及事。"公曰:"善。吾子就舍,异日请与吾子图之。"对曰:"时可将与夷吾,何待异日乎?"公曰:"奈何?"对曰:"公子举为人博闻而知礼,好学而辞逊,请使游于鲁,以结交焉。公子开方为人巧转而兑利⑧,请使游于卫,以结交焉。曹孙宿其为人也,小廉而苛忕,足恭而辞结⑨,正荆之则⑩也,请使往游,以结交焉。"遂立行三使者而后退。

[注释]

①厉武:厉,同"励",振奋。厉武,即振奋武备。②说:通"悦"。③属:连接。④田:打猎。⑤晦夜:昏夜,黑夜。⑥莫:郭沫若云:"'莫'假为'漠',静也。"⑦姊:同"姊"。⑧兑:通"锐",锐利。这里指尖刻。⑨辞结:即辞给,言辞敏捷。⑩则:准则。

[译文]

当初,桓公在郊外迎接管仲时曾经向管仲请教政事,管仲拒绝辞让,然后提出建立三国五鄙,建立五乡来进行教化,建立五属来振奋武备,把军事寄托在内政之中,利用刑罚赎罪的制度,补充置备兵器,征伐无道的诸侯,来事奉周王室。桓公非常高兴,于是斋戒十日,将拜管仲为相。管仲说:"我是一个将死的人,有幸获得免死,使腰颈得以相连,这已经是我的福气了。让我管理国家的政事,不是我能够担任的。"桓公说:"您接受国家政事,我就能胜任国君;您不接受,我恐怕就要垮台。"管仲答应了,再拜而接受相位。过了三天,桓公说:"我有三大缺点,还能够治理国家吗?"管仲说:"我没有听到过。"桓公说:"我不幸嗜好打猎,黑夜就到野兽出没的湖泽野地,直到田野静寂时不见野禽以后才返回。这样,诸侯的使者不能够传达他们的使命,百官也不能够报告他们的职事。"管仲回答说:"这件事虽然很坏,但还不是最要紧的。"桓公说:"我不幸嗜好饮酒,日以继夜,诸侯的使者不能够传达他们的使命,百官也不能够报告他们的职事。"管仲回答说:"这件事虽然很坏,但还不是最要紧的。"桓公说:"我还有一件丑事,就是不幸而好女色,连姑表姐妹都有不嫁人的。"管仲回答说:"这件事虽然很坏,但还不是最要紧的。"桓公变了脸色说:"这三者都可以,难道还有什么不可以的事情吗?"管仲回答说:"人君只有优柔寡断和不明事理是不可允许的。优柔寡断,就会失去百姓的拥护;不明事理,做事就不会成功。"桓公说:"好。您先回去吧,改日再同您讨论政事。"管仲回答说:"这个时候就可以和我谈,何必要等到另外的日子呢?"桓公说:"我们该做什么呢?"管仲说:"公子举为人见闻广博而知礼仪,好学谦逊,请派他出使鲁国,以便与鲁国结交。公子开方为人圆滑而尖刻,请派他出使卫国,以便与卫国结交。曹孙宿为人廉洁而做事认真,态度谦恭而言辞敏捷,正符合荆楚的准则,请派他出使楚国,以便与楚国结交。"于是桓公立刻派出了三位使者,然后管仲才告退。

相三月,请论①百官,公曰:"诺。"管仲曰:"升降揖让②,进退闲习③,辨辞之刚柔,臣不如隰朋,请立为大行。垦草入邑,辟土聚粟多众,尽地之利,臣不如宁戚,请立为大司田。平原广牧,车不结辙,士不旋踵④,鼓之而三军之士视死如归,臣不如王子城父,请立为大司马。决狱折中,不杀不辜,不诬无罪,臣不如宾胥无,请立为大司理。犯君颜色,进谏必忠,不辟⑤死亡，不挠⑥富贵，臣不如东郭牙，请立以为大谏之官。此五子者，夷吾一不如，然而以易夷吾，夷吾不为也。君若欲治国强兵，则五子者存矣；若欲霸王，夷吾在此。"桓公曰："善。"

[注释]

①论：通"抡"，选择。②揖让：辞让。《吕氏春秋·勿躬》："登降辞让，进退闲习，臣不若隰朋。"③闲习：闲，通"娴"。娴习，即熟习。④旋踵：转身，指畏避退缩。⑤辟：通"避"，躲避。⑥挠：屈服。

[译文]

管仲为相三月后，请求选择百官。桓公说："好。"管仲说："升降辞让有礼，进退熟习礼节，言辞刚柔有度，我不如隰朋，请封他为外交官。开垦草地使之成为城邑，开辟土地使之增加粮食扩充人口，发挥土地的效益，我不如宁戚，请封他为大司田。在广阔的平原上，战车不会混乱，战士不会退缩，敲起战鼓，三军的士兵视死如归，我不如王子城父，请封他为大司马。审判案件适当，不妄杀无辜的人，不诬陷无罪的人，我不如宾胥无，请封他为大司理。敢于冒犯君主，进谏必忠，不怕死，不屈服富贵，我不如东郭牙，请立他为大谏之官。这五个人，我一个也比不上，但用来和我管夷吾交换，我是不干的。君上您想要治国强兵，有这五个人就够了；若想成就霸王之业，则有管夷吾在此。"桓公说："好。"

霸 形

桓公在位，管仲、隰朋见。立有间，有二鸿飞而过之。桓公叹曰："仲父，今彼鸿鹄有时而南，有时而北，有时而往，有时而来，四方无远，所欲至而至焉，非唯①有羽翼之故，是以能通其意于天下乎？"管仲、隰朋不对。桓公曰："二子何故不对？"管子对曰："君有霸王之心，而夷吾非霸王之臣也，是以不敢对。"桓公曰："仲父胡为然？盍不当言，寡人其有乡②乎？寡人之有仲父也，犹飞鸿之有羽翼也，若济大水有舟楫也。仲父不一言教寡人，寡人之有耳，将安闻道而得度哉？"管子对曰："君若将欲霸王举大事乎？则必从其本事矣。"桓公变躬迁席，拱手而问曰："敢问何谓其本？"管子对曰："齐国百姓，公之本也。人甚忧饥，而税敛重；人甚惧死，而刑政险；人甚伤劳，而上举事不时。公轻其税敛，则人不忧饥；缓其刑政，则人不惧死；举事以时，则人不伤劳。"桓公曰："寡人闻仲父之言此三者，闻命矣，不敢擅也，将荐之先君。"于是令百官有司，削方墨笔③。明日，皆朝于太庙之门朝，定令于百吏。使税者百一钟④，孤幼不刑，泽梁时纵，关讥⑤而不征，市书而不赋，近者示之以忠信，远者示之以礼义。行此数年，而民归之如流水。

[注释]

①唯:因为。②乡:通"向",方向。③削方:削平记事用的方板,即准备记录。墨笔:濡墨于笔。④钟:古代量器,也是容量单位。六斛四斗为一钟。⑤讥:察看,查问。

[译文]

齐桓公坐在席位上,管仲、隰朋前来拜见。站了一会儿,有两只大雁从空中飞过。桓公叹息道:"仲父,现在那些大雁有时候向南飞,有时候向北飞,有时候去,有时候来,不论四方有多么遥远,想飞到哪里就飞到哪里,难道不是因为有两只翅膀的原因,所以才能把它们的意向通达于天下吗?"管仲和隰朋都没有回答。齐桓公说:"你们为什么都不回答呢?"管子回答说:"您有成就霸王之业的心愿,而夷吾我却不是能成就霸王之业的大臣,所以不敢回答。"齐桓公说:"仲父为什么这样呢?为什么不直言说说您的看法,使我有个方向呢?我有仲父,就像大雁有翅膀一样,像过河有船和桨一样,仲父不发一言教导我,我虽然有两只耳朵,又怎么听得到治国的道理和学得治国的法度呢?"管子回答说:"您想要成就霸王之业做成大事吗?那么就必须从它的根本的事做起。"齐桓公移动身体离开座位,合起双手问管仲说:"敢问什么是它的根本呢?"管子回答说:"齐国的百姓,是您的根本。百姓们很担心害怕饥饿,而当前的征收赋税很重;百姓们很担心死亡,而当前的刑罚政令严酷;百姓们很担心劳顿,而当前国家举行事务不按时令。您如果能减轻征收的赋税,百姓就不会担心饥饿;宽缓刑罚政令,百姓就不会担心死亡;举行事务有时令,百姓就不会担心劳顿了。"齐桓公说:"我听了仲父说的这三点,算是懂得了。我不敢独自享有这些话,要把它们推荐给先君才行。"于是命令百官们削好木板并准备好了笔墨。第二天,文武百官都在太庙的门庭前朝见,为百官们确立了法令制度。让纳税者按百分之一的税率交税,不准对孤幼儿处以刑罚,山水按时开放,关卡只查问而不征收费用,市场只书契而不征收赋税,向近处的百姓显示出忠信,对远处的百姓显示出礼义。这样实行了几年,百姓的归附就好像流水一样了。

此其后,宋伐杞,狄伐邢、卫,桓公不救,裸体纫①胸称疾。召管仲,曰:"寡人有千岁之食,而无百岁之寿,今有疾病,姑乐乎!"管子曰:"诺。"于是令之县②钟磬之榱,陈歌舞竽瑟之乐,日杀数十牛者数旬。群臣进谏曰:"宋伐杞,狄伐邢、卫,君不可不救。"桓公曰:"寡人有千岁之食,而无百岁之寿,今又疾病,姑乐乎!且彼非伐寡人之国也,伐邻国也,子无事焉。"宋已取杞,狄已拔邢、卫矣。桓公起,行筍虡③之间,管子从。至大钟之西,桓公南面而立,管仲北乡④对之,大钟鸣。桓公视管仲曰:"乐夫,仲父?"管子对曰:"此臣之所谓哀,非乐也。臣闻之,古者之言乐于钟磬之间者不如此。言脱于口,而令行乎天下;游钟磬之间,而无四面兵革之忧。今君之事,言脱于口,令不得行于天下;在钟磬之间,而有四面兵革之忧。此臣之所谓哀,非乐也。"桓公曰:"善。"于是伐钟磬之县,并⑤歌舞之乐,宫中虚无人。桓公曰:"寡人以⑥伐钟磬之县,并歌舞之乐矣,请问所始于国将为何行?"管子对曰:"宋伐杞,狄伐邢、卫,而君之不救也,臣请以庆。臣闻之,诸侯争于强者,勿与分于强。今君何不定三君之处哉?"于是桓公曰:"诺。"因命以车百乘、卒千人以缘陵封杞;车百乘、卒千人以夷仪封邢;车五百乘、卒五千人以楚丘封卫。桓公曰:"寡人以定三君之居处矣,今又将何行?"管子对曰:"臣闻诸侯贪于利,勿与分于利。君何不发虎豹之皮、文锦⑦以使诸侯,令诸侯以缦帛⑧、鹿皮报?"桓公曰:"诺。"于是以虎豹皮、文锦使诸侯,诸侯以缦帛、鹿皮报。则令固始行于天下矣。

[注释]

①纫：缠，包扎。②县：通"悬"，悬挂。③筍虡：古代悬挂钟磬的架子。横架为筍，直架为虡。④乡：通"向"。⑤并：通"摒"，摒弃，撇掉。⑥以：通"已"，已经。⑦文锦：文彩斑斓的织锦。⑧缦帛：无花纹的丝织品。

[译文]

在这以后，宋国讨伐杞国，狄国攻伐邢国和卫国，齐桓公没有出兵援救，光着身子用帛包扎着胸部声称有病。桓公召见管仲说："我有千年的粮食，却没有百年的寿命，现在又有病了，暂且行乐一番吧！"管子说："好。"于是下命令悬挂钟磬，陈设乐器，每天杀数十头牛，这样持续了几十天。群臣都前来进谏说："宋国讨伐杞国，狄国征伐邢国和卫国，国君您不可以不出兵援救。"齐桓公说："我拥有千年的粮食，却没有百年的寿命，现在又有病了，暂且行乐一番吧，而且他们并没有进攻我的国家，不过是征伐邻国而已，你们都是平安无事的。"宋国已经取得杞国，狄国已经攻下邢国和卫国了。桓公站起来，走在钟磬的行列里。管子跟随着他，走到了大钟的西侧，桓公面向南面站着，管仲面向北面对着他站着，大钟响奏起来。齐桓公看着管仲说："仲父快乐吗？"管子回答说："在我看来这是悲哀，而不是快乐。我听人说，古代的君王能称得上是行乐于钟磬之间的，并不是这种情况。而是话说出口之后，命令就通行在天下之间；流连在钟磬之间时，并没有来自四方兵革的忧虑。现在您的情况是：话说出口之后，命令并不能通行在天下之间；流连在钟磬之间，却存在着来自四方兵革的忧虑。这就是我所谓的悲哀，而不是快乐啊。"桓公说："好。"于是砍掉了悬挂钟磬的环钩架子，摒弃了演奏歌舞的乐器，宫里空虚没有人了。齐桓公说："我已经砍掉了钟磬的悬挂架子，摒弃了演奏歌舞的乐器，请问国事应该从哪里开始,应该做些什么呢?"管子回答说:"宋国讨伐杞国,狄国攻伐邢、卫两国,您没有出兵援救,我为您感到庆幸。据我所知,诸侯争强的时候就不要参与进去和他们分强。现在,您何不安定一下三国国君的居处呢?"于是桓公说:"好。"于是下令把百余辆兵车、千余名士卒和缘陵这个地方分封给了杞国;将百余辆兵车、千余名士卒和夷仪这个地方分封给了邢国;又把五百辆兵车、五千余名士卒和楚丘这个地方分封给了卫国。齐桓公说:"我已经安定好三国国君的居处了,现在还应该做些什么事呢?"管子回答说:"据我所知,诸侯贪图利益,我们就不应该参与和他们分取利益。您为什么不派使臣送出虎皮、豹皮和花锦等分给各个诸侯国,而只要各诸侯国用素帛、鹿皮作为回报呢?"齐桓公说:"好。"于是派使者把虎皮、豹皮和花锦分送给各个诸侯国,而各诸侯国只用素帛和鹿皮作为回报。这样一来齐国的政令便开始通行于天下各国了。

此其后,楚人攻宋、郑。烧炳燎①焚郑地,使城坏者不得复筑也,屋之烧者不得复葺也;令其人有丧雌雄,居室如鸟鼠处穴。要②宋田,夹塞两川,使水不得东流,东山之西,水深灭垝③,四百里而后可田也。楚欲吞宋、郑而畏齐,日思人众兵强能害己者,必齐也。于是乎楚王号令于国中,曰:"寡人之所明于人君者,莫如桓公;所贤于人臣者,莫如管仲。明其君而贤其臣,寡人愿事之。谁能为我交齐者,寡人不爱④封侯之君焉。"于是楚国之贤士,皆抱其重宝、币帛以事齐。桓公之左右,无不受重宝、币帛者。于是桓公召管仲曰:"寡人闻之,善人者,人亦善之。今楚王之善寡人一甚矣,寡人不善,将拂⑤于道。仲父何不遂交楚哉?"管子对曰:"不可。楚人攻宋、郑,烧炳燎焚郑地,使城坏者不得复筑也,屋之烧者不得复葺也,令人有丧雌雄，居室如鸟鼠处穴。要宋田，夹塞两川，使水不得东流，东山之西，水深灭墟，四百里而后可田也。楚欲吞宋、郑，思人众兵强而能害己者，必齐也。是欲以文克齐，而以武取宋、郑也。楚取宋、郑而不知禁，是失宋、郑也；禁之，则是又不信于楚也。知失于内，兵困于外，非善举也。"桓公曰："善。然则若何？"管子对曰："请兴兵而南存宋、郑，而令曰：'无攻楚，言与楚王遇。'至于遇上，而以郑城与宋水为请。楚若许，则是我以文令也；楚若不许，则遂以武令焉。"桓公曰："善。"于是遂兴兵而南存宋、郑，与楚王遇于召陵之上，而令于遇上曰："毋贮粟，毋曲堤，无擅废适子，无置妾以为妻。"因以郑城与宋水为请于楚，楚人不许，遂退七十里而舍⑥。使军人城郑南之地，立百代城焉。曰：自此而北至于河者，郑自城之，而楚不敢隳⑦也。东发宋田，夹两川，使水复东流，而楚不敢塞也。遂南伐楚，逾方城济于汝水，望汶山，南致楚越之君。而西伐秦，北伐狄，东存晋公于南，北伐孤竹，还存燕公。兵车之会六，乘车之会三，九合诸侯，反⑧位已霸，修钟磬而复乐。管子曰："此臣之所谓乐也。"

[注释]

①焫煤：焚烧，引申为火攻。②要：拦截，阻遏。③墟：残垣断壁。④爱：吝啬，吝惜。⑤拂：违背。⑥舍：宿营。⑦隳：拆毁，毁坏。⑧反：通"返"，返回。

[译文]

在这之后，楚国攻伐宋国和郑国，用火攻焚烧郑国的土地，使郑国的城池被破坏得不能重建，被烧的房屋不能再重新修整了，又使男女丧失配偶，卧室内就像鸟巢和鼠洞一样。楚国又截取了宋国的农田土地，从两面堵塞了两条河水，使河水不能向东流淌，结果导致了东山的西面，河水深得漫过了残破的城墙，四百里之外的地方才能够种田。楚国想要吞并宋郑两国,但又害怕齐国,他考虑到人多兵力强盛能够对自己构成威胁的,一定是齐国。于是楚王在国内发号施令说:"我认为在国君中能称得上是明君的,没有人能比得上齐桓公;在臣子中能称得上是贤能之人的,没有人能比得上管仲。君主圣明而大臣贤能,我愿意事奉他们。谁能够替我同齐国交好,我不吝惜把一个封侯的君长赏赐给他。"于是,楚国的贤士们都带贵重的宝物和币帛前来同齐国言好。齐桓公的左右侍从亲信,没有一个人不得到他们贵重的宝物和币帛的。于是齐桓公召见管仲说:"我听人说善待别人的人,别人也会善待他。现在楚王对我实在是太好了,如果我不善待他,那将是违背了道理。仲父为什么不去同楚国交好呢?"管子回答说:"不可以。楚国讨伐宋国和郑国,用火攻焚烧郑国的土地,使郑国的城池被破坏得不能重建,被烧的房屋不能再重新修整了,又使男女丧失了配偶,卧室内就像鸟巢和鼠洞一样。楚又截取了宋国的农田土地,从两面堵塞了两条河水,使河水不能向东流淌,结果导致了东山的西面,河水深得漫过了残破的城墙,四百里之外的地方才能够种田。楚国想要吞并宋郑两国,但却又害怕齐国,他考虑到人多兵力强盛能够对自己构成威胁的,一定是齐国。所以要用这种文的方式牵制住齐国,而用武力的方式取得宋国和郑国。楚国攻打宋郑两国,如果我们不加以禁止的话,就等于失掉了宋国和郑国;而如果加以禁止的话,那么又是没有对楚国信守承诺。如果在国内的策略上有失误,那么在国家以外的军队就会被困住。因此这不是一个好的办法。"齐桓公说:"好吧,那么应该怎样进行呢?"管子回答说:"请求调兵南下去保全宋国和郑国,同时发布命令说:'不要攻打楚国,我将会和楚王会面。'等到了相遇的地方,就提出郑国城池和宋国被堵的河水问题。楚国如果答应解决的话,那么我们就用文的方式来命令他;楚国如果不答应解决的话,那么我们就用武力的方式来命令他好了。"齐桓公说:"好。"于是就调兵南下去保全宋国和郑国,与楚王相遇在召陵。桓公在相遇的地方下命令说:"楚国不准囤积贮藏粮食,不准随意修筑堤坝,不准擅自废除嫡系子孙,不准纳妾室为正妻。"同时又向楚国提出了郑国城池和宋国被堵的河水问题,楚国并不同意解决。于是齐国向后退了七十里然后屯驻军队。命令军队在郑国南边的地方修筑了百代城。指明从这个地方向北一直到黄河,都由郑国自己建立城池,而楚国不敢去毁坏。东面开放了宋国的田地,从两面修整了两道河道,使水重新向东流淌,而楚国也不敢去堵塞。于是向南讨伐楚国,越过了方城,渡过了汝水,望祭汶山,向南进发,然后召见了吴、越两国的国君。然后又向西征伐秦国,向北讨伐狄国,向东进军,保全了南部的晋公;向北征伐孤竹,又保全了燕公。乘兵车同诸侯会合的有六次,乘普通车同诸侯会合的有三次,一共九次同诸侯会合,等齐桓公返回来的时候,霸业已经建成了,又重新修整了钟磬和乐器并重新宴乐起来。管子说:"这才是我所说的快乐啊!"

霸　言

霸王之形①，象天则地②，化人易代，创制天下，等列诸侯，宾属四海，时匡天下，大国小之，曲国③正之，强国弱之，重国轻之。乱国并之，暴王残之，僇其罪，卑其列，维其民，然后王之。夫丰国之谓霸，兼正之国之谓王，夫王者有所独明④，德共者不取也，道同者不王也。夫争天下者，以威易危，暴王之常也。君人者有道，霸王者有时，国修而邻国无道，霸王之资也。夫国之存也，邻国有焉；国之亡也，邻国有焉。邻国有事，邻国得焉；邻国有事，邻国亡焉。天下有事，则圣王利也。国危，则圣人知⑤矣。夫先王所以王者，资邻国之举不当也。举而不当，此邻敌之所以得意也。

[注释]

①形：形势。②象：模仿。则：效法。③曲国：不正之国。④独明：独见之明。⑤知：通"智"，智慧，智谋。

[译文]

霸业和王业的形势，模仿上天，效法大地，教化世人，改换朝代，创立天下法制，分列诸侯等次，使四海臣服归属，及时匡正天下，可以缩小大国的版图，纠正邪曲的国家，削弱强国，降低权重之国的地位，兼并乱国，消灭暴虐的国君，惩治他的罪恶，降低他的爵位，保护他的人民，然后就统治他的国家。本国富强叫做"霸"，兼正诸侯国叫"王"。所谓王者，总有他独到的高明之处。德行、道义一致的国家，他不去攻取，不去称王。历来争夺天下，以威力推翻危乱的暴君，是称王的常理。统治人民必须符合道义，称王称霸必须合于时机。国政修明而邻国无道，是成就霸王之业的有利条件。国家的存亡和邻国有很大关系。邻国发生变故，邻国可以有所得，邻国也可以有所失。天下发生祸乱的事，圣明的君主总能借此得利；国家危殆的时候，才显出圣人的明智。先代圣王之所以成其王业，往往是利用邻国的举措不当。举措不当，是邻国敌人所以得逞意志的原因。

夫欲用天下之权者，必先布德诸侯。是故先王有所取，有所与，有所诎①，有所信②，然后能用天下之权。夫兵幸于权，权幸于地。故诸侯之得地利者，权从之。失地利者，权去之。夫争天下者，必先争人。明大数者得人，审小计者失人。得天下之众者王，得其半者霸。是故圣王卑礼以下天下之贤而王之，均分以钓天下之众而臣之。故贵为天子，富有天下，而伐不谓贪者，其大计存也。以天下之财，利天下之人；以明威③之振，合天下之权；以遂④德之行，结诸侯之亲；以奸佞之罪，刑天下之心；因天下之威，以广明王之伐；攻逆乱之国，赏有功之劳；封贤圣之德，明一人之行，而百姓定矣。夫先王取天下也，术术乎⑤大德哉，物利之谓也。夫使国常无患，而名利并至者，神圣也。国在危亡，而能寿者，明圣也。是故先王之所师者，神圣也。其所赏者，明圣也。夫一言而寿国，不听而国亡，若此者，大圣之言也。夫明王之所轻者马与玉，其所重者政与军。若失主不然，轻与人政，而重予人马；轻予人军，而重与人玉；重宫门之营，而轻四境之守，所以削也。

[注释]

①诎：通"屈"，弯曲。②信：通"伸"。③明威：圣明威严的旨意。④遂：成就。⑤术术乎：盛大的样子。

[译文]

想要掌握天下的权力，首先对诸侯必须施德。因此，先王总是有所获得，有所给予，有所屈从，有所伸展，然后才能掌握天下的大权。兵胜在有权，权胜在得到土地上的优势。所以诸侯得到土地，权力也跟着有了；失掉土地，权力就跟着丧失了。争夺天下，还必须先得人心。懂得天下大计的，得人心；只打小算盘的，失人心。得天下大多数拥护的，能成王业；得半数拥护的，能成霸业。因此，圣明君主总是谦恭卑礼来对待天下贤士而加以任用，均分禄食来吸引天下民众而使其为臣属。所以，贵为天子，富有天下，而世人不认为贪，就是因为他顺乎天下大计的缘故。用天下的财物，来为天下人谋利；用巨大威力的震慑，来集中天下的权力；用施行德政的行动，来取得诸侯的亲附；用惩治奸佞的罪行，来规范天下人的思想；借助天下的兵威，来扩大圣明君主的功绩；攻下逆乱的国家，来赏赐有功的劳臣；封赏圣贤树立他们的德望，来宣示天子的德行，这样，百姓就安定了。先王取天下，真是盛大德行呵！也就是以物利人的意思。使国家没有忧患而名利兼得的，可称神圣；国家在危亡之中而能使之保全的，可称明圣。所以，先王所效法的人，是神圣；所尊崇的人，是明圣。一句话而能保全国家，不听而国即亡，像这样的话就是大圣人的话。一个英明君主总是看轻骏马与宝玉，而看重政权与军队。至于亡国的君主就不这样了，他轻易给予人政权，而不舍得给予人骏马；轻易给予人军队，而不舍得给予人宝玉；重视官门的营治，而轻视四境的防守，所以国家就削弱了。

夫权者，神圣之所资也；独明者，天下之利器也；独断者，微密①之营垒也。此三者，圣人之所则也。圣人畏微，而愚人畏明。圣人之憎恶也内，愚人之憎恶也外。圣人将动必知，愚人至危易辞。圣人能辅时，不能违时。知者善谋，不如当时。精时者，日少而功多。夫谋无主则困，事无备则废。是以圣王务具其备，而慎守其时，以备待时，以时兴事，时至而举兵，绝坚而攻国，破大而制地，大本而小标，垒②近而攻远，以大牵小，以强使弱，以众致寡，德利百姓，威振天下。令行诸侯而不拂③，近无不服，远无不听。夫明王为天下正，理也。按④强助弱，围⑤暴止贪，存亡定危，继绝世，此天下之所载⑥也，诸侯之所与⑦也，百姓之所利也，是故天下王之。知盖天下，继⑧最一世，材振⑨四海，王之佐也。

[注释]

①微密：精微周密。②垒：同"地"。③拂：违背。④按：抑制。⑤围：通"御"，抵抗。⑥载：通"戴"，爱戴，拥戴。⑦与：亲近。⑧继：猪饲彦博云："'继'当作'断'，即独断也。"⑨材：通"才"。振：通"震"。

[译文]

权谋，是神圣君主所依赖的。独到的高明，就像天下的利器；独到的判断，就像隐蔽的堡垒。这三者是圣人所要效法的。圣人总是戒慎事物的细小苗头，而愚人在事情结局明朗时才感到恐惧。圣人憎恶内心的丑恶，愚人憎恶外形的丑陋；圣人在未动之时就知道其安危和后果，愚人至死也不肯觉悟改变。圣人都能把握时机，但不能违背时机。智者善于谋事，但不如把握好时机。善于把握时机的人，总是费力少而成果大。谋事无主见则陷于困境，举事无准备则归于失败。所以，圣王务求做好准备而谨慎地把握时机，以有所准备等待时机，按适当时机兴举大事，时机一到而开始起兵。摧毁坚固的堡垒而攻下敌国，攻破敌城而控制敌地，对根本雄厚壮大而缩小攻击的目标，保全近国而攻伐远敌，用大国牵制小国，用强国役使弱国，用人多战胜人少，施德行利于百姓，用威名震慑天下。令行于诸侯而不遭违背，近国无不服从，远国也无不听命了。圣明的君主担当天下的领导者，是理所当然的。抑强助弱，抵御暴虐的国家而阻止贪婪的君主，保全亡国而安定危局，接续将要断绝的家世，这就是天下人拥戴的君主，诸侯亲附他，百姓称赞他，所以天下人尊他为王。至于智谋盖天下，决断冠绝于世，才能威震四海的人，这便是辅佐王业的贤臣。

千乘之国得其守，诸侯可得而臣，天下可得而有也。万乘之国失其守，国非其国也。天下皆理，己独乱，国非其国也；诸侯皆令，己独孤，国非其国也。邻国皆险①，己独易②，国非其国也。此三者，亡国之征也。夫国大而政小者，国从其政；国小而政大者，国益大。大而不为者，复小；强而不理者，复弱；众而不理者，复寡；贵而无礼者，复贱；重而凌节③者，复轻；富而骄肆者，复贫。故观国者观君，观军者观将，观备④者观野。其君如明，而非明也；其将如贤，而非贤也；其人如耕者，而非耕也。三守既失，国非其国也。地大而不为，命曰土满；人众而不理，命曰人满；兵威而不止，命曰武满。三满而不止，国非其国也。地大而不耕，非其地也；卿贵而不臣，非其卿也；人众而不亲，非其人也。

[注释]

①险：设险以防御。②易：平易，不设防御。③凌节：超越职权的范围。④备：防守。

[译文]

千乘之国，只要具备应守的条件，也可以使诸侯称臣，把天下据为己有。万乘之国，如果失其应守的条件，就不能保存国家了。天下都太平而自己的国家独有祸患，就不能保存国家；诸侯都联合而自己的国家被孤立，就不能保存国家；邻国都有险可守而自己平易不备，也不能保存国家。这三方面，是亡国的征兆。国大而政绩小，国家地位会跟着政绩一样小；国小而政绩大，国家也跟着强大。国大而无所作为，又会变小；国强而不加治理，又会变弱；人众而不加治理，又会变少；地位高贵而无礼，又会变得卑贱；权重而超越职权的范围，又会变轻；家富而骄奢放肆，又会变穷。所以看一个国家，要看国君如何；看一个军队，要看将领如何；看一国的守备，要看田野如何。如果国君看似英明而不英明，将领看似贤能而不贤能，人民看似耕种而不耕种土地，失掉这三个应守的条件，国家也就不能保存了。地大而不耕种，叫做"地满"；人多而不加管理，叫做"人满"；兵威而不加整训，叫做"武满"。不制止这"三满"，国家也就不能保存了。地大而不耕种，就等于失去了土地；卿贵而不臣服，就等于失去了卿相；人多而不亲附，就等于失去了人民。

夫无土而欲富者忧，无德而欲王者危，施薄而求厚者孤。夫上夹而下苴、国小而都大者弑①。主尊臣卑，上威下敬，令行人服，理之至也。使天下两天子，天下不可理也；一国而两君，一国不可理也；一家而两父，一家不可理也。夫令不高不行，不抟②不听。尧舜之人，非生而理也；桀纣之人，非生而乱也，故理乱在上也。夫霸王之所始也，以人为本，本理则国固，本乱则国危。故上明则下敬，政平则人安土，教和则兵胜敌，使能③则百事理，亲仁则上不危，任贤则诸侯服。

[注释]

①"上夹"句：王念孙云："'夹'当依尹注作'狭'，'苴'与'粗'

同。上狭而下苴，谓上小而下大也。"②抟：通"专"，专一，统一。③能：有才能的人。

[译文]

没有土地而求富有的人，有忧患；没有德行而想称王的人，有危险；施予薄恩而求报答厚重的人，被孤立。上面权小而下面权重，国土小而都城大，就将有被弑之祸。做到君主尊贵臣下谦卑，君主威严臣下恭敬，命令发出后人民信服的，才是治理国家的最高水平。如果天下有两个天子，天下就不能太平；一国而有两个君主，一国就不能安定；一家而有两个父亲，一家就不能和睦。法令，不发自上层就不能推行，不集中权力就无人听从。尧舜之民，不是生来就服从管理的；桀纣之民，不是生来就要作乱的。所以国家安定和祸患的根源都在君主。霸业和王业的开始，也是以人民为根本。根本安定则国家得到巩固，根本发生祸乱则国家危亡。所以，上面英明则下面敬服，政事平易则人民安心耕种，教化团结则战争取胜，使用能臣则国家各种事情都得到治理，亲近仁人则君主不会有危险，任用贤良就能使诸侯信服了。

霸王之形，德义胜之，智谋胜之，兵战胜之，地形胜之，动作胜之，故王之。夫善用国者，因①其大国之重，以其势小之；因强国之权，以其势弱之；因重国之形，以其势轻之。强国众，合强以攻弱，以图霸；强国少，合小以攻大，以图王。强国众，而言王势者，愚人之智也。强国少，而施霸道者，败事之谋也。夫神圣视天下之形，知动静之时，视先后之称②，知祸福之门。强国众，先举者危，后举者利。强国少，先举者王，后举者亡。战国众，后举可以霸。战国少，先举可以王。夫王者之心，方而不最③，列不让④贤，贤不齿弟⑤择众，是贪大物也。是以王之形大也。夫先王之争天下也以方心，其立之也以整齐，其理之也以平易。立政出令用人道[6]，施爵禄用地道[7]，举大事用天道[8]。是故先王之伐也，伐逆不伐顺，伐险不伐易，伐过不伐及。四封之内，以正[9]使之；诸侯之会，以权致之；近而不服者，以地患之；远而不听者，以刑危之。一而伐之，武也；服而舍之，文也。文武具满[10]，德也。夫轻重强弱之形，诸侯合则强，孤则弱。骥之材而百马伐之，骥必罢[11]矣。强最一伐，而天下共[12]之，国必弱矣。强国得之也以收小，其失之也以恃强。小国得之也以制节[13]，其失之也以离强。夫国小大有谋，强弱有形，服近而强远，王国之形也。合小以攻大，敌国之形也。以负海攻负海，中国之形也。折节事强以避罪，小国之形也。

[注释]

①因：利用，借助。②称：适当，适宜。③最：极端。④让：通"攘"，排斥。⑤齿：年龄。弟：通"第"，顺序，齿第，即年龄地位。⑥人道：指顺应民心。⑦地道：尹知章云："地道平而无私。"指公正无私。⑧天道：顺应天时。⑨正：通"政"，政令。⑩满：王引之云："'满'当为'备'。"⑪罢：通"疲"，疲劳。⑫共：通"攻"，攻伐。⑬制：折。折节，即卑屈其节，以事强大之国。

[译文]

霸业和王业的形势是：德义处于优势，智谋处于优势，兵战处于优势，地形处于优势，行动处于优势，所以能统治天下。善于掌管国家的人，往往利用大国的力量，依靠他们的势力来缩小别国的疆域；利用强国的权威，依靠他们的势力来削弱别国的实力；利用重国的地位，依靠他们的势力来压低别国的地位。强国多，就联合强国攻击弱国以图霸业；强国少，就联合小国攻击大国以图王业。强国多，而谈论统一的王业，是愚蠢之人的想法；强国少，而实行联合称霸是使事情失败的谋略。神圣的君主，都是观察天下的形势，了解动静时机，观察先后时宜，了解祸福的道路。强国多，先举兵起事的人危险，后举兵起事的人得利；强国少，先举兵起事的人称王，后举兵起事的人失败。参战的国家多，后举兵起事的人可以称霸；参战的国家少，先举兵起事的人可以称王。能够称王者的心，方正而不走极端。列爵不排斥贤人，选贤不按照年齿地位，这样才能得到大宝之位。这样是因为王业的形势是伟大的。先王在争夺天下的时候，坚持方正的原则；在建立天下的时候，实行整齐划一的措施；在治理天下的时候，则实行平和简易的方针。建立制度颁布法令顺应人心，封赏爵位公正无私，兴兵举事顺应天意。因此，先王所做的征伐，都是伐叛逆的诸侯而不伐顺从的诸侯，伐用心险恶的诸侯而不伐用心平正的诸侯，伐僭越的诸侯而不伐达到标准的诸侯。国境之内，通过政令来驾驭；诸侯的会盟，用权势招集他们；对就近而不服从的国家，用侵削土地加害它；对离远而不听命的国家，用强大的军事力量威胁它。背叛的国家就征伐它，这是武功；臣服的国家就赦免它，这是文治。文治武功都具备，这才是德行。国家轻重强弱的形势是：各诸侯国联合起来就会强大，各自独立就会弱小。骐骥之材，用百马轮流和它竞逐，它也一定会疲惫的；最强盛的强国，天下的诸侯国都去攻打它，也一定会弱下来。强国的正确做法是容纳小国，它的失误在于自恃强大；小国的正确做法是折节事强，它的失误在于脱离强国。国家无论大小，都有自己的谋算；无论强弱，都有自己依靠的形势。征服近国而威慑远国，是称王之国依靠的形势；联合小国以攻击大国，是势均力敌国家依靠的形势；用背海之国攻伐背海之国，是中原各国依靠的形势；折节事奉强国来避免祸患，是小国依靠的形势。

自古以至今，未尝有先能作难[①]，违时易形，以立功名者。无有常先作难，违时易形，无不败者也。夫欲臣伐君、正四海者，不可以兵独攻而取也，必先定谋虑，便地形，利权称，亲与国②，视时而动，王者之术也。夫先王之伐也，举之必义，用之必暴③，相形而知可，量力而知攻，攻得而知时。是故先王之伐也，必先战而后攻，先攻而后取地。故善攻者，料众以攻众，料食以攻食，料备以攻备。以众攻众，众存不攻；以食攻食，食存不攻；以备攻备，备存不攻。释实而攻虚，释坚而攻膬④，释难而攻易。夫抟⑤国不在敦古，理世不在善攻，霸王不在成曲⑥。夫举失而国危，刑⑦过而权倒，谋易而祸反，计得而强信⑧，功得而名从，权重而令行，固其数也。夫争强之国，必先争谋、争刑、争权。令人主一喜一怒者，谋也；令国一轻一重者，刑也；令兵一进一退者，权也。故精于谋，则人主之愿可得而令可行也；精于刑，则大国之地可夺，强国之兵可圉⑨也；精于权，则天下之兵可齐，诸侯之君可朝也。夫神圣视天下之刑，知世之所谋，知兵之所攻，知地之所归，知令之所加矣。夫兵攻所憎而利之，此邻国之所不亲也。权动所恶，而实⑩寡归者，强；擅破一国，强在后世者，王；擅破一国，强在邻国者，亡。

[注释]

①作难：起事，发难。②与国：盟国。③暴：急骤，猛烈。④膬：同"脆"，薄弱。⑤抟：通"专"，掌握。⑥曲：应为"典"字之误。⑦刑：通"形"。⑧信：通"伸"，伸展。⑨圉：通"御"。⑩实：利益。

[译文]

从古至今，从来没有首先起事举兵，违背时机，变更形势，而能建立功业的；也没有曾经首先起事举兵，违背时机，变更形势，而不失败的。想要使其他国家的君主称臣，征服四海，不可只依靠举兵进攻而取胜，必须首先定好规划，占据有利地形，权衡有利的结局，密切盟国的关系，然后再待机而动，这才是称王的策略。先王的征伐，举兵必合于正义，用兵必须急骤，察看形势而断定可否举兵，衡量实力而断定能否进攻，考虑得失而断定行动时机。因此，先王从事征伐，必须先战斗而后进攻，先进攻而后取地。所以善于进攻的人，都要算计好敌我人数的多少，敌我粮草的多少，敌我装备的多少。以兵力对兵力，如果敌军兵强，就不可以进攻；以粮草对粮草，如果敌军粮草充足，就不可以进攻；以装备对装备，如果敌军装备精良，就不可以进攻。应该避开有实力的地方而去攻击空虚的地方，避开坚固的地方而击其薄弱的地方，避开难攻的地方而攻击易攻的地方。统治国家不在于遵循古道，治理当世不在于精通旧制，称王称霸不在于墨守成规。举措失当的国家就会危险，丧失形势权力就会倾倒，谋事轻率就会招祸，计划得当就会发挥强力，功劳得到名誉就会随之而来，权势加重命令就能推行，这些都是根本的规律。争强的国家，必先竞争谋略，竞争形势，竞争权力。使人君有喜有怒的，是谋略；使国家的权势有轻有重的，是形势；使军队有进有退的，是权力。所以，精通谋略，那么人君的愿望就可以实现，政令就可以推行；精通形势，那么大国土地可以夺取，强国的军队可以抵御；精通权力，那么天下的兵力可以剪除，诸侯国的君主可以使之来朝见了。神圣的君主，根据天下的形势，掌握当世的谋略，掌握兵力的攻向，掌握土地的归属，掌握政令的对象。攻打讨伐所憎恶的国家而以此得利，这样的国家，邻国都不会亲附它。用威权侵犯所厌恶的国家，而不把所得的利益完全归于自己的国家，可以图强。善于攻打一国，使后世强盛，可以成就王业。善于攻打一国，造成邻国的强盛，那就要败亡了。

戒

桓公将东游，问于管仲曰："我游犹轴转斛①，南至琅邪。司马曰：'亦先王之游已。'何谓也？"管仲对曰："先王之游也，春出，原②农事之不本者，谓之游；秋出，补人之不足者，谓之夕。夫师行而粮食其民者，谓之亡；从乐而不反者③，谓之荒。先王有游夕之业于人，无荒亡之行于身。"桓公退，再拜命曰："宝法也。"管仲复于桓公曰："无翼而飞者，声也；无根而固者，情也；无方而富者，生也。公亦固情谨声，以严尊生，此谓道之荣。"桓公退，再拜："请若④此言。"管仲复于桓公曰："任之重者莫如身，途之畏者莫如口，期而远者莫如年。以重任行畏途，至远期，唯君子乃能矣。"桓公退，再拜之曰："夫子数⑤以此言者教寡人。"管仲对曰："滋味、动静，生之养也；好恶、喜怒、哀乐，生之变也；聪明当物⑥，生之德也。是故圣人齐滋味而时动静，御正六气之变，禁止声色之淫，邪行亡乎体，违言不存口，静无定生，圣也。仁从中出，义从外作。仁故不以天下为利，义故不以天下为名。仁故不代王，义故七十而致政⑦。是故圣人上德而下功，尊道而贱物，道德当身，故不以物惑。是故身在草茅之中，而无慑意；南面听天下，而无骄色。如此而后可以为天下王。所以谓德者，不动而疾，不相告而知，不为而成，不召而至，是德也。故天不动，四时云下，而万物化；君不动，政令陈下，而万功成；心不动，使四肢耳目，而万物情。寡交多亲，谓之知人；寡事成功，谓之知用；闻一言以贯万物，谓之知道。多言而不当，不如其寡也；博学而不自反，必有邪。孝弟者，仁之祖也；忠信者，交之庆也。内不考孝弟，外不正忠信，泽⑧其四经而诵学者，是亡其身者也。"

[注释]

①犹：通"欲"。轴：郭沫若云："'轴'殆'车由'二字误合。"转斛：应为"转附"，即之罘。②原：考察。③从：通"纵"。反：同"返"。④若：顺从。⑤数：通"速"。⑥当物：尹知章云："非礼勿视听，故曰当物。"⑦致政：即致仕，指官吏将执政的权力归还给君主。⑧泽：通"舍"，舍弃。

[译文]

桓公将要东游，问管仲说："我这次出游想要东起之罘，南至琅邪。司马说：'也要像先王出游一样。'这是什么意思呢？"管仲回答说："先王出游，春天出去是为了考察农事上不充足的，叫做游；秋天出去是为了补助百姓生活不足的，叫做夕。那种带人马出行而耗费百姓粮食的，叫做亡；纵情玩乐而不知返回的，叫做荒。先王对于百姓有游、夕的业绩，自己则没有荒、亡的行为。"桓公退后拜谢说："这是宝贵的经验。"管仲又对桓公说："没有羽翼而能飞的是声音，没有根底而能稳固的是情感，没有地位而能尊贵的是心性。国君您也应巩固情感，谨慎言语，来严格地尊养心性，这称之为顺道的荣耀。"桓公退后，再次拜谢说："希望按照你说的去做。"管仲又对桓公说："负担沉重比不上身体，路途险阻比不上口舌，时间久远比不上年代。负担重任，行走险途，长期坚持，只有君子才能做到。"桓公退后，再拜谢说："你赶快把这些道理教给我吧。"管仲回答说："饮食作息，是心性的滋养；好恶、喜怒、哀乐,是心性的变化;明德遵礼,是心性的品德。因此,圣人能够调节饮食,安排作息,驾驭六气的变化,禁止声色的腐蚀,身体不会有邪僻的行为,口舌不会说悖理的言论,静心养性,这就是圣人。仁是从心中发出的,义是表现在外面的。做到仁,就不会利用天下谋取私利;做到义,就不会利用天下钓取名声。做到仁,就不会取代他人而自立为王;做到义,年过七十就会还政于国君。因此,圣人以德为上,以功业为下,重视道而轻视物利,道德在身,所以不会为外物所迷惑。所以,即使生活在茅舍之中,也不会忧惧;即使面南而治理天下,也不会有骄傲的神色。这样之后才可以称王天下。之所以称为有德,是因为不用发动,人们就会努力;不用相告,人们就会理解;不用作为,事情就能成功;不用召唤,人们就会来到,这就是德的作用。所以,上天不用动,经过四时的变化,万物化育;国君不用动,通过政令的推行,万事成功;心不用动,通过四肢耳目的使用,万物都能感知其情。交游很少却有很多亲信的,叫做知人;用力少而成功多的,叫做知用;听一句话就能贯通万物的,叫做知道。言语多而不适当,不如少说;博学而不会自省,一定会产生邪恶。孝悌是仁的根本,忠信是交游的依托。在内不思孝悌,在外不行忠信,舍弃这四个原则去空谈学问,这是会亡丧自身的。"

桓公明日弋①在廪,管仲、隰朋朝。公望二子,弛弓脱钎②而迎之曰:"今夫鸿鹄,春北而秋南,而不失其时,夫唯有羽翼以通其意于天下乎?今孤之不得意于天下,非皆二子之忧也?"桓公再言,二子不对。桓公曰:"孤既言矣,二子何不对乎?"管仲对曰:"今夫人患劳,而上使不时;人患饥,而上重敛焉;人患死,而上急刑焉。如此而又近有色而远有德,虽鸿鹄之有翼,济大水之有舟楫也,其将若君何?"桓公蹴然逡遁③。管仲曰："昔先王之理人也，盖人有患劳而上使之以时，则人不患劳也；人患饥而上薄敛焉，则人不患饥矣；人患死而上宽刑焉，则人不患死矣。如此而近有德而远有色，则四封之内视君其犹父母邪！四方之外归君其犹流水乎！"公辍射，援绥④而乘。自御，管仲为左，隰朋参乘⑤。朔月三日，进二子于里官，再拜顿首曰："孤之闻二子之言也，耳加聪而视加明，于孤不敢独听之，荐之先祖。"管仲、隰朋再拜顿首曰："如君之王也，此非臣之言也，君之教也。"于是管仲与桓公盟誓为令曰："老弱勿刑，参宥而后弊⑥。关几而不正，市正而不布⑦。山林梁泽，以时禁发而不正也。"草封泽盐者之归之也，譬若市人。三年教人，四年选贤以为长，五年始兴车践乘。遂南伐楚，门傅施城⑧。北伐山戎，出冬葱与戎叔，布之天下。果三匡天子而九合诸侯。

[注释]

①弋：用带绳子的箭射猎。②钎：孙星衍云："《说文》：'钎，臂铠。'"③蹴然：惊惭不安的样子。逡遁：倒退而行。④绥：登车的绳索。⑤参乘：陪乘。古代乘车，尊者在左，御者在中，一人在右陪坐，称为参乘或车右。⑥参：同"三"。三宥，即犯罪者可以从宽处理的三种情况。弊：判罪。⑦"关几"句：即《霸形》篇所言"关讥而不征，市书而不赋"。⑧施城：洪颐煊云："'施城'当作'方城'。"

[译文]

桓公第二天在粮仓附近射猎，管仲、隰朋前来朝见。桓公见到他们后，放下弓弩脱掉铠甲迎上去说："这些鸿鹄，春天向北飞秋天向南飞，从来不误时令，不就是因为它们有两只翅膀可以在天下自由飞翔吗？如今我不得意于天下，不都是因为你们不能成为我的双翼而忧虑吗？"桓公又说一遍，两人都不回答。桓公说："我已经说了，你们为什么不回答呢？"管仲回答说："现在人民忧虑劳苦，而国君却不断地役使他们；人民忧虑饥饿，而国君却加重敛赋；人民忧虑死亡,而国君却加重刑罚。此外,国君又亲近女色,疏远有德行的人,即使像鸿鹄有双翼,渡河有舟桨,这对于国君又有什么用呢?"桓公惊惭不安地向后倒退。管仲说:"从前先王治理人民,人民忧虑劳苦,国君就按时使役,这样人民就不会忧虑劳苦了;人民忧虑饥饿,国君就减轻赋税,人民就不会忧虑饥饿了;人民忧虑死亡,国君就放宽刑罚,人民就不会忧虑死亡了。此外,国君又亲近有德行的人,疏远女色,那么,国内人民对待国君就会像对待父母一样,国外人民归附国君就像流水一样!"桓公于是停止打猎,拉着车绳就上车了,他亲自驾车,管仲坐在左边,隰朋坐在右边。桓公斋戒三天后,把两人引进祖先的庙堂里,顿首拜谢说:"我听了你们的话后,觉得耳更聪目更明,我不敢单独听这些言论,所以推荐给先祖听听。"管仲、隰朋顿首拜谢说:"像您这样的国君,这些话就不能算是我们的言论了,而应该是您的教导。"于是管仲和桓公宣誓下令说:"老弱不用刑,犯罪者可以有三种宽赦情况然后再判罪。关卡只是稽查而不征税,市场只作记录而不征赋,山林水泽,要按时封禁开放而不征税。"这样,垦草而封、就泽而盐的人们前来归附,像参加集市一样。桓公用三年教化人民,四年选拔贤能任用官吏,五年开始出兵征伐。于是南伐楚国,逼近方城。北伐山戎,拿出冬葱和胡豆,播布天下。最终成就了三次匡扶天子,九次盟会诸侯的霸业。

桓公外舍而不鼎馈①,中妇诸子②谓宫人:"盍不出从乎?君将有行。"宫人皆出从。公怒曰:"孰谓我有行者?"宫人曰:"贱妾闻之中妇诸子。"公召中妇诸子曰:"女③焉闻吾有行也?"对曰:"妾人闻之,君外舍而不鼎馈,非有内忧,必有外患。今君外舍而不鼎馈,君非有内忧也,妾是以知君之将有行也。"公曰:"善。此非吾所与女及也,而言乃至焉,吾是以语女。吾欲致诸侯而不至,为之奈何?"中妇诸子曰:"自妾之身之不为人持接也,未尝得人之布织也④,意者更容不审耶?"明日,管仲朝,公告之。管仲曰:"此圣人之言也,君必行也。"

[注释]

①馈:进食。②中妇诸子:尹知章云:"中妇诸子,内官之号。"指古代掌管宫女的官。③女:同"汝"。④"自妾"句:刘绩云:"此言己不事人,未尝得人布织而衣,犹君不下小国,故诸侯不至也。"

[译文]

桓公在宫外住宿而没有列鼎进食,中妇诸子对宫女说:"你们为什么不出来侍从呢?国君就要外出了。"宫女们都出来侍从桓公。桓公生气地说:"谁说我要外出的?"宫女们说:"我们听中妇诸子说的。"桓公召见中妇诸子说:"你怎么知道我要外出呢?"回答说:"我听说,国君在外住宿而不列鼎进食,不是有内忧,就是有外患。如今您在宫外住宿而不列鼎进食,既然不是内忧,所以我知道您一定要外出了。"桓公说:"好,这本来不是我要和你谈及的问题,既然你已经说到这了,我就告诉你吧。我想要使各国诸侯来朝拜,但他们不来,该怎么办呢?"中妇诸子回答说:"自从我不服侍别人,就不再得到过别人送的布帛了,这个意思还能不明白吗?"第二天,管仲上朝,桓公把这件事告诉了他。管仲说:"这真是圣人的话,国君一定遵照实行。"

管仲寝疾①,桓公往问之,曰:"仲父之疾甚矣,若不可讳也,不幸而不起此疾,彼政我将安移之?"管仲未对。桓公曰:"鲍叔之为人何如?"管子对曰:"鲍叔,君子也。千乘之国,不以其道予之,不受也。虽然,不可以为政。其为人也,好善而恶恶已②甚,见一恶终身不忘。"桓公曰:"然则孰可?"管仲对曰:"隰朋可。朋之为人,好上识而下问。臣闻之,以德予人者谓之仁，以财予人者谓之良；以善胜人者，未有能服人者也；以善养人者，未有不服人者也。于国有所不知政，于家有所不知事，必则朋乎！且朋之为人也，居其家不忘公门，居公门不忘其家，事君不二其心，亦不忘其身。举齐国之币，握路家③五十室，其人不知也。大仁也哉，其朋乎！"公又问曰："不幸而失仲父也，二三大夫者，其犹能以国宁乎？"管仲对曰："君请矍已乎？鲍叔牙之为人也好直，宾胥无之为人也好善，宁戚之为人也能事，孙在之为人也善言。"公曰："此四子者，其孰能一人之上也。寡人并而臣之，则其不以国宁，何也？"对曰："鲍叔之为人，好直而不能以国诎④；宾胥无之为人也，好善而不能以国诎；宁戚之为人，能事而不能以足息；孙在之为人，善言而不能以信默。臣闻之，消息盈虚，与百姓诎信⑤，然后能以国宁勿已者，朋其可乎？朋之为人也，动必量力，举必量技。"言终，喟然而叹曰："天之生朋，以为夷吾舌也。其身死，舌焉得生哉！"管仲曰："夫江、黄之国近于楚，为臣死乎，君必归之楚而寄之；君不归，楚必私之。私之而不救也，则不可；救之，则乱自此始矣。"桓公曰："诺。"管仲又言曰："东郭有狗嘊嘊，旦暮欲啮，我猳⑥而不使也。今夫易牙，子之不能爱，安能爱君？君必去之。"公曰："诺。"管子又言曰："北郭有狗嘊嘊，旦暮欲啮，我猳而不使也。今夫竖刁，其身之不爱，焉能爱君？君必去之。"公曰："诺。"管子又言曰："西郭有狗嘊嘊，旦暮欲啮，我猳而不使也。今夫卫公子开方，去其千乘之太子而臣事君，是所愿也，得于君者，是将欲过其千乘也。君必去之。"桓公曰："诺。"管子遂卒。卒十月，隰朋亦卒。桓公去易牙、竖刁、卫公子开方。五味不至，于是乎复反易牙；宫中乱，复反竖刁；利言卑辞⑦不在侧，复反卫公子开方。桓公内不量力，外不量交，而力伐四邻。公薨，六子皆求立，易牙与卫公子内与竖刁，因共杀群吏，而立公子无亏。故公死七日不殓，九月不葬。孝公奔宋，宋襄公率诸侯以伐齐，战于甗，大败齐师，杀公子无亏，立孝公而还。襄公立十三年，桓公立四十二年。

[注释]

①寝疾：卧病。②已：太，过。③路家：王引之曰："路，读为露。露家，穷困之家也。"④诎：屈服。⑤诎信：同"屈伸"。⑥猴：王引之云："'猴'当作'枷'。"指枷住。⑦卑辞：言辞谦恭。

[译文]

管仲卧病不起，桓公前去慰问，说："仲父的病很严重，这是不需讳言的。如果您的病不幸不能治愈，国家的大政我将托付给谁呢？"管仲没有回答。桓公说："鲍叔的为人怎么样？"管仲回答说："鲍叔是个君子。即使是千乘的大国，不按照他的原则送给他，他也不会接受的。即使如此，也不可把国家大政托付给他。他的为人是欣赏好人，但过分憎恶恶人了，看见一个坏人终身难忘。"桓公说："那么谁可以呢？"管仲回答说："隰朋可以。隰朋的为人，博闻强记而又不耻下问。我听说，给人恩德的叫做仁，给人财物的叫做良；用善行超过别人的，不能使人心服；用善行来感化人的，没有不使人心服的。对于治国有有所不管的政务，对于治家有有所不知的家事，只有隰朋能做到这一点。而且隰朋的为人，在家不忘政务，在公门也不忘家事；侍奉国君没有二心，也不忘其自身。他用齐国的货币，救济过五十多户贫困家庭，那些人却不知道他是谁。称得上大仁的，只有隰朋。"桓公又问说："我不幸失去仲父，各位大臣中，还有谁能使国家安宁呢？"管仲回答说："请您自己衡量一下吧！鲍叔牙为人刚直，宾胥无为人好善，宁戚为人能干，孙在为人能言。"桓公说："这四个人，他们的才能都超过了一般人。但我都予以重用，国家却不得安宁，这是为什么呢？"回答说："鲍叔为人刚直,但不能为国家而屈服;宾胥无为人好善,但不能为国家而屈服;宁戚为人能干,但不能适可而止;孙在为人能言,但不能信守沉默。我听说,能按照消长盈亏的规律,与百姓共同屈伸,然后能使国家长治久安的,还不是隰朋才行吗?隰朋的为人,行动必定估计力量,举事必定估计能力。"管仲讲完,长叹一声说:"天生隰朋,就是作为我管仲的喉舌的,我身子都不在了,喉舌怎么可能还存在呢!"管仲还说:"江、黄两个国家,离楚国很近,如果我死了,您一定要归还给楚国。您如不归还,楚国一定要吞并。楚国吞并,如果我们不去救援,不对;如去救援,从此祸乱就开始了。"桓公说:"好。"管仲又说:"东城有一只狗龇着牙,一天到晚,准备咬人,我用木枷枷住才使它不能咬人。现在的易牙,儿子都不爱,将来怎么能爱君呢?您一定要驱逐他。"桓公说:"好。"管子又说:"北城有一只狗龇着牙,一天到晚,准备咬人,我用木枷枷住才使它不能咬人。现在的竖刁,自己都不爱,怎么能够爱君呢?您一定要驱逐他。"桓公说:"好。"管子又说:"西城有一只狗龇着牙,一天到晚,准备咬人,我用木枷枷住才使它不能咬人。现在的卫公子开方,舍弃千乘之国太子的地位来侍奉您。这说明他想从您身上得到的远超过一个千乘之国。您一定驱逐他。"桓公说:"好。"管子于是就去世了。十个月后,隰朋也死了。桓公驱逐了易牙、竖刁和卫公子开方。不久,由于饮食五味不调,于是把易牙召回来了;由于宫中混乱,又把竖刁找回来了;由于身边没有花言巧语,又把卫公子开方找回来了。桓公在内不估量国力,在外不考虑外交,而征伐四邻。桓公死后,六个儿子都想做国君,易牙和卫公子开方勾结竖刁,诛杀百官,拥立公子无亏为国君。所以,桓公死后七天没有入殓,九个月没有安葬。齐孝公跑到宋国,宋襄公率诸侯讨伐齐国,战于甗地,大败齐军,杀死了公子无亏,拥立齐孝公后返回。齐襄公共立十三年,齐桓公共立四十二年。

参　患

凡人主者，猛毅①则伐，懦弱则杀。猛毅者何也？轻②诛杀人之谓猛毅。懦弱者何也？重③诛杀人之谓懦弱。此皆有失彼此。凡轻诛者杀不辜，而重诛者失④有罪。故上杀不辜，则道正者不安；上失有罪，则行邪者不变。道正者不安，则才能之人去亡；行邪者不变，则群臣朋党。才能之人去亡，则宜⑤有外难；群臣朋党，则宜有内乱。故曰猛毅者伐，懦弱者杀也。

君之所以卑尊，国之所以安危者，莫要于兵。故诛暴国必以兵，禁辟民必以刑。然则兵者外以诛暴，内以禁邪。故兵者，尊主安国之经⑥也，不可废也。若夫世主则不然。外不以兵而欲诛暴，则地必亏矣；内不以刑而欲禁邪，则国必乱矣。

[注释]

①猛毅：严厉，威严。②轻：轻易，随意。③重：与前面的"轻"相对，可译为姑息。④失：错过，遗漏。⑤宜：应当，应该。⑥经：规范，原则。这里引申为正道，根本。

[译文]

凡是作为人民的君主，猛毅的就被敌人所讨伐，懦弱的就被人所杀。什么是猛毅的人呢？轻易杀人的人，称为猛毅。什么是懦弱的人呢？姑息于杀人的人，称为懦弱。这二者都互相有所缺失。凡是轻易杀人的人，会杀了无罪的人；凡是姑息于杀人的人，会遗漏真正有罪的人。国君杀了无罪的人，那正人君子就不会安心；如果遗漏了真正的罪犯，干坏事的人就不会有所改变。正人君子不安心，人才就会外流；做坏事的不改正，百官就会结党营私。人才外流，一定会有外患；百官结党，一定会有内乱。所以说，猛毅的君主被敌人所讨伐，懦弱的君主会被人所杀。

君主之所以尊卑、国家之所以安危的原因，没有比军队更重要的了。因此征伐强暴之国，必须用军队；镇压邪僻之民，必须用刑罚。军队是对外用于征伐强暴之国，对内用于镇压邪僻之民的。因此，军队是使君主尊贵，国家安定的根本，不可以废弃。当世的君主却不这样，对外不用军队却想征伐强暴之国，那土地就必然要丧失；对内不用刑罚却想镇压邪僻之民，国家就一定要混乱了。

故凡用兵之计，三惊当一至，三至当一军，三军当一战①。故一期之师，十年之蓄积殚；一战之费，累代之功尽。今交刃接兵而后利之，则战之自胜者也。攻城围邑，主人易子而食之，析骸②而爨之，则攻之自拔者也。是以圣人小征而大匡③，不失天时，不空地利，用④日维梦，其数不出于计。故计必先定而兵出于竟⑤，计未定而兵出于竟，则战之自败，攻之自毁者也。

[注释]

①惊：通"警"，戒严，警备。军：驻扎，此为团围，围攻。②析骸：拆散尸骨。③匡：通"恇"，恐惧，警惕。④用：通"于"。⑤竟：通"境"，边境，国境。

[译文]

凡是用兵的计划，三次警备等于一次出征，三次出征等于一次围攻，三次围攻等于一次交战。所以，军队一年出征的费用，要消耗十年的积蓄；一战的费用，要用光几代的积蓄。现在，到了两兵交战的时候，才使兵刃锋利，创造有利于备战的条件，那只好一交战就自己宣告失败了。到了攻城围邑的时候，发现守城者易子而食，烧骨为炊来顽强抵抗，只好一进攻就自己拔营而退了。所以圣人对小的征战有大的警惕，争取不失天时地利，在白天作战，头天夜里就计划好。多种办法都不超出于计划，所以，计划必须先定之后才发兵出国境，没有计划好就兴兵出境，那交战起来自己就失败，攻打起来自己就毁灭了。

得众而不得其心，则与独行者同实①。兵不完利，与无操②者同实。甲不坚密，与偞③者同实。弩不可以及远，与短兵同实。射而不能中，与无矢者同实。中而不能入，与无镞④者同实。将徒人，与偞者同实。短兵待⑤远矢，与坐而待死者同实。故凡兵有大论，必先论其器、论其士、论其将、论其主。故曰：器滥恶⑥不利者，以其士予人也；士不可用者，以其将予人也；将不知兵者，以其主予人也；主不积务于兵者，以其国予人也。故一器成，往夫具，而天下无战心；二器成，惊夫⑦具，而天下无守城；三器成，游夫⑧具，而天下无聚众。所谓无战心者，知战必不胜，故曰无战心。所谓无守城者，知城必拔，故曰无守城。所谓无聚众者，知众必散，故曰无聚众。

[注释]

①实：实质。②无操：徒手。③偞：通"残"，这里指无甲而身着单衣者。④镞：箭头。⑤待：抵御。⑥滥恶：粗劣，不好的。⑦惊夫：震惊天下的战士。⑧游夫：游说的人。

[译文]

拥有众多军队但不得军心，和单独行动的人本质相同；兵器既不完备又不锋利，和徒手的人本质相同；盔甲既不坚固又不严密，和无甲而身着单衣的人本质相同；弯弓射不远，和用短兵器的人本质相同；射却不能射中，和没有箭支的人本质相同；射中却不能射穿，和没有箭头的人本质相同；率领未经训练的人作战，和自我残杀的人本质相同；用短兵器抵御能远射的弓箭，和坐以待毙的人本质相同。所以，凡是用兵，都有几项重大的考评。必须首先考评武器，考评士兵，考评将领，考评君主。所以说，武器粗制滥造不坚利的，等于把士兵奉送给敌人；士兵不可以用的，等于把主将送给敌人；主将不懂战略的，等于把君主送给敌人；君主不能专注地处理军事事务的，就等于把国家送给别人了。有一种武器做成高水平的，再有敢于出征的人，则天下都没有战心；有两种武器做成高水平的，再有震惊天下的人，则天下没有可守之城了；有三种武器做成高水平的，再有游说的人，则天下都没有敢聚集兵众迎战的了。所谓没有战心，就是知道了战争一定不能打胜，所以说不敢有战心；所谓没有可守之城，就是知道了城一定会被攻破，所以说没可以守住的城了；所谓不敢聚集兵众迎战，就是知道兵众一定会逃散，所以说没有人敢聚集兵众迎战。

制 分

凡兵之所以先争,圣人贤士不为爱①尊爵,道术知能不为爱官职,巧伎②勇力不为爱重禄,聪耳明目不为爱金财。故伯夷、叔齐非于死之日而后有名也,其前行多修矣;武王非于甲子之朝而后胜也,其前政多善矣。故小征,千里遍知之。筑堵之墙,十人之聚,日五间③之。大征,遍知天下,日一间之。散金财用聪明也。故善用兵者,无沟垒而有耳目。兵不呼儆④,不苟聚,不妄行,不强进。呼儆则敌人戒,苟聚则众不用,妄行则群卒困,强进则锐士挫。故凡用兵者,攻坚则韧,乘瑕⑤则神。攻坚则瑕者坚,乘瑕则坚者瑕。故坚其坚者,瑕其瑕者。屠牛坦朝解九牛,而刀可以莫铁,则刃游间也。故天道不行,屈不足从。人事荒乱,以十破百;器备不行,以半击倍。故军争者不行于完城池,有道者不行于无君。故莫知其将至也,至而不可圉。莫知其将去也,去而不可止。敌人虽众,不能止待。

[注释]

①爱:贪图。②伎:通"技",才能,技艺。③间:侦查,伺查。④儆:报警。⑤乘:趁着,凭借。瑕:空隙,薄弱环节。

[译文]

凡是用兵先要抢夺的原因是,圣贤有德行的人不贪图尊高的爵位，有道术能力的人不贪图国家的官职，有技艺勇气的人不贪图优厚的俸禄，听力好、视力好的人不为金钱和财货。因此伯夷、叔齐不是死了以后才有名的，而是以前就注重修德；周武王不是在甲子的早上就取胜的，以前就多行善政。因此小规模的征战，要了解千里地的情况。修建一堵墙壁，十人聚集的地方，也要每天侦查五次。至于大规模的征战，就要了解天下的情况，每日都要多次侦查。花钱收买耳目，所以善用兵的人，没有沟垒防御工事却有耳目。兵不可高声呼警，不可草率集合，不可徒劳行军，不可勉强进攻。如果高声呼警，敌人就有所戒备；如果草率集合出动，那么兵众不肯效力；如果妄自行军，那么士卒困乏；如果勉强进攻，那么精兵就会受挫。因此凡是用兵的人，攻坚容易受挫，攻弱收得神效。攻坚，其薄弱环节也会变得坚固；攻弱，其坚固部分也会变得薄弱。所以要稳住其坚固环节，削弱其薄弱环节。屠夫一天割解九头牛，而屠刀还能削铁，就是因为刀刃总是在空隙间活动的缘故。所以，在天道不顺的时候，敌人屈服也不宜追逐；敌国人事荒乱，就可以以十破百；敌国兵器不备，就可以以半击倍，所以，军事争夺不打坚固的城池，有道义的不打无君的国家。要使人不知其将要来到，到了就无法防御；要使人不知其将要离去，去了便不能阻止。这样敌人虽多，也是不能阻拦和防御的。

治者所道①富也，而治未必富也，必知富之事，然后能富。富者所道强也，而富未必强也，必知强之数②，然后能强。强者所道胜也，而强未必胜也，必知胜之理，然后能胜。胜者所道制也，而胜未必制也，必知制之分，然后能制。是故治国有器，富国有事，强国有数，胜国有理，制天下有分。

[注释]

①道：通"导"，导致，引导。②数：措施。

[译文]

　　治理好国家的人可以导致国家富足,但治理好未必一定会富足,必须懂得富国的道理,然后才能富。富足可以导致国家强盛,但富足未必一定会强盛,必须懂得强国的措施,然后才能强盛。强盛可以导致胜利,但强盛未必一定能胜利,必须懂得胜利的正理,然后才能取得胜利。胜利可以导致控制天下,但胜利未必一定能控制天下,必须懂得控制天下的纲领,然后才能控制。所以,治理国家要有军备,使国家富强要有生产,使国家强大要有措施,使国家胜利要有正理,控制天下要有纲领。

君臣上

为人君者，修官上之道而不言其中①。为人臣者，比②官中之事而不言其外。君道不明，则受令者疑；权度不一，则修义者惑。民有疑惑贰豫③之心而上不能匡，则百姓之与间④，犹揭表⑤而令之止也。是故能象⑥其道于国家，加之百姓，而足以饰⑦官化下者，明君也。能上尽言于主，下致力于民，而足以修义从令者，忠臣也。上惠其道，下敦其业，上下相希⑧，若望参表⑨，则邪者可知也。吏啬夫任事，人啬夫任教。教在百姓，论在不挠⑩。赏在信诚，体之以君臣，其诚也以守战。如此，则人啬夫之事究矣。吏啬夫尽有訾程事律⑪，论法辟、衡权、斗斛、文劾⑫，不以私论，而以事为正⑬。如此，则吏啬夫之事究矣。人啬夫成教、吏啬夫成律之后，则虽有敦悫忠信者不得善也，而戏豫怠傲者不得败也。如此，则人君之事究矣。是故为人君者，因其业，乘其事，而稽⑭之以度。有善者，赏之以列爵之尊、田地之厚，而民不慕也。有过者，罚之以废亡之辱、僇死之刑，而民不疾也。杀生不违，而民莫遗其亲者，此唯上有明法，而下有常事也。

[注释]

①修：通"循"，遵循。官上之道：统领群臣的办法。②比：通"庀"，

处理，治理。③贰豫：犹豫。④间：隔阂。⑤揭：举。表：表面。⑥象：为，作。⑦饬：通"饰"，整饬。⑧希：通"望"，观察。⑨参表：用以参验的标志。⑩论：论罪。挠：枉曲。⑪訾：计量。程：法程规章。訾程，指计量的规章，与"事律"相对应；事律，指办事的法规。⑫文劾：根据律令弹劾。⑬正：即据事实为准。⑭稽：考核。

[译文]

  作为君主的，要遵循统领群臣的办法，不要干预群官职责以内的事务；作为臣子的，要处理职责以内的事，而不要干预到职责以外去。君主之道不明确，那么接受命令的人就会疑惑；权限划分不统一，遵循道义的人就会感到迷惑。如果人民有疑惑犹豫的心理，国君却不能加以纠正，那么百姓与国君的隔阂，就像张贴告示叫他们止步不前一样。所以，为国家树立君主之道，用在百姓身上，并且能够治理官员教化百姓的，那就是明君。向上对君主言无不尽，向下为人民全力办事，并且能够遵循道义服从命令的，就是忠臣。君主顺从君道，臣子谨守职责，上下相互观察，就像看着测验日影的圭表一样，有谁不正，就可以分辨出来了。"吏啬夫"担任督察的事，"人啬夫"担任教化的事。教化要在百姓中实行，论罪应当不枉法行私。行赏要信诚，在君臣的精神上体现出来，其成效表现在人民的守国和作战方面。这样，人啬夫的职责就完成了。吏啬夫完全掌握着计量的规章和办事的法律。审议刑法、权衡、斗斛、文告与劾奏，都不凭私意论断，而是以事实为准。这样，吏啬夫的职责就完成了。人啬夫制成规训和吏啬夫制成律令以后，即使是谨朴忠信的人也不许增补；而玩忽怠惰的人更不许破坏。这样，君主的职责就完成了。因此，做人君的要根据吏啬夫和人啬夫各自不同的职务和职责，凭借法度来考核他们。表现好的，就用尊贵的爵位和美厚的田产来奖赏他们，即使这样做，人民也不会有攀比羡慕的心理。表现不好犯错的，就用撤职的耻辱和诛死的重刑来处罚，人民也不会感觉疾恨抱怨。生与杀都不违背法度，人民也就安定而没有遗弃父母的。要想做到如此，只有依靠上面有明确的法制和下面有固定的职责。

天有常象，地有常形，人有常礼，一设而不更，此谓三常。兼而一之，人君之道也；分而职之，人臣之事也。君失其道，无以有其国；臣失其事，无以有其位。然则上之畜下不妄，而下之事上不虚矣。上之畜下不妄，则所出法制度者明也；下之事上不虚，则循义从令者审也。上明下审，上下同德，代①相序也。君不失其威，下不旷其产，而莫相德也。是以上之人务②德，而下之人守节义，礼成形于上，而善下通于民，则百姓上归亲于主，而下尽力于农矣，故曰：君明、相信、五官肃、士廉、农愚、商工愿③，则上下体而外内别也。民性因，而三族制也④。

[注释]

①代：更。②务：追求。③愿：诚实谨慎。④性：通"生"，生命。因：依靠。三族：指农工商。

[译文]

天有惯常的气象，地有惯常的形体，人有惯常的礼制，一旦设立就不更改，这就叫做三常。统一规划的，是人君之道；分管各项职责的，是人臣的职责。人君违背了君道，就没有什么凭借来保有他的国家；人臣旷废了职责，就没有什么凭借来保持他的官位。既然如此，那么君养臣能对之以真诚，臣事君也就不虚妄。君养臣真诚，就是说立法定制的君主是英明的；臣事君实在，就是说奉公行法、服从命令的臣子是审慎的。上面英明，下面审慎，上下同心同德，更形成了相互之间的固定秩序。君主不失其威信，臣下不旷废事业，需要互相感恩怀德。因此，在上的人讲求道德，在下的人追求谨守本分，礼在上面形成了典范，美善在下面贯通到人民，这样,百姓就都向上亲附于君主,向下致力于农业了。所以说:君主英明,丞相诚信,五官严肃,士人廉直,农民愚朴,商人与工匠谨厚,那么,上下各得其体,内外有一定的分别。人民生活有依靠,而农、商、工三类人也都有所制约了。

夫为人君者,荫德于人者也。为人臣者,仰生于上者也。为人上者,量功而食之以足;为人臣者,受任而处之以教①。布政②有均,民足于产,则国家丰矣。以劳受禄,则民不幸生。刑罚不颇③,则下无怨心。名正分明,则民不惑于道。道也者,上之所以导民也。是故道德出于君,制令传于相,事业程于官,百姓之力也,胥④令而动者也。是故人君也者,无贵如其言,人臣也者,无爱如其力。言下力上,而臣主之道毕矣。是故主画之,相守之;相画之,官守之;官画之,民役之;则又有符节、印玺、典法、策籍以相揆⑤也。此明公道而灭奸伪之术也。论材量能,谋德而举之,上之道也;专意一心,守职而不劳,下之事也。为人君者,下及官中之事,则有司⑥不任;为人臣者,上共专于上,则人主失威。是故有道之君,正其德以莅民,而不言智能聪明。智能聪明者,下之职也,所以用智能聪明者,上之道也。上之人明其道,下之人守其职,上下之分⑦不同任,而复合为一体。是故知善⑧,人君也;身善,人役也。君身善,则不公矣。人君不公,常惠于赏,而不忍于刑,是国无法也。治国无法,则民朋党而下比⑨,饰巧以成其私。法制有常,则民不散而上合,竭情⑩以纳其忠。是以不言智能⑪,而顺事治,国患解,大臣之任也。不言于聪明,而善人举,奸伪诛,视听者众也。是以为人君者,坐万物之原⑫,而官诸生之职者也。选贤论材,而待之以法。举而得其人,坐而收,其福不可胜收也。官不胜任,奔走而奉，其败事不可胜救也。而国未尝乏于胜任之士，上之明适⑬不足以知之。是以明君审知胜任之臣者也。故曰：主道得，贤材遂，百姓治，治乱在主而已矣。故曰：主身者，正德之本也；官治者，耳目之制也。身立而民化，德正而官治。治官化民，其要⑭在上。是故君子不求于民，是以上及下之事，谓之矫；下及上之事，谓之胜。为上而矫，悖也；为下而胜，逆也。国家有悖逆反迕⑮之行，有土主民者，失其纪也。

[注释]

①教：应为"敬"。②布政：即行政。③颇：偏颇。④胥：等待。⑤揆：掌管。⑥有司：指主管的人。⑦分：职分。⑧知善：知人善任。⑨朋党：结党营私。比：勾结。⑩竭情：尽心。⑪智能：智谋与才能。⑫坐：主持，掌管。原：根本，原则。⑬适：通"啻"，只，仅仅。⑭要：关键，要领。⑮反迕：不顺从。

[译文]

作为人君，就要用德来庇护人们；作为人臣，就要依赖君主生活。做人君的，要考核功绩而用足够的俸禄供养他们；做人臣的，要严肃认真地接受任务并执行。行政要平均，人民在产业上能够自足，国家也就富裕了。授禄于有功劳的人，人民就不会侥幸偷生；刑罚不出偏差，下面就不会有抱怨的情绪。名义正职分明，人民对于治国之道就不会有疑惑了。所谓"道"，就是君主用来引导人民的。所以，道与德出自于君主，法制和命令由丞相发布传播，各种事业由官吏裁定，百姓的力量，是等待命令而行动的。所以，做人君的，再没有比言语更贵重的了。做人臣的，再没有比才力更令人珍惜的了。君主的言语下通于臣，人臣的才力上达于君，这样君臣之道就算完备了。所以，君主出谋划策，宰相遵守执行；宰相出谋划策，官吏遵守执行；官吏出谋划策，人民就要去出力服役。然后又有符节、印玺、典章、法律、文书和册籍，来考其真伪定其是非，这都是用来辨明公道和消除奸伪的办法。评选人才，衡量能力，考虑德行，然后加以举用，这是做君主的王道。专心一意，谨守职务而不以之为劳苦，这是做人臣的职责。做人君的，如果向下干预官吏职责以内的事务，那么主管官吏将会无法负责；做人臣的，如果向上独断专行君主的权力，那么君主就会丧失威信。因此有道之君，总是使自己的道德端正来领导人民，而不讲究智能和聪明。智能和聪明之类，是臣下的职能所要讲究的；所以如何去使用臣下的智能聪明，才属于为君之道。在上的人要使君道阐明，在下的谨守他们的职务，上下的职分，在任务上是不同的，而它们又合成为一体。所以，知人善任的是人君，总是亲自做事的是被人使役的人。君主也总亲自做事，就不能够公正了。君主不公正，就往往喜爱行赏，而不忍动用刑罚，这样，国家就没有法制了。治国没有法制，人民就会搞帮派而在下面相勾结，搞虚伪巧诈来完成他个人的私利。如果法制行之有素，人民就不会分帮分派而能够向上聚合，全心全意贡献他们的忠诚。所以，君主不讲究才智能力，却能使朝中之事得到治理，国家之患得以解除，这是因为任用大臣的缘故。君主不讲究聪明，却能使善人得以举用，奸伪之人被诛灭，这是因为替国家监视听察的人很多的缘故。所以，做君主的，是掌握万事的原则，而授予众人职事的。选拔贤人，评选人才，并且要依照法度来对待他们。如果举用人才正确得当，就可以不费力而治理好国家，好处是不可尽收的。如果官吏不能胜任，即使奔走从事，他们所败坏的事情，也是很难补救的。国家并不缺乏能够胜任的人才，只是君主的贤明还不足以知道他们。所以，英明的君主，总是认真查访能够胜任的人臣。所以说，如果君道正确，贤才就能得以举用，百姓得到治理，国家的治乱只在于君主而已。所以说，君主自身，是规正道德的根本，官吏的管理，就好比耳目，是受这根本所限制的。君主立身，人民就受到教化；君主规正道德，官吏就能治理好。治理官吏和教化人民，关键在于君主。所以，君子是不要求于人民的。因此，上面干涉下面的职务，叫"矫"；下面干涉上面的事情，叫"胜"。在上的人"矫"，就是悖谬；在下的人"胜"，就是叛逆。国家如果有悖逆违抗的行为，那就是拥有国土统治人民的君主丧失了纲纪的结果。

是故别交正分之谓理，顺理而不失之谓道。道德定而民有轨①矣。有道之君者，善明设法，而不以私防者也。而无道之君，既已设法，则舍法而行私者也。为人上者释法而行私，则为人臣者援私以为公。公道不违，则是私道不违者也。行公道而托②其私焉，浸久而不知，奸心得无积乎？奸心之积也，其大者有侵逼杀上之祸，其小者有比周③内争之乱。此其所以然者，由主德不立，而国无常法也。主德不立，则妇人能食其意④；国无常法，则大臣敢侵其势。大臣假于女之能，以规⑤主情；妇人嬖宠，假于男之知，以援外权。于是乎外⑥夫人而危太子，兵乱内作，以召外寇，此危君之征也。

[注释]

①轨：法度，规范。②托：寄托，假托。③比周：结党营私。④食：通"伺"，窥伺。意：意图。⑤规：通"窥"，窥探。⑥外：疏远。

[译文]

所以，区别上下关系，规正君臣职分，叫做"理"；顺应道理，不犯错误，叫做"道"。道德规范确定下来，人民就有规范可以遵循了。有道之君，是善于明确设立法制，而不用私心来阻碍的。但是无道的君主，就算已经设立法制，也要舍弃法律而行私。做人君的舍弃法律而行私，那么做人臣的就将把私心作为公道。所谓不违背公道，实际上也就是不违背私道了。表面执行公道而实际上寄托私心，如果时间久了而不被发觉，他的奸恶之心怎能不越积越大呢？奸恶思想越积越大，那么，往大里说就会有侵逼和杀害君主的祸事，往小里说也将有相互勾结、发生内争的祸乱。这类事情之所以产生，正是由于君主的道德没有树立而国家没有常法的缘故。君德不树立，妇女就能够窥伺他的意图；国家没有常法，大臣就敢侵夺他的权势。大臣利用女人的能力来刺探君主的意图，被宠爱的妇人利用男人的智谋以引来外部的力量。于是，君主就会废掉夫人而危害太子，国内发生兵乱，以至于招来外寇，这是危害国君的表现。

　　是故有道之君，上有五官以牧其民，则众不敢逾轨而行矣；下有五横以揆其官，则有司不敢离法而使矣。朝有定度衡仪，以尊主位，衣服绋绔①，尽有法度，则君体②法而立矣。君据法而出令，有司奉命而行事，百姓顺上而成俗，著久而为常。犯俗离教者，众共奸之，则为上者佚③矣。天子出令于天下，诸侯受令于天子，大夫受令于君，子受令于父母，下听其上，弟听其兄，此至顺矣。衡石一称，斗斛④一量，丈尺一綧⑤制，戈兵一度，书同名，车同轨，此至正也。从顺独逆，从正独辟，此犹夜有求而得火也，奸伪之人，无所伏矣，此先王之所以一民心也。是故天子有善，让德于天；诸侯有善，庆之于天子；大夫有善，纳之于君；民有善，本于父，庆之于长老。此道法之所从来，是治本也。是故岁一言者，君也；时省⑥者，相也；月稽者，官也；务四支⑦之力，修耕农之业以待令者，庶人也。是故百姓量其力于父兄之间，听其言于君臣之义，而官论其德能而待之。大夫比⑧官中之事，不言其外。而相为常具以给之。相总要者，官谋士，量实义⑨美，匡请所疑，而君发其明府之法瑞以稽之。立三阶之上，南面而受要，是以上有余日，而官胜其任；时令不淫，而百姓肃给⑩。唯此上有法制，下有分职也。

[注释]

①绋：同"衮"，衮衣，古代天子及上公所穿的衣服。绕：同"冕"，冠冕。②体：实践，实行。③佚：通"逸"，安逸，安乐。④斛：古代量器，十斗为一斛。⑤绎：丈量的标准。⑥时：四时。省：考察，审查。⑦支：通"肢"。⑧比：安排，排列。⑨乂：通"议"，评论。⑩肃给：敬谨供给。

[译文]

所以有道的君主，在上面设立五官来治理人民，民众就不敢越轨行动了；在下面有五横之官来管理官吏，执事官吏就不敢背离法制而行使职权了。朝廷有一定的制度和礼仪，来尊奉君主的地位，君主的衣服——衮衣和冠冕，也都有法度规定，那么君主就依法而临政了。君主依据法律而出令，官吏奉命而办理事务，百姓顺从君主并形成风俗，这样时间长久形成常规。如果有违犯习俗背离礼教的人，群众就会共同加罪于他，做君主的就安逸无事了。天子向天下发布命令，诸侯从天子那里接受命令，大夫从本国国君那里接受命令，儿子从父母那里接受命令，处于下级的要听上级的，弟听兄长的，这是最通顺的准则。衡石的称计是统一的，斗斛的量度是统一的，丈尺的标准是统一的，武器的标准是统一的，书写的文字是相同的，车辙的宽窄是相同的，这是最正确的规范。如果大家都顺从，而只有一个人叛逆，大家都正，而只有一个人偏斜，这就像在黑夜中找东西而见到火光一样，奸伪的人是无法隐藏得住的。这就是先王为什么坚持统一民心的原因。所以，天子有了成就，就要把功德归让于上天；诸侯有了成就，就要把成就归功于天子；大夫有了成就，就要奉献给本国国君；人民有成就，就应当追溯他们的父亲，并归功于他们的长辈和老辈。这就是"道"和"法"所产生的根源，也是治国的根本。因此，按年考察其言论的是君主，按四时考察工作的是辅相，按月进行考核的是一般的官吏，从事农业劳动以等待上面发布命令的是一般平民。所以，对于平民百姓，应当在他们的父兄中间评量他的能力，应当就君臣的大义方面来听取他们的言论，而官府根据他们的品德、才能来安排。大夫只安排官职以内的事务，而不谈论职责以外的事情；至于辅相，就要定出经常的条例来给百官做依据。辅相总揽关键要务，百官谋士们根据实际情况评议好的措施，请辅相来纠正他们有疑问的地方。君主则调发大府内有关的法令和珪璧印信，来进行考核，站在三层台阶之上，面向南接受辅相呈上的政事枢要就行了。这样，君主有余暇的时日，而百官胜任其职务；四时的政令不出错误，而百姓严肃地供给上面。这都是上有法制，而下面各有职分的结果。

道者，诚人之姓①也，非在人也。而圣王明君，善知而道②之者也。是故治民有常道，而生财有常法。道也者，万物之要也。为人君者，执要而待之，则下虽有奸伪之心，不敢杀③也。夫道者虚设，其人在则通，其人亡则塞者也。非兹是无以理人，非兹是无以生财。民治财育，其福归于上，是以知明君之重道法而轻其国也。故君一国者，其道君之也；王天下者，其道王之也。大王天下，小君一国，其道临之也。是以其所欲者能得诸民，其所恶者能除诸民。所欲者能得诸民，故贤材遂；所恶者能除诸民，故奸伪省。如冶之于金，陶之于埴④，制在工也。是故将与之，厚惠不能供；将杀之，严威不能振⑤。严威不能振，厚惠不能供，声实⑥有间也。有善者不留其赏，故民不私其利；有过者不宿⑦其罚，故民不疾⑧其威。威罚之制，无逾于民，则人归亲于上矣。如天雨然，泽下尺，生上尺。是以官人不官，事人不事，独立而无稽者，人主之位也。先王之在天下也，民比之神明之德，先王善牧之于民者也。夫民别而听之则愚，合而听之则圣，虽有汤武之德，复合于市人之言。是以明君顺人心，安情性，而发于众心之所聚。是以令出而不稽⑨，刑设而不用，先王善与民为一体。与民为一体则是以国守国，以民守民也，然则民不便为非矣。虽有明君，百步之外，听而不闻；间之堵墙，窥而不见也。而名为明君者，君善用其臣，臣善纳其忠也。信以继信，善以传善，是以四海之内，可得而治。是以明君之举其下也，尽知其短长，知其所不能益，若任之以事。贤人之臣其主也，尽知短长与身力之所不至，若量能而授官。上以此畜下，下以此事上，上下交期于正，则百姓男女，皆与治焉。

[注释]

①姓：通"性"，本性，禀性。②道：通"导"，引导。③杀：尝试。④埴：制陶的黏土。⑤振：通"震"，惊恐，害怕。⑥声：声势。实：事实，实际情况。⑦宿：停留，推延。⑧疾：损害。⑨稽：拖延，延迟。

[译文]

道德，确实是出于人的本性，不是由人产生的。圣德贤明的君王是善于了解它引导它。所以，治理百姓有常规的道德准则，取财有常规的法则。"道"是万物的关键，做君王的掌握这个枢要来处理事情，下面的百官就是有奸伪之心也不敢尝试。"道"是存在于虚处的，行道的君王在，道就能畅通；行道的君王不在，道就闭塞起来。没有道就不能治理百姓，没有道就不能得到合理的钱财。百姓治理得好，财富得以繁衍，福祉还是归于君主。这样，就了解为什么贤明的君王重视道德法制而轻视国家。所以，君主统治一个国家，就是他的为君之道在那里统治；帝王统治天下，就是他的帝王之道在那里统治。无论大到统治天下，小到统治一国，都是他们的为君之道在那里起作用。因此，他所想要的就能够从人民那里得到，他所厌恶的就能够从人民那里除掉。想要的能在人民那里得到，所以贤能的人才就可以被举用；所厌恶的能在人民那里除掉，所以奸伪分子就能被察觉。好像从事冶炼的工匠对于金属，制作陶器的工匠对于黏土，想要制作什么都是由工匠掌握的一样。所以，将要实行赏赐，赏的过于厚反而不能供应；将要行杀，过于严厉反而不能震慑。行杀过严而不能震慑，赏赐过厚而不能供应，都是由于处理的名义和实际情况不符造成的。做好事的人，不折扣他应得的奖赏，人民就不会隐藏自己的私利；有过失的，不拖延对他的惩罚，人民就不会抱怨刑威。赏罚的制定，不超过人民所应得的，人民就归附和亲近君王了。这就像天下雨一样，天降下一尺的雨量，大地里的禾苗就向上生长一尺。所以授人官职而自己不为官，给人事务而自己不任事，独立行动而无人考核的，这就是君主的地位。古代先王主持天下的时候，人民就把他的德行比作神明，先王也是善于吸收人民意见的。关于人民的意见，只个别地听取，就会是愚蠢的；全面综合地听取，就将是圣明的。即使有商汤、周武王的道德，也还要多方搜集众人的言论。因此，英明的君主，顺从人心，稳定人的性情，行事都从众人共同关心的地方出发。这样，命令布置下去，就不会阻碍；刑罚设置了，却用不着。先王善于同人民合成一体。与民一体，那就是用国家保卫国家，用人民保卫人民，人民就不去为非作歹了。虽然是英明的君王，距离在百步以外，也照样听不到；隔上一堵墙，也照样看不见。但能够称为明君，是因为善于任用他的臣下，而臣下又善于贡献出他的忠诚。信诚导致信诚，良善导致良善，所以四海之内都可以治理好。因此，明君举用下面的人才，总是完全了解他的短处和长处，了解到他的才能的最高限度，才委任给他职务。贤人事奉他的君主，总是完全认识自己的短处和长处，认识到自己力所不及的限度，才量度能力而接受官职。君主按照这个原则来供养臣下，臣下也按照这个原则来事奉君主，上下都互相想着公正，那么百姓就都能治理好了。

君臣下

古者未有君臣上下之别，未有夫妇妃匹①之合，兽处群居，以力相征。于是智者诈愚，强者凌弱，老幼孤独，不得其所。故智者假众力以禁强虐，而暴人止。为民兴利除害，正民之德，而民师之。是故道术德行，出于贤人，其从义理兆②形于民心，则民反道矣。名物处，违是非之分，则赏罚行矣。上下设，民生体，而国都立矣。

是故国之所以为国者，民体以为国；君之所以为君者，赏罚以为君。致③赏则匮，致罚则虐，财匮而令虐，所以失其民也。是故明君审居处之教，而民可使居治、战胜、守固者也。夫赏重则上不给也，罚虐则下不信也。是故明君饰食饮吊伤之礼④，而物属之者也。是故厉⑤之以八政，旌⑥之以衣服，富之以国裹⑦，贵之以王禁，则民亲君可用也。民用，则天下可致也。天下道其道则至，不道其道则不至也。夫水波而上，尽其摇而复下，其势固然者也。故德之以怀也，威之以畏也，则天下归之矣。有道之国，发号出令，而夫妇尽归亲于上矣。布法出宪，而贤人列士尽功能⑧于上矣。千里之内，束布之罚，一亩之赋，尽可知也。治斧钺者不敢让⑨刑，治轩冕者不敢让赏，坟然⑩若一父之子，若一家之实，义礼明也。

[注释]

①妃匹：配偶。②兆：开始。③致：通"至"，极，尽。④饬：通"饬"，整饬，整治。吊伤：即吊丧。⑤厉：勉励。⑥旌：表彰。⑦襄：王念孙云："书传无谓财货为'襄'者，'襄'当为'稟'，字形相似而误，'稟'，古'廩'字。"⑧功能：才能。⑨让：窃夺。⑩坟然：顺从的样子。

[译文]

从前既没有君臣上下的分别，也没有夫妻配偶的结合，人们就像野兽一样共处群居，凭借强力互相争夺。于是智者诈骗愚者，强者欺凌弱者，老、幼、孤、独不能够善得其所。因此，圣人就依靠众人的力量来禁止强暴，强暴的人被制止。由于为人民兴利除害，匡正人民的德行，人民便把圣人作为老师。所以道术和德行是从贤人那里产生的，其义理在人民的心里开始形成，那么人民就会返回正道。辨别名物，分辨是非，那么赏罚就可以施行。上下关系确立，以民生为根本，那么国家都城也就可以建立起来了。

所以，国家之所以成为国家，是因为以人民为根本；君主之所以成为君主，是因为以赏罚为根本。赏赐过多，就会导致财力匮乏；惩罚过重，就会导致法令暴虐。财力匮乏和法令暴虐，都是丧失民心的原因。所以，贤明的君主谨慎注意人民平时的教化，可以使人民居处安定，征战取胜，防守坚固。赏赐过多了，上面就无法供给；惩罚过重了，人民就不会信服。所以，贤明的君主整治饮宴、吊丧的礼节，按照等级给予不同的礼遇。所以，君主用八种官职来勉励他们，用品秩的衣服来表彰他们，用国家俸禄来使他们富裕，用国家禁令来使他们显贵，那么人们就会亲附君主，为君主所用。人民可用，天下就会归附了。人君行君道，天下就会来归附；不行君道，天下就不会来归附。这好比水波向上涌起，尽力摇荡之后又会重新落下来，这是必然的趋势。所以，施行恩德来安抚人们，施行威势来震慑人们，那么天下就会归附了。一个治国有道的国家，发号施令，国内男女都会亲附于君主；通过公布法律和宪章，贤人、有名望的人都会向君主贡献才能。千里之内的地方，哪怕是一束布的惩罚，一亩地的赋税，君主都能够了解。掌管刑杀的不敢窃夺刑杀的权限，掌管赏赐的不敢窃夺赏赐的权限，人们顺从得像一个父亲的儿子，像一个家庭的情况一样，这是由于义礼分明的缘故。

夫下不戴①其上，臣不戴其君，则贤人不来；贤人不来，则百姓不用；百姓不用，则天下不至。故曰：德侵则君危，论侵则有功者危，令侵则官危，刑侵则百姓危。而明君者，审禁淫侵②者也。上无淫侵之论，则下无异幸之心矣。

为人君者，倍③道弃法，而好行私，谓之乱。为人臣者，变故易常，而巧官④以谄上，谓之腾⑤。乱至则虐，腾至则北⑥，四者有一至，败，敌人谋之。则故施舍优犹⑦以济乱，则百姓悦。选贤遂⑧材，而礼孝弟，则奸伪止。要⑨淫佚，别男女，则通乱隔。贵贱有义，伦等⑩不逾，则有功者劝。国有常式，故法不隐，则下无怨心。此五者，兴德、匡过、存国、定民之道也。

[注释]

①戴：尊奉。②淫侵：擅权越分。③倍：通"背"，违背。④官：王引之云："'官'当为'言'，字形相似而误。"⑤腾：凌驾。⑥北：通"背"，背叛。⑦优犹：即优游，优裕，宽裕。⑧遂：推荐。⑨要：约束，禁止。⑩伦等：等级。

[译文]

下面不尊奉上面，臣子不尊奉君主，贤人就不会出来；贤人不出来，百姓就不肯为君所用；百姓不肯为君所用，天下就不会归顺。所以说，施行德政的权力被侵夺，君主就危险；论功行赏的权力被侵夺，有功的人就危险；发号施令的权力被侵夺，官吏就危险;制定刑法的权力被侵夺,百姓就危险。贤明的君主,明确禁止这种擅权越分的行为。上面没有擅权越分的议论,下面就不会有妄想侥幸的心理了。

作为人君,违背君道,抛弃法制,而好行私,这叫做混乱。作为人臣,改变旧制,更易常法,而用花言巧语来谄媚君主,这叫做凌驾。混乱达到了极点就会暴虐,凌驾达到了极点就会背叛。这四种现象出现任何一种,国家就会破败,敌人就会来图谋。所以,国君要广施恩惠,宽容大度来防止祸乱,那么人民喜悦。选拔贤人,推荐人才,礼敬孝悌,奸诈虚伪的行为就会制止。禁止淫荡安逸,辨别男女,那么私通淫乱的行为就会隔绝。贵贱有别,等级不乱,那么立功的人就会受到鼓励。国家有常法,且向人民公开,人民就没有怨恨之心。这五个方面,都是振兴德行、匡正错误、保存国家和安定人民的办法。

夫君人者有大过,臣人者有大罪。国,所有也;民,所君①也。有国君民而使民所恶制之,此一过也。民有三务,不布其民,非其民也。民非其民,则不可以守战,此君人者二过也。夫臣人者,受君高爵重禄,治大官,倍其官,遗其事,穆②君之色,从其欲,阿而胜之③,此臣人之大罪也。君有过而不改,谓之倒;臣当罪而不诛,谓之乱。君为倒君,臣为乱臣,国家之衰也,可坐而待之。是故有道之君者执本,相执要,大夫执法,以牧其群臣,群臣尽智竭力以役其上。四守者得则治,易则乱,故不可不明设而守固。昔者圣王本厚民生,审知祸福之所生。是故慎小事微,违非④索辩以根之。然则躁作⑤、奸邪、伪诈之人不敢试也。此礼正民之道也⑥。古者有二言:"墙有耳,伏寇⑦在侧。"墙有耳者,微谋⑧外泄之谓也。伏寇在侧者,沉疑得民之道也⑨。微谋之泄也,狡妇袭主之请,而资游慝⑩也;沉疑之得民也者，前贵而后贱者为之驱也。明君在上，便僻⑪不能食其意，刑罚亟近⑫也。大臣不能侵其势，比党者诛，明也。为人君者，能远谗谄，废比党，淫悖行食之徒，无爵列于朝者，此止诈、拘⑬奸、厚国、存身之道也。

[注释]

①君：治理。②穆：俞樾云："《续汉祭祀志注》引《决疑要注》曰'穆，顺也'。'穆君之色'即顺君之色。"③阿：曲从，迎合。胜：应为"腾"字之误。④违非：是非。违，通"韪"。⑤躁作：指行为不遵循礼法。⑥"此礼"句："礼"上疑脱一"制"字。⑦伏寇：暗藏的仇敌。⑧微谋：密谋。⑨沉疑：郭沫若云："'沉'谓阴险，疑谓僭拟。"道：应为"谓"字之误，上文"微谋外泄之谓也"，可证。⑩游愿：指凭借游说从事邪恶活动的人。⑪便僻：同"便辟"，指君主左右受宠幸的小臣。⑫亟近：即亲近，指近侍。⑬拘：束缚，限制。

[译文]

人君可能有大的过失，人臣可能有大的罪过。国家归君主所有，人民归君主统治，拥有国家，治理人民，而让人民所憎恶的人去管理，这是人君的第一个过失。人民有三季节的农事，君主不向人民布置生产，农民也就不成其农民了；农民不成其农民，那么就不能用来防守作战了，这是人君的第二个过失。作为人臣，接受国君的高爵重禄，担任重要的官职，却违背职守，放弃职责，顺从君主的颜色，满足君主的私欲，逢迎君主并进而控制君主，便是人臣的大罪。人君有过失而不改正，叫做"倒"；人臣有罪过而不惩罚，叫做"乱"。如果君主是"倒君"，人臣是"乱臣"，那么国家的衰亡，就可以坐着等待了。因此，有道的君主要掌握治国的根本原则，丞相要掌握治国的纲要，大夫掌握治国的法令来管理臣下，臣下都会尽心竭力为君主服务。这四种职守做到了，国家就能治理好；废弃了国家就会混乱，所以不可不明确规定而坚决遵守。古时候,圣明的君主把重视民生作为根本,审察了解祸福产生的原因。所以,关于民生微小的事情都十分谨慎,明辨是非,并穷根溯源。这样,违法、奸邪和诈伪的人就不敢尝试了。这是制定礼仪规正人民的办法。古时候有两句话:"墙上有耳,身旁还有暗藏的仇敌。"所谓墙上有耳,是说密谋的事情有可能泄露。所谓身旁有暗藏的仇敌,是说阴险僭拟的大臣可能获得民心。密谋的事情泄露,是由于狡猾的宠妇刺探君主内情,从而帮助凭借游说从事邪恶活动的人。阴险僭拟的大臣获得民心,是由于此前尊贵而后沦为卑贱的人愿意被他所驱使。贤明的君主在上,宠臣不敢窥伺君主的意图,是由于刑罚首先施行于亲侍;大臣们不敢侵夺君主的权势,是因为勾结私党要被诛杀,这是很明确的。作为人君,能够做到远离谗言谄语,废除勾结私党,使那些邪恶违道和游荡求食的人,不能混入朝廷接受爵位,这是制止诈伪、束缚奸邪、巩固国家和保全自身的办法。

为人上者,制群臣百姓,通中央之人和。是以中央之人,臣主之参①。制令之布于民也,必由中央之人。中央之人,以缓为急,急可以取威;以急为缓,缓可以惠民。威惠迁于下,则为人上者危矣。贤不肖②之知于上,必由中央之人;财力之贡于上,必由中央之人。能易贤不肖而可威③党于下,有能以民之财力上咺其主④,而可以为劳于下。兼上下以环⑤其私,爵制而不可加,则为人上者危矣。先其君以善者,侵其赏而夺之实者也。先其君以恶者,侵其刑而夺之威者也。讹言于外者,胁其君者也。郁令⑥而不出者,幽其君者也。四者一作而上下不知也,则国之危,可坐而待也。

[注释]

①参:参与者。②不肖:不才,不贤。③威:王念孙云:"'威'当作'成',谓成朋党于下也。"④有:通"又"。咺:引诱。⑤环:谋取。⑥郁令:

阻滞。

[译文]

作为君主，治理群臣和百姓，是通过左右大臣来实现的。所以左右大臣是群臣与君主之间的参与者。制定制度和法令并向人民公布，必须经过左右大臣。左右大臣可以把缓办的事改为急办，从而猎取权威；又可以把急办的事改为缓办，从而对人民表示恩惠。君主的权威与恩惠如果转移到了下面，那么君主就危险了。把官吏的贤能与否报告君主的，必定经过左右大臣；把各地方的财力贡献给君主的，也必定经过左右大臣。左右大臣能把贤能说成不肖，把不肖说成贤能，从而在下面结党营私；又能用百姓的财力引诱君主，从而在上面邀功请赏。在君主和臣民两头谋求私利，使官爵和法制对他都不起作用，那么作为君主的就危险了。先于君主行赏，这是侵夺君主的行赏大权和恩惠；先于君主行罚，这是侵夺君主的惩罚大权和威严；在外面制造谣言，这是威胁君主；阻滞法令的公布，这是封锁君主。这四种情况一旦发生，而君主还不知道，国家的危险可以坐着等待了。

神圣者王，仁智者君，武勇者长，此天之道、人之情也。天道人情，通者质①，宠②者从，此数之因也。是故始于患者，不与其事，亲其事者，不规③其道。是以为人上者患而不劳也，百姓劳而不患也，君臣上下之分素④，则礼制立矣。是故以人役上，以力役明，以刑⑤役心，此物之理也。心道进退，而刑道滔赶⑥。进退者主制，滔赶者主劳。主劳者方，主制者圆。圆者运，运则通，通则和。方者执⑦，执则固，固则信。君以利⑧和，臣以节信，则上下无邪矣。故曰：君人者制仁，臣人者守信，此言上下之礼也。

君之在国都也，若心之在身体也。道德定于上，则百姓化于下矣。戒⑨心形于内,则容貌动于外矣。正也者,所以明其德。知得诸⑩己,知得诸民,从其理也。知失诸民,退而修诸己,反其本也。所求于己者多,故德行立。所求于人者少,故民轻给之。故君人者上注,臣人者下注。上注者,纪天时,务民力;下注者,发地利,足财用也。故能饰大义,审时节,上以礼神明,下以义辅佐者,明君之道也。能据法而不阿,上以匡主之过,下以振⑪民之病者,忠臣之所行也。明君在上,忠臣佐之,则齐⑫民以政刑,牵于衣食之利,故愿⑬而易使,愚而易塞。君子食于道,小人食于力,分民。威无势也无所立,事无为也无所生。若此则国平而奸省矣。君子食于道,则义审而礼明。义审而礼明,则伦等不逾,虽有偏卒⑭之大夫,不敢有幸心,则上无危矣。齐民⑮食于力则作本,作本者众,农以听命。是以明君立世,民之制于上,犹草木之制于时也。故民迁则流之,民流通则迁之。决之则行,塞之则止,虽⑯有明君,能决之,又能塞之。决之,则君子行于礼;塞之,则小人笃于农⑰。君子行于礼,则上尊而民顺;小民笃于农,则财厚而备足。上尊而民顺,财厚而备足,四者备体,顷时而王不难矣。

[注释]

①质:尹知章云:"质,主也。"与下文"从"相对。②宠:丁士涵云:"'宠'当为'穷','通穷'犹尊卑也。"③规:谋划、考虑。④分素:职分确定。⑤刑:应为"形",形体。下文"刑道滔赶"中"刑"字与此同。⑥滔赶:屈伸。⑦执:掌握。⑧利:郭沫若云:"'利'当是'制'字之误。"制,即号令。⑨戒:王念孙云:"'戒'当为'成'字之误也。'成'与'诚'通。"⑩诸:"之于"的合音。⑪振:拯救。⑫齐:治理。⑬愿:老实,质朴。⑭偏卒:战车与兵卒。⑮齐民:平民。⑯虽:仅,只。⑰小人:应为"小民"之误,下文"小民笃于农,则财厚而备足"可证。笃:专一。

[译文]

神圣的人可以当帝王,仁智的人可以当国君,武勇的人可以当官长，这是天道和人情。对于天道和人情，尊通的人做君主，卑穷的人做臣仆，这是规律性所决定的，所以，起初负责谋划的人，并不参与具体的事务；亲身参与具体事务的，不负责谋划。所以，作为君主谋虑思患而不从事劳作；百姓从事劳作而不谋虑思患。君臣上下的职分确定，那么礼制也就建立起来了。所以，用人民来服事君上，用劳力来服事贤人，用形体来服事心灵，这就是事物的道理。心的功能是考虑进退，形体的功能是实践屈伸。考虑进行的掌管号令，实践屈伸的付出劳动。付出劳动的要方正，掌管号令的要圆通。圆的易于运转，运转易于变通，变通就和谐。方的易于掌握，易于掌握的能坚定，坚定的就可诚信。君主用号令来协调群臣，群臣用守节来表示诚信，那么上下之间的关系就不会有偏差了。所以说，作为君主要施行宽仁，作为臣子要谨守信用，这就是所说的上下之间的礼。

君主在国都，就如同心在身体里一样。君主在上面树立道德规范，百姓就在下面受到教化。诚心形成于体内，容貌举止就会在外面表现出来。所谓"正"，是用来表明君主德行的。知道从自己身上能得到什么，也就知道从百姓身上能得到什么，这是顺从道理推论的结果。知道从百姓身上会失去什么，就回头来修正自己，这是返回到根本的方法。对自己要求的多，德行就可以树立；对人民要求的少，人民就很容易供应。所以，作为君主要向上关注，作为人臣要向下关注。向上关注，掌握天时，安排民力；向下关注，开发地利，财用充足。所以能整饬治国纲要，研究天时季节，向上用礼敬奉神明，向下用义善待大臣，这就是明君的治国之道。能够依法办事而不阿谀逢迎，向上能够纠正君主的过失，对下拯救人民的疾苦，这就是忠臣的行为。明君在上，忠臣辅佐，用政教和刑罚来治理人民，使人民关心衣食的切身利益，这样，人民老实而容易被役使，愚昧而容易被控制。君子依靠推行治国之道来谋生，平民依靠出力劳动来谋生，这就是本分。威望没有什么权势，就无法树立起来；没有什么作为，也就无法生产财富。像这样，国家就会安定，坏人就会减少。君子依靠推行治国之道谋生，那么义理就可以详备，礼制就可以彰明。义理详备，礼制彰明，没有人敢于超越伦理的等级，即使拥有战车与兵卒的大夫也不敢存在侥幸的心理，这样君主就没有危险了。平民依靠出力劳动谋生，因而从事农业生产；从事农业生产的人多了，就会听从命令。所以，贤明的君主治理国家，人民受君主的节制，就如同草木受天时的制约一样。所以人民过于保守，就使他们开通一些；人民过于开通，就要使他们保守一些。开放就会流通，堵塞就会停止。只有贤明的君主既能够开放又能够堵塞。开放，君子就会遵守礼制；堵塞，小民就会专心务农。君子如果遵守礼制，君主就有尊严，人民也会顺从；小民专心务农，财物就会丰厚，贮备就会充足。君主有尊严、人民顺从、财物丰厚、贮备充足，具备了这四个方面，短时间内成就王业就不困难了。

四肢六道，身之体也。四正五官，国之体也。四肢不通，六道不达①，曰失。四止不止，五官不官，曰乱。是故国君聘妻丁异姓，设为侄娣、命妇、宫女②，尽有法制，所以治其内也。明男女之别，昭嫌疑之节，所以防其奸也。是以中外不通，逸慝③不生，妇言不及官中之事，而诸臣子弟无宫中之交，此先王所以明德圉奸、昭公威私也。

明④立宠设，不以逐子伤义。礼私爱骦，势不并伦。爵位虽尊，礼无不行。选为都佼⑤，冒之以衣服，旌之以章旗，所以重其威也。然则兄弟无间郄⑥，逸人不敢作矣。故其立相也，陈功而加之以德，论劳而昭之以法，参伍相德而周举之⑦，尊势而明信之。是以下之人无谏死之记⑧，而聚立⑨者无郁怨之心。如此，则国平而民无慝矣。其选贤遂材也，举德以就列，不类无德。举能以就官，不类无能。以德**拿**⑩劳，不以伤年。如此，则上无困而民不幸生矣。

[注释]

①达：畅通。②侄娣：古代诸侯贵族之女出嫁，以侄女和妹妹从嫁的称为侄娣。命妇：封建时代受封号的妇人。③谗慝：邪恶奸佞。④明：王念孙云："'明'犹尊也。""言庶子虽尊宠，不以代嫡子也。"⑤都佼：首要的。⑥间郤：隔阂。⑦参伍：错综比较，加以验证。德：应为"得"字之误。⑧諰：同"忌"，顾忌。⑨聚立：郭沫若云："'聚'读为鲰或竖，小而卑贱也。'立'读为位。"⑩弇：遮蔽。

[译文]

四肢六道，是人身的组成部分；四正五官，是国家的组成部分。四肢不关联，六道不通畅，叫做失；四正不端正，五官不称职，叫做乱。所以，国君从异姓的国家娶妻后，还要设置侄娣、命妇和宫女，都有一定的法度，用来治理宫内的事情。明定男女的分别，昭示避嫌的礼节，用来防止奸情。所以，宫内外不得私通，邪恶奸佞就不会发生，妇人说话不能涉及朝廷的政事，群臣的子弟也不能与宫内交往，这是先王用来彰明德行、抵御奸邪、昭示公道、消灭私欲的措施。

君主可以明立女宠，但不能废除嫡长子，这是伤义。可以优礼自己喜欢的庶子，但不能使庶子与嫡长子的地位平等。庶子的爵位虽然尊贵，但嫡庶的礼制不能不执行。嫡长子是国家最重要的，要用华丽的衣服来装饰他，用文彩的旗帜来旌表他，用来提高他的威望。这样嫡庶兄弟之间就没有隔阂，坏人也就不敢挑拨离间了。所以，君主设立宰相的时候，不仅要罗列他的功绩，还要考虑他的德行；不仅要论定他的劳绩，还要查看他是否合于法度。通过比较考核，然后再举用他，尊重他的权威，诚心敬意地信任他。因此，下面的人臣就没有进谏致死的顾虑，位卑的小吏也没有抑郁怨恨的心理。这样,国家就会安定,而人民也没有邪恶了。君主选拔贤才的时候,要选拔有德行的人进入高位,不和无德的人为伍;要举拔有才能的人担任官职,不和无能的人为伍。在选拔贤才的时候,把德行放在功劳之上,不会因为资历年限而抑制。这样,君主就没有困难,而人民也不会侥幸偷生了。

国之所以乱者四,其所以亡者二。内有疑①妻之妾,此宫乱也。庶有疑適②之子,此家乱也。朝有疑相之臣,此国乱也。任官无能,此众乱也。四者无别,主失其体。群官朋党以怀其私,则失族矣。国之几臣③,阴约闭谋以相待也,则失援矣。失族于内,失援于外,此二亡也。故妻必定,子必正,相必直立④以听,官必中⑤信以敬。故曰:有宫中之乱,有兄弟之乱,有大臣之乱,有中民⑥之乱,有小人之乱。五者一作,则为人上者危矣。宫中乱曰⑦妒纷,兄弟乱曰党偏,大臣乱曰称述,中民乱曰訾讆⑧,小民乱曰财匮。财匮生薄,訾讆生慢,称述、党偏、妒纷生变。故正名稽疑,刑杀亟近,则内定矣。顺⑨大臣以功,顺中民以行,顺小民以务,则国丰矣。审天时,物⑩地生,以辑民力。禁淫务,劝农功,以职其无事,则小民治矣。上稽之以数,下十伍⑪以征。近其罪伏⑫,以固其意。乡树之师,以遂其学。官之以其能,及年而举,则士反行矣。称德度功,劝其所能,若稽之以众风⑬,若任以社稷之任,若此,则士反于情矣。

[注释]

①疑:通"儗",超越本分。下两"疑"字,与此同。②適:通"嫡"。③几臣:掌管机密的近臣。④直立:立身正直。⑤中:通"忠"。⑥中民:一般官吏。⑦曰:郭沫若云:"五'曰'字当训为'于'。"由于。⑧訾讆:诽谤。⑨顺:郭沫若云:"顺谓次第之也。"⑩物:观察。⑪十伍:即什伍,古代的户籍编制,五家为伍,十户为什。⑫"近其"句:此句与上下文意不符。

郭沫若云："'罪伏'殆'巽升'之讹。""如使选升之期缩短，则士受鼓舞。"
⑬风：通"讽"。众讽，即众人的舆论。

[译文]

　　国家所以乱的原因有四个，灭亡的原因有两个。宫内有逾越嫡妻的宠妾，这是宫中的乱；庶子中有逾越嫡长子的宠子，这是家中的乱；朝廷中有逾越宰相的宠臣，这是国中的乱；任用无能的人，这是众官的乱。上述四种情况都不能辨别，那么君主就丧失了体统。群官结党营私，包藏私心，君主就失去宗族的拥护。掌管国家机密的近臣，阴谋策划，与君主相对立，君主就失去了人民的支援。内部失去了宗族的拥护，外部失去了人民的支持，这就是国家灭亡的两个原因。所以嫡妻必须确定，嫡长子必须正名，宰相必须立身正直听政，百官必须忠实诚信。所以说：有宫中之乱，有兄弟之乱，有大臣之乱，有百官之乱，有小民之乱。这五者中有一种情况出现，君主就危险了。宫中之乱是由于嫉妒纷争，兄弟之乱是由于结党营私，大臣之乱是由于喜用权术，百官之乱是由于诽谤不满，小人之乱是由于财用匮乏。财用匮乏就会产生薄德的行为，诽谤不满就会产生傲慢法制的行为，喜用权术、结党营私和嫉妒纷争，都会产生变乱。所以，要确定嫡庶的名分，稽查妻妾的嫌疑，诛杀奸诈的近臣，宫内就安定了。根据功绩安排大臣的次序，根据德行安排百官的次序，根据努力程度安排小民的次序，国家就丰足了。审察天时，察看物产，协调使用民力。禁止奢侈，奖励农业耕作，使无业之民都有职事，小民就能治理好了。君主核定一定的数额，然后到居民组织中征集人才，并且要缩短选升的期限，来稳定士人的意志；每乡设立教师，来满足士人的学习；依据才能授予官职，到了一定年限就向上荐举，那么士人就会归于德行了。考察德行和功绩，鼓励他们的才能，再考察众人的舆论，然后把国家的重任交付给他。像这样，士人就会归于诚实了。

四 称

桓公问于管子曰:"寡人幼弱惛愚,不通诸侯四邻之义,仲父不当尽语我昔者有道之君乎?吾亦鉴焉。"管子对曰:"夷吾之所能与所不能,尽在君所矣,君胡有辱令?"桓公又问曰:"仲父,寡人幼弱惛愚,不通四邻诸侯之义,仲父不当尽告我昔者有道之君乎?吾亦鉴焉。"管子对曰:"夷吾闻之于徐伯曰:昔者有道之君,敬其山川、宗庙、社稷,及至先故之大臣,收聚以忠而大富之。固其武臣,宣用其力。圣人在前,贞廉①在侧,竞称于义,上下皆饰②。形正③明察,四时不贷④,民亦不忧,五谷蕃殖。外内均和,诸侯臣伏,国家安宁,不用兵革。受其币帛,以怀其德,昭受其令,以为法式。此亦可谓昔者有道之君也。"桓公曰:"善哉!"

[注释]

①贞廉:正直清廉之士。②饰:通"饬",整治。③形正:通"刑政"。④贷:耽误。

[译文]

桓公问管子说:"我年幼糊涂,不懂得与四邻诸侯交往的道理,仲父不应当尽量把从前的有道之君的表现告诉我吗?我也好借鉴。"管子回答说:"我能知道的和不能知道的,您全部都知道,您为什么还让我讲呢?"桓公再一次问管子说:"仲父,我年幼糊涂,不懂得与四邻诸侯交往的道理,您不应该尽量给我讲讲古代的有道之君吗?我也好有所借鉴。"管子回答说:"我从徐伯那里听说过,从前的有道之君,恭敬山川、宗庙和土地神和谷神,对于先故的大臣,施以恩德,并且使其大富。巩固武将的官位,利用他们的能力。圣贤的人在前,贞廉之士在左右,互相争着提倡合乎正义的行为和事情,上下都修治。对刑政明细观察,四季农时的行事安排没有耽误,人民无忧虑,五谷都有繁殖。外内和睦,诸侯臣服,国家安定团结,少有战争。把币帛授予邻国,以感怀邻国的德惠;把政令昭示于邻国,以作为他们的规范。这也就可以称作从前的有道之君了。"桓公说:"好!"

桓公曰:"仲父既已语我昔者有道之君矣,不当尽语我昔者无道之君乎?吾亦鉴焉。"管子对曰:"今若君之美好而宣通①也,既官职美道,又何以闻恶为?"桓公曰:"是何言邪?以缋缘缋,吾何以知其美也?以素缘素,吾何以知其善也?仲父已语我其善,而不语我其恶,吾岂知善之为善也?"管子对曰:"夷吾闻之徐伯曰:昔者无道之君,大其宫室,高其台榭,良臣不使,谗贼是舍②。有家不治,借人为国;政令不善,墨墨若夜;辟若野兽,无所朝处。不修天道,不鉴四方,有家不治,辟若生狂,众所怨诅,希③不灭亡。进其谀优④,繁其钟鼓,流于博塞⑤,戏其工瞽⑥,诛其良臣,敖⑦其妇女,撩猎毕弋,暴遇诸父,驰骋无度,戏乐笑语。式政既轶⑧,刑罚则烈。内削其民,以为攻伐,辟犹漏釜,岂能无竭?此亦可谓昔者无道之君矣。"桓公曰:"善哉!"

[注释]

①宣通:明白通达。②舍:任用。③希:通"稀",稀少,罕见。④谀

优:俳优。⑤博塞:博戏,下棋一类的游戏。⑥工瞽:古代乐官。⑦敎:调笑,戏弄。⑧跈:通"踩",践踏,歪曲。

[译文]

桓公说:"您既然已经给我讲过古代的有道之君了,不应该尽量告诉我古代的无道之君吗?我也好借鉴。"管子回答说:"像您这样美好而开明通达的人,既然已经明察美的道理,又何必再听不好的事呢?"桓公说:"怎么能这样说呢?用黑色给黑色沿边,我怎么知道它的美?用白色给白色沿边,我怎么知道它的好?您已告诉我好的君主,而不告诉坏的君主,我怎样能知道是好的君主呢?"管子回答说:"我从徐伯那里听说过,从前的无道之君,把宫室修得很大,把台榭盖得很高,不用良臣,只是任用谗贼。他们不治理国家,依靠别人谋划;政令不善,黑暗得像在夜里;又好像野兽一般,没有归宿之处。不遵循天道,不借鉴四方,不治理国家,好像发狂病一样,大众都在怨恨诅咒,很少不灭亡的。他们还增加戏曲艺人,广置钟鼓音乐,沉溺于赌博之戏,玩赏乐官,诛杀良臣,戏弄妇女,不停地进行田猎,凶暴地对待诸侯。驰骋无度,戏乐笑语。效法政令又歪曲它,刑罚酷烈,对内侵削人民,认为是攻伐。就好像有漏洞的锅一样,怎么能不枯竭呢?这也就可以称作古代的无道之君了。"桓公说:"好!"

桓公曰:"仲父既已语我昔者有道之君与昔者无道之君矣,仲父不当尽语我昔者有道之臣乎?吾以鉴焉。"管子对曰:"夷吾闻之于徐伯曰:昔者有道之臣,委质①为臣,不宾事②左右,君知则仕,不知则已。若有事,必图国家,遍其发挥。循其祖德,辩其顺逆,推育贤人,谗慝不作。事君有义,使下有礼,贵贱相亲,若兄若弟。忠于国家,上下得体,居处则思义,语言则谋谟③,动作则事,居国则富,处军则克,临难据事,虽死不悔。近君为拂，远君为辅，义以与交，廉以与处。临官则治，酒食则慈④。不谤其君，不毁其辞，君若有过，进谏不疑，君若有忧，则臣服之。此亦可谓昔者有道之臣矣。"桓公曰："善哉！"

[注释]

①委质：纳质归附。②宾事：恭敬地事奉。③谋谟：策划，这里指谋虑。④慈：通"辞"，推辞。

[译文]

桓公说："您既然已经给我讲了古代的有道之君和古代的无道之君，您不应该给我讲讲古代的有道之臣吗？我也好借鉴。"管子回答说："我听徐伯说过，古代的有道之臣，归附称臣，从不去恭敬地事奉君主的左右宠臣。君主了解他就出来做官，不了解他就算了。国家若有事，就一定为国家考虑，充分发挥其力量。他遵循祖德，明辨顺逆，推荐贤人，邪恶奸佞就不会出现。事奉国君有义，使用部下有礼，贵贱相亲，有如兄弟，忠于国家，使上下各得其所。平时居处多加思考，谈话经过谋虑，行动起来就会有所建树，治国则富，治军则胜，遇到危难或事变，虽死不悔。在近处是国君的辅佐，在远处也是国君的辅佐，以义来相交，以廉来处事。执行公务尽职尽责，遇到酒食就辞谢，不诽谤国君，也不隐讳自己的观点。国君若有过错，进谏而不迟疑；国君有忧虑之事，自己承担起来。这也就可以称作古代的有道之臣了。"桓公说："好！"

桓公曰："仲父既以语我昔者有道之臣矣，不当尽语我昔者无道之臣乎？吾亦鉴焉。"管子对曰："夷吾闻之于徐伯曰：昔者无道之臣，委质为臣，宾事左右，执说以进，不蕲亡己，遂进不退，假①宠鬻贵。尊其货贿②，卑其爵位，进曰辅之，退曰不可，以败其君，皆曰非我。不仁群处，以攻贤者，见贤若货，见贱若过。贪于货贿，竞于酒食，不与善人，唯其所事。倨敖不恭，不友善士，谀贼与斗。不弥③人争，唯趣人诏，湛湎于酒，行义不从。不修先故，变易国常，擅创为令，迷或④其君，生夺之政，保贵宠矜。迁损善士，捕援⑤货人，入则乘等，出则党骈⑥，货贿相入，酒食相亲，俱乱其君，君若有过，各奉其身。此亦谓昔者无道之臣。"桓公曰："善哉！"

[注释]

①假：通"借"，借助，凭借。②货贿：财货，财物。③弥：通"弭"，停止。④迷或：即迷惑。⑤捕援：索求推举。⑥党骈：结党营私。

[译文]

桓公说："您既然已经给我讲了古代的有道之臣，难道不应该给我讲讲古代的无道之臣吗？我也好借鉴。"管子回答说："我听徐伯说过，从前的无道之臣，归附称臣后，恭敬地敬事君主左右的宠臣。用邪说求升进，从不想忘掉自己；知进而不知退，并利用君主对自己的宠爱来显示高贵。只重视货财，而看轻爵位；在朝廷辅佐国君，在下面却加以诽议，这样来败坏国君的名誉，还推说与我无干。纠集一群不仁之辈，攻击贤人，对待贵人就像追逐财货一般，对待贱者就像路人一样躲开。贪贿赂，争酒食，不亲近善人，只亲近自己的爪牙。为人傲慢，不结交善士，却与谀贼相勾结。不排解人们的纠纷，只鼓动人们诉讼，沉溺于饮酒，仪容举止都很不整肃。不遵循祖先的旧法，又改动国家的常规，擅立法令，蒙蔽国君，夺取国家政务，来保全地位和放纵其矜夸习气。不用好人，提携市侩之类，在朝廷内部凌越等级，在朝廷外部结党营私，货贿相入，酒食相亲，全都来祸乱国君。而国君一旦有祸，都各保其身了。这可以说是古代的无道之臣了。"桓公说："好！"

心术上

心之在体，君之位也；九窍之有职，官之分也。心处其道，九窍循理。嗜欲充益①，目不见色，耳不闻声。故曰：上离其道，下失其事。毋代马走，使尽其力；毋代鸟飞，使弊其羽翼。毋先物动，以观其则②。动则失位；静乃自得。道不远而难极③也，与人并处而难得也。虚其欲，神将入舍；扫除不洁，神乃留处。人皆欲智而莫索其所以智。智乎，智乎，投之海外无自夺，求之者不得处之者。夫圣人无求之也，故能虚。虚无无形谓之道，化育万物谓之德，君臣父子、人间之事谓之义，登降揖让、贵贱有等、亲疏之体谓之礼，简物小未一道，杀僇禁诛谓之法。大道可安而不可说。真人之言，不义不顾，不出于口，不见于色。四海之人，又孰知其则？天曰虚，地曰静，乃不伐。洁其宫，开其门，去私毋言，神明若存。纷乎其若乱，静之而自治。强不能遍立，智不能尽谋。物固有形，形固有名，名当谓之圣人。故必知不言之言、无为之事，然后知道之纪。殊形异执，不与万物异理，故可以为天下始。

人之可杀，以其恶死也；其可不利，以其好利也。是以君子不怵④乎好，不迫乎恶，恬愉⑤无为，去智与故，其应也非所设也，其动也非所取也。过在自用⑥，罪在变化。是故有道之君子，其处也若无知，其应物也若偶⑦之，静因之道也。

[注释]

①充益：应为"充盈"，充满。②则：规则，规律。③极：通"及"，到达。④怵：伤心。⑤恬愉：快乐。⑥自用：自以为是。⑦偶：配合。

[译文]

心在人体中，居于君主的地位。九窍各有各的职能，就好像百官的分工一样。心处在正道，九窍就遵循常理运行。心里如果充满了偏嗜与欲望，那么眼睛就看不见五颜六色，耳朵就听不见各种声音。所以说：居于君主地位的心偏离了正道，处在下位的九窍就失去了其功能。不能代替马跑，要使它用尽力量驰骋；不能代替鸟飞，而要让它振奋翅膀。不要先于物而动，而要静观万物的规律。先于物而动，就失去了君主的本位；静静地观察，就能从容把握自然的法则。道离我们不远却难达到，与人共处却难以得到其本质。欲念虚空，神道就会进入其中；扫除不净，神也不留驻。每个人都想得到智慧，而不知道如何求得智慧。智慧啊，智慧，应该把它投入海外不强求，苦求的人不如虚心等待，圣人就是无所求的，因此能做到虚空。虚而无形叫做道，化育万物叫做德。君臣父子人间纲常叫做义，尊卑揖让，贵贱有别，亲疏有节叫做礼。不论事的繁简大小都一以贯之，并以杀戮禁诛来规范叫做法。道，可以依从而不能言表。真人的话没有偏颇，不经嘴说出来，不在表情上流露，又有谁知道它的规律呢？天之道为虚，地之道为静，所以没有过错。清除欲念，开放九窍的门户，排除私心杂念，神明就像存在一样。世间事似乎很乱，心能镇静就会条理清晰。强大不能包办一切，智慧高也不能周全，事物本来就有自己的形体，形体也有它自己的名称，命名恰当就叫做圣人。所以要知道哪些是不必亲自说的道理，不必亲办的事情，然后才懂得道的要领。虽然事物形态各异，却不会违背自身发展的规律，知道这个就可以成为天下的始祖。

人之所以能用杀戮来震慑，是因为人都害怕死；之所以能用不利之事来阻止，是因为人都好利。所以君子不为其所好而诱惑，不为其所恶而屈服，是因为他静心无为，抛弃了智谋和欺诈。其应对人的方法不是凭主观谋划，其行为举动不是出于主观选择，人们犯错在于自以为是，发生罪过在于妄加变化。因此有道的君王处事就像不知，应对事务就像配合一样。这就是以虚静的态度顺应万物之道。

"心之在体，君之位也；九窍之有职，官之分也。"耳目者，视听之官也，心而无与于视听之事，则官得守其分矣。夫心有欲者，物过而目不见，声至而耳不闻也。故曰："上离其道，下失其事。"故曰：心术者，无为而制窍者也。故曰"君"。"无①代马走"，"无代鸟飞"，此言不夺能能，不与下诚②也。"毋先物动"者，摇者不定，趮③者不静，言动之不可以观也。"位"者，谓其所立也。人主者立于阴，阴者静，故曰"动则失位"。阴则能制阳矣，静则能制动矣，故曰"静乃自得"。

道在天地之间也，其大无外，其小无内④，故曰"不远而难极也"。虚之与人也无间，唯圣人得虚道，故曰"并处而难得"。世人之所职者精⑤也。去欲则宣⑥，宣则静矣，静则精，精则独立矣；独则明，明则神矣。神者至贵也，故馆不辟除，则贵人不舍焉。故曰"不洁则神不处"。"人皆欲知而莫索之"，其所以知，彼也；其所以知，此也。不修之此，焉能知彼？修之此，莫能虚矣。虚者，无藏也。故曰：去知则奚求矣？无藏则奚设⑦矣？无求无设则无虑，无虑则反覆虚矣。

[注释]

①无：通"毋"。下文"无代鸟飞"中"无"与此同。②诚：张文虎云："'诚'乃'试'字之讹。"比试。③趮：同"躁"，急躁。④"其大"二

句：尹知章云："所谓大无不包，细无不入也。"⑤精：专一。⑥宣：通达。
⑦设：筹谋。

[译文]

　　心在人体中，居于君主的地位，九窍各有其功能，就像百官的分工一样。耳目是主管视听的器官，心不去干预视听的事，耳目就会尽自己的职责。心中充斥嗜欲，就会干扰视听，使之视而不见，听而不闻。所以说居于君主地位的偏离了正道，处于下位的就失去了其职能。所以说，心的作用，就是通过虚静无为来管制九窍。所以叫做君。作为君的心不要代替马去跑，不要代替鸟去飞，不要越俎代庖，不要干预下面的工作。所谓不要先物而动，是因为摇摆则不定，躁动则不安，"动"就不能冷静地观察事物了。"位"，就是所处的地位。人君处在阴的地位，阴的性质是静，所以说"动则失位"。处于阴的地位就能控制阳，处在静的地位就能控制动，所以说"静乃自得"。

　　道在天地之间，既大得无极，又小得无限。所以说"不远而难及也"。虚与人之间并无间隔，却唯有圣人能够做到虚，所以说"并处而难得"。世人应铭记的是精神专一，荡涤欲念则精神清空，清空则虚静，虚静则能专一，专一则能超然独立了。超然独立就能明察一切，明察一切就达到神的境界了。神，是至高无上的，馆舍若不清扫，贵人就不会来住，所以说"不洁则神不处"。所谓"人皆欲知而莫索之"，就是说，人所认识的对象是"彼"，而人用来认识的主体是"此"，不把心修好了，又怎么能认识彼呢？修心，莫过于虚怀。虚怀，则无所保留。所以说：连智慧都可抛弃，就无所求了；内心毫无隐藏，就无可筹谋了。无所求又无所谋就无忧无虑了，无忧无虑就回到虚静的状态了。

　　天之道，虚其无形。虚则不屈，无形则无所位赶①。**无所位**

赶，故遍流万物而不变。德者，道之舍。物得以生生，知得以职道之精。故德者得也，得也者，其谓所得以然也。以无为之谓道，舍之之谓德，故道之与德无间，故言之者不别也。间之理者，谓其所以舍也。义者，谓各处其宜也。礼者，因人之情，缘义之理，而为之节文②者也。故礼者谓有理也，理也者，明分以谕③义之意也。故礼出乎义，义出乎理，理因乎宜者也。法者所以同出，不得不然者也，故杀僇禁诛以一之也。故事督乎法，法出乎权，权出乎道。道也者，动不见其形，施不见其德，万物皆以得，然莫知其极。故曰"可以安而不可说"也。"莫人"④，言至也。"不宜"⑤，言应也。应也者，非吾所设，故能无宜也。"不顾"，言因也。因也者，非吾所顾，故无顾也。"不出于口，不见于色"，言无形也。"四海之人，孰知其则"，言深囿也。

[注释]

①位赶：王引之云："'位'当为'低'，低赶，即抵牾也。"抵触；矛盾。②节文：制定礼仪。③谕：表明。④莫人：王念孙云："当为'真人'，真、莫，二形相似。"⑤宜：偏颇。

[译文]

天道，虚而无形。虚就不会曲折，无形就无所抵触。无所抵触，所以能普遍流行于万物而不变化。德，是道的施舍。万物赖它得以生生不息，心智赖它得以认识道的精髓。所以，"德"就是"得"。所谓得，就是掌握事物的本原了。由于无为叫做道，施道叫做德，所以道与德本来没有差别。非要说出点差别的话，只能说德是道的实践。所谓义，就是说让物各得其宜。所谓礼，则是根据人的感情，顺从义的道理而形成的规范。所以礼就是有理，理就是通过明辨本分来表明义的内涵。所以礼源于义，义源于理，理则基于物之所宜。法用来统一不同的行为，带有强制性，必须通过杀戮禁诛来统一。所以世事用法来监督，法通过权衡利弊来制定，而权衡的标准就是道。所谓道，实践的时候不见其形貌，施行的时候不见其恩德，万物都得其恩惠，却没有人知道究竟。所以说"可以安而不可说"。"真人"，说的是至正至高；"不偏"，说的是顺应自然。应，即不是出乎主观意志，所以能做到不偏。"不顾"，说的是顺应客观。因，不是由主观择取，故能做到不偏不颇。"不出于口，不见于色"，说的是道的无形；"四海之人，孰知其则"，说的是道像幽深的园林。

天之道虚，地之道静。虚则不屈，静则不变，不变则无过，故曰"不伐"。"洁其宫，阙其门"：宫者，谓心也。心也者，智之舍也，故曰"宫"。洁之者，去好过①也。门者，谓耳目也。耳目者，所以闻见也。"物固有形，形固有名"，此言名不得过实，实不得延②名，姑③形以形，以形务名，督言正名，故曰"圣人"。"不言之言"，应也。应也者，以其为之者人也。执其名，务其应所以成之，此应之道也。"无为之道④"，因也。因也者，无益无损也。以其形因为之名，此因之术也。名者，圣人之所以纪万物也。人者立于强，务于善⑤，未于能，动于故⑥者也。圣人无之，无之则与⑦物异矣。异则虚，虚者万物之始也，故曰"可以为天下始"。

[注释]

①好过：应为"好恶"。②延：违背。③姑：通"诂"，解释。④道：应为"事"，涉上文"此应之道也"而衍。⑤善：通"缮"，修治，修饰。⑥故：故巧。⑦与：允许。

[译文]

天之道为虚，地之道为静。虚就没有曲折，静就没有变更，没有变更就没有失误，所以叫做"不伐"。清扫宫室，开放门户，宫室就是心。心是智慧的居处，所以称作宫。清扫宫室就是扫除好利和恶死的邪念。门,就是耳目。耳目是用来听和看的。物自有一定的存在形式,一定的存在形式有一定的名称,这就是说名称不能离开实际,实际也不得违背名称。从考察实际来说明物体的存在形式,从物体的实际出发来命名,这样察言正名,所以叫做圣人。"不必亲自言说的道理",意思就是"应"。"应",因其创造者是他人。把握事物名称的由来,研究事物的形成规律,这就是"应"的途径。"不必亲办的事情",就是"因"。"因",不能增也不能减,根据其形给予名称,这就是"因"的做法。名称,是圣人用来标示万物的。常人往往可以强求,竭力修饰,惯于逞能,动用故巧。圣人没有这些毛病,没有这些毛病就能了解万物各殊。懂得万物各殊就能做到虚,虚是万物的始祖,所以说"可以为天下始"。

人迫于恶,则失其所好;怵于好,则忘其所恶,非道也。故曰"不怵乎好,不迫乎恶"。恶不失其理,欲不过其情,故曰"君子"。"恬愉无为,去智与故",言虚素①也。"其应非所设也,其动非所取也",此言因也。因也者,舍己而以物为法者也。感而后应,非所设也;缘理而动,非所取也。"过在自用,罪在变化",自用则不虚,不虚则仵②于物矣;变化则为生,为生则乱矣,故道贵因。因者,因其能者言所用也。"君子之处也若无知",言至虚也。"其应物也若偶之",言时适也,若影之象形,响之应声也。故物至则应,过则舍矣。舍矣者,言复所于虚也。

[注释]

①虚素:虚静淡泊。②仵:逆,抵触。

[译文]

人往往因为迫于所恶而失其所好,因为迷惑于所好而忘了所厌恶的东西,这都是不合乎道的。所以说"不怵乎好,不迫于恶"。

厌恶要不失常理，喜好要不违常情，这才叫"君子"。所谓"安愉无为，抛弃智谋与机巧"，就是保持虚静淡泊。"其应事不是凭借主观谋划，其行为不是出于主观择取"，这就是"因"的缘故。"因"，就是忘却自己而以万物为准则。感知事物而后因应自然，就不是主观谋划了；依据物理而行动，就不是主观择取了。"出错在于自以为是，犯过在于妄加变化"。刚愎自用就不能做到虚，不能虚，主、客观之间就会发生抵触了。妄加变化就会产生错误，产生错误则引致混乱。所以，道贵在"因"。"因"，就是根据事物的规律来办事。"君子处世恍若无知"，这是最虚的境界。"君子处理事物要适应它"，就是说时时适合事物，就如同影子与形体相随，回声和发声相应一样。所以，事物来时就顺应它，事物过去就舍弃它。所谓舍弃，就是说又回到虚的境界。

心术下

形不正者，德不来；中不精①者，心不治。正形饰德，万物毕得。翼然自来，神莫知其极。昭知天下，通于四极。是故曰：无②以物乱官，毋以官乱心，此之谓内德。是故意气定，然后反正。气者，身之充也；行者，正之义也。充不美，则心不得；行不正，则民不服。是故圣人若天然，无私覆③也；若地然，无私载也。私者，乱天下者也。

[注释]

①精：通"静"。②无：通"毋"。③私覆：偏心地覆盖。

[译文]

外表不端正的人，是由于不具备德；内心不闲静专一的人，是由于心没有修好。端正好外形，修养好内心，便必定能够把握好万事万物。此境界就像飞鸟自来，神灵都不知道它的究竟。这样便能明察一切，通达于各地。因此说不要让外物扰乱五官，不要让五官扰乱内心，就叫做"内德"。因此，意气安定才能使行为达到中正。气是充盈身体的物质，行为是立身处世之仪表。充盈的气不纯净美好，那么心意就不正；行为不端正，那么人民就不服。因此，圣人要像天一样，不偏心地覆盖万物；像地一样，不为了私而承载万物。私是扰乱天下的事物。

凡物载名而来，圣人因而财①之，而天下治；实不伤，不乱于天下，而天下治。专于意，一于心，耳目端，知远之证②。能专乎？能一乎？能毋卜筮知凶吉乎？能止乎？能已乎？能毋问于人而自得之于己乎？故曰：思之，思之不得，鬼神教之。非鬼神之力也，其精气之极③也。一气能变曰精，一事能变曰智。慕选者，所以等事也；极变者，所以应物也。慕选而不乱，极变而不烦。执一之君子，执一而不失，能君万物，日月之与同光，天地之与同理。

[注释]

①财：同"裁"，判断，裁断。②证：许维遹云："'知远之证'义难通，'之'犹若也，'证'当作'近'，与'近'形略似，'知远之近'犹知远若近也。"③极：极致，这里指精气所达到的最高境界。

[译文]

万事万物都带着特定的名称来到世间，圣人顺应自然裁定事物，天下治理得很好；名实无害于实际，天下就不会乱，就会治理好。专心致志，耳目端正，就能察远若近。能专一静心吗？能一心一意吗？能不用占卜就知道吉凶吗？能做到说停止就停止吗？能做到说完结就完结吗？能做到不向人询问而能自得吗？因此说：要思考，思考而不能获得，鬼神会给予教诲。其实这不是鬼神的力量，而是心静专一达到的最高境界。专一其气而能变化叫做"精"，专一其事而能掌握变化叫做"智"。谦逊崇敬用以顺事，善于变化来应物。敬顺于事而不乱，善于调变而不烦忧。心神专一的君子，坚持专一而不迷失，能统领万物，使日月与其同光，使天地与其同理。

圣人裁物，不为物使。心安，是国安也；心治，是国治也。

治也者心也，安也者心也。治心在于中，治言出于口，治事加于民，故功作而民从，则百姓治矣。所以操①者非刑也，所以危②者非怒也。民人操，百姓治，道其本至也。至不③至无，非所人而乱。凡在有司执制者之利，非道也。圣人之道，若存若亡，援而用之，殁世不亡。与时变而不化，应物而不移，日用之而不化。

[注释]

①操：掌管，把持。②危：同"畏"，敬畏。③不：通"丕"，大。

[译文]

圣人裁制外物，而不受外物的役使。内心安宁，这也是国家安宁；内心治理，这也是国家治理。治理靠的是内心，安宁靠的也是内心。内在的心治理好了，口里说的就是"治言"了，给予民众的就是"治事"，所以功业显著且人民顺从，那么百姓就治理好了。所以掌握民众的不应该是刑罚，用来威慑天下的不应该是暴怒。人民被很好地掌握，百姓被很好地治理，道是最根本的。道最巨大而又最虚无，不会因为人的变化而变乱。凡在官府执行的制度，并不是道。圣人的道，似有似无，援引使用，而永不枯竭。它帮着时世变化而自身并不改变，顺应事物发展而自身并不发生变化，每天被人们使用而不会有损耗。

人能正静者，筋肕而骨强，能戴大圆者，体乎大方，镜大清者，视乎大明。正静不失，日新其德，昭知天下，通于四极。金心在中，不可匿①。外见于形容，可知于颜色。善气迎人，亲如弟兄；恶气迎人，害于戈兵。不言之言，闻于雷鼓。金心之形，明于日月，察于父母。昔者明王之爱天下，故天下可附；暴王之恶天下，故天下可离。故货之不足以为爱，刑之不足以为恶。货者，爱之末②也；刑者，恶之末也。

[注释]

①匿：遮盖，遮掩。②末：微末，很少。

[译文]

人能够中正心静，筋骨就能强韧。能够头顶天的人，就能体察大地；视如清水，能够览日视月。形正心静而不迷乱，其德行便与日俱新，遍知天下万物，通达四方。内心的完整是不能掩匿的，它表现为外貌形象，可从颜色上感知察觉。和善迎人，像兄弟般亲近；恶气相迎，互相伤害如同刀兵一样。不用说出的言语，却比擂鼓还要响亮。健全的心外在展现，比日月还光明，比父母体察儿女更为透彻。以前，明王用心爱天下，所以天下可以归附；暴君心里厌恶百姓，所以百姓都叛离。所以，赏赐不足以作为爱护，刑罚不足以作为厌恶。赏赐，只是爱的微末表现；刑罚，只是恶的微末表现。

凡民之生也，必以正平。所以失之者，必以喜乐哀怒。节怒莫若乐，节乐莫若礼，守礼莫若敬。外敬而内静者，必反其性。岂无利事哉？我无利心；岂无安处哉？我无安心。心之中又有心。意以先言，意然后形，形然后思，思然后知。凡心之形，过知失生①。是故内聚以为原，泉之不竭，表里遂通；泉之不涸，四支②坚固。能令用之，被服四固。是故圣人一言解之，上察于天，下察于地。

[注释]

①失生：伤及性情。②支：通"肢"。

[译文]

凡是人民的生命，必须依赖中正和平。所以有错失，必定是在于喜乐哀怒。调节愤怒莫过于音乐，控制享乐莫过于守礼节，守礼节莫过于保持敬重。在外保持笃敬而内心闲静，一定能恢复精气。

难道没有有利的事吗？只怕没有好的心；难道没有安宁的住处吗？只怕没有安宁的心。内心之中有神。意念先于语言而产生，有意念后有了外在形貌，有了外形然后思考，思考之后才有认识。凡是内心的形体，过度认识反而失其生机。所以，内在的积聚才能作为源泉，泉源不枯竭，外表内心就通畅；泉源不干涸，四肢才能坚固。如果运用这个道理，有益于四方牢固。所以，圣人对于道这一个字的解释，就是在上体察天文，在下体察地理。

白 心

建当立有①,以靖②为宗,以时为宝,以政为仪③,和则能久。非吾仪,虽利不为;非吾当,虽利不行;非吾道,虽利不取。上之随天,其次随人。人不倡不和,天不始不随。故其言也不废,其事也不随④。原始计实,本其所生。知其象,则索其形;缘其理,则知其情;索其端,则知其名。故苞⑤物众者,莫大于天地;化物多者,莫多于日月;民之所急,莫急于水火。然而天不为一物枉⑥其时,明君圣人亦不为一人枉其法。天行其所行,而万物被其利。圣人亦行其所行,而百姓被其利。是故万物均,既夸众矣。是以圣人之治也,静身以待之,物至而名自治之。正名自治之,奇⑦身名废。名正法备,则圣人无事。不可常居也,不可废舍也,随变断事也,知时以为度。大者宽,小者局。物有所余,有所不足。

[注释]

①当立有:何如璋云:"'当'乃'常'字,'立'乃'无'字,以形近而误。"郭沫若云:"'建常无有'谓建此以说道也。道者亘古永在,似无实有,故曰'常无有'。"②靖:通"静",虚静。③政:通"正",端正。仪:准则。④随:王念孙云:"'随'当为'坠'。"毁坏。⑤苞:通"包",包藏。⑥枉:违背。⑦奇:特殊的,罕见的。

[译文]

　　建立常无有的学说,要以虚静为根本,以合乎时宜为宝贵,以端正为准则,只有这三者协调一致,才能够保持长久。不合乎我的准则,即使有好处我也不会做;不合乎我的常规,即使有利我也不去推行;不合乎我的常道,即使有利我也不会采取。首先要适应天,其次要适应人。人们不提倡的事不去应和,上天不曾开创的事不去听从。这样,一个人的言论就不会失效,事业也不会毁坏。考察事物的来源,推究事物的事实,来探索事物生成的根本。了解到事物的现象就可以探查到事物的形状,根据事物的规律就可以掌握事物的本质,探索事物的端绪就可以知道它的名称。所以,包藏事物最多的,没有超过天地的;化育物类最多的,没有超过日月的;人民生活所急切需要的,没有超过水火的。然而天不会因为某一物种而违背时令,贤明的君主、圣人也不会因为某一个人而违背法度。上天按照它自己的规律运行,那么万物就能蒙受到它的好处;圣人也按照他自己的法度行事,那么百姓也会得到他们的好处。因此,万物均衡,百姓也安定了。所以,圣人治理世事,总是安静地等待着。事物一到,就按照名分自然地去治理它。名分正确就治理得好,名分不正确就会被淘汰。只要是名称正确法度完备,那么圣人就没有事可做。名称法度不可能永远不变,也不可能经常废弃,而是随着事物的变化来裁断事物,懂得合乎时宜来确定法度。范围过大就会宽缓松懈,过小又会局促,事物的发展有时多余,有时又不足。

　　兵之出,出于人,其人入,入于身。兵之胜,从于适①。德之来,从于身。故曰:祥于鬼者义于人,兵不义不可。强而骄者损其强,弱而骄者亟②死亡;强而卑义信③其强,弱而卑义免于罪。是故骄之馀卑,卑之馀骄。

[注释]

①适：切合，相合，这里指团结。②亟：快速，迅速。③信：通"伸"。

[译文]

军队的出击，虽是出击他人，但如果他人反击，也会危及自身。军队的胜利，在于内部的团结；道德的建立，在于自身的修养。所以说：凡是得福于鬼神的人一定是对人行义的人，不能发动不义的战争。强国如果骄傲，就会损害它的强大；弱国如果骄傲，就会加速它的灭亡。强国如果谦卑，就可以增加自己的强大；弱国如果谦卑，就可以使自己免除祸患。因此，骄纵的结果将是卑微，谦卑的结果将是强盛。

道者，一人用之，不闻有馀。天下行之，不闻不足，此谓道矣。小取焉，则小得福，大取焉，则大得福。尽行之，而天下服，殊①无取焉，则民反，其身不免于贼。左者，出者也；右者，入者也。出者而不伤人，入者自伤也。不日不月，而事以从；不卜不筮，而谨知吉凶。是谓宽乎形，徒居而致名。去善之言，为善之事，事成而顾反无名。能者无名，从事无事。审量出入，而观物所载。孰能法无法乎？始无始乎？终无终乎？弱无弱乎？故曰美哉弟弟②！故曰有中有中，孰能得夫中之衷乎？故曰功成者隳，名成者亏。故曰孰能弃名与功，而还与众人同？孰能弃功与名，而还反无成？无成有贵其成也，有成贵其无成也。日极则仄③，月满则亏。极之徒仄，满之徒亏，巨之徒灭。孰能已无已乎？效夫天地之纪。人言善，亦勿听。人言恶，亦勿听。持而待之，空然勿两④之，淑然自清。无以旁言为事成，察而征之，无听辩，万物归之，美恶乃自见。

[注释]

①殊：断绝。②弟弟：兴起的样子。③仄：通"侧"，倾斜。④两：郭

沫若云:"'两'者谓与之对抗,'勿两'即不与之对抗,听其自然也。"

[译文]

道,一个人使用它,没有听说过有剩余的;天下人都使用它,也没有听说过不足的,这才叫做道。如果稍稍地按道行事,就会稍得其福;如果大行之,就会大得其福;完全按道行事,就会使天下信服;不按道行事,就会引起人民反抗,自己不免遭到伤害。左的方位是出生,右的方位是死亡。出生的方位不会伤害人,死亡的方位自然会伤人。只要随着道,不用选择什么日子,事业便可以成功;只要随着道,也不用占卜求神,就可以了解吉凶。这就叫做放宽身心,空闲无为就可以得名。说了好话,做了好事,事成之后还应该返回到无名的状态。有才能的人不求出名,真正做事的人却像无事。衡量政令的出入,考察事物的实际承担能力。谁能做到有法令如同没有法令?有开始如同没有开始?有终结如同没有终结?柔弱如同不柔弱?所以说这样才是美好兴旺的。所以说不是为了中正而能够保持中正,谁能达到中正的本质呢?所以说,功成就要走向毁坏,名成就要走向亏损。所以说,谁能放弃功业与名声,而回到普通人的境地呢?谁能放弃功业和名声,而回到没有成就的境地呢?无成就者重视成就,有成就者更重视尚无成就的本色。太阳运行到最高,就会偏斜;月亮运行到最满,就会亏缺。到了最高就要走向偏斜,到了最满就要走向亏缺,到了最大就要走向灭亡。谁能做到终止而永远没有终止?能够效法天地的运行法则。人们说好也不要听信,人们说不好也不要听信。保持公正的态度对待这些不同的意见,虚心地任其自由发展,静心地等待善恶自明。不要把道听途说的当成事业的成就,要进行考察与验证,不要听信任何论辩,只有把万事万物归并到一起,加以比较,那么美恶就会自己显现出来了。

天或维①之，地或载之。天莫之维，则天以坠矣；地莫之载，则地以沉矣；夫天不坠，地不沉，夫或维而载之也夫。又况于人？人有治之，辟之若夫雷鼓之动也。夫不能自摇者，夫或舂之。夫或者何？若然者也：视则不见，听则不闻，洒乎天下满，不见其塞。集于颜色，知于肌肤，责其往来，莫知其时。薄乎其方也，韕乎其圜也，韕韕②乎莫得其门。故口为声也，耳为听也，目有视也，手有指也，足有履也，事物有所比③也。

[注释]

①维：维系。②韕韕：混沌的样子。③比：依靠，依赖。

[译文]

天或许有东西在维系着，地或许有东西在承载着。天如果没有东西维系着，就将坠下来了；地如果没有东西承载着，就会沉下去了。天不坠，地不沉，或许就是有什么东西在维系而承载着它们吧！何况人呢？人有某种力量在支配着，就好像雷鼓被敲击后才发声一样。任何东西都不能自己摇动，或许有什么在摇动它们。这个东西是什么样子的呢？或许就像这样：看又看不见，听又听不着，却洒满天下，又看不到充塞的现象。聚集在人的脸色上，感知在人的皮肤上，但问它的往来，没有人知道它的时间。它既像方形，又像圆形，混沌得找不到门径。所以口能发声，耳能听音，眼能看物，手能指划，足能行走，一切事物都是有所依靠的。

当生者生，当死者死。言有西有东，各死其乡①。置常立仪，能守贞乎？常事通道，能官②人乎？故书其恶者，言其薄者。上圣之人，口无虚习也，手无虚指也，物至而命之耳。发于名声，凝于体色，此其可谕者也。不发于名声，不凝于体色，此其不可谕者也。及至于至者，教存可也，教亡可也。故曰：济于舟者，和于水矣；义于人者，祥其神矣。

[注释]

①死：尹桐阳云："死，尸也，主也。"乡：通"向"。②官：通"管"，管制，管理。

[译文]

应该存在的存在，应该死亡的死亡，这是说事物无论在西在东，都会遵循各自的方向发展。确立规章准则，能保证坚守吗？办理政事，掌握规律，能保证管理好吗？所以，书是令人厌恶的，言论是令人鄙薄的。高尚的圣人，口无虚空的言论，手无虚空的指点，事物出现就给它命名了。从名声里发现，从体色中体现，这是可以告诉人的；不能从名声里发现，不能从体色中体现，这是不可以告诉人的。至于最好的处理方法，就是让它存在它就存在，让它消亡它就消亡。所以说：能用舟渡河的人，也适应水性；能够对别人行义的人，也会受到神的庇佑。

事有适，而无适，若①有适，觿②解，不可解而后解。故善举事者，国人莫知其解。为善乎，毋提提③；为不善乎，将陷于刑。善不善，取信而止矣。若左若右，正中而已矣，县④乎日月无已也。愕愕⑤者不以天下为忧，剌剌者不以万物为筴，孰能弃剌剌而为愕愕乎？

[注释]

①若：乃，于是。②觿：古代一种解结的锥子，用骨、玉等制成。③提提：王念孙云："提提，显著之貌。"④县：同"悬"。⑤愕愕：尹知章云："愕愕守正者忘天下，故不忧。"

[译文]

办事情有适宜的方法，然而总是在人们没有适宜办法的时候，才会有适宜的办法。就像骨锥开解绳结，也是在绳结无法解开时，才会用骨锥来开解。所以，善于举事的人，国人往往不知道他的方法。做了善事,不要有显著的名声;做了不善的事,将会陷于刑网。善与不善,只要能够取信于国人就可以了。好像在左还是在右,正中就可以了,就像悬在半空的日月一样,永无息止。落落无为的人不以天下事务为忧虑,烈烈有为的人总是不以统率万物为高兴,但谁又能够做到放弃烈烈有为而奉行落落无为呢?

难言宪术①,须同而出。无益言,无损言,近可以免,故曰:知何知乎?谋何谋乎?审而出者,彼自来。自知曰稽,知人曰济。知苟适,可为天下周②。内固之一,可为长久,论而用之,可以为天下王。天之视而精③,四壁而知请④,壤土而与生。能若夫风与波乎,唯其所欲适。故子而代其父,曰义也;臣而代其君,曰篡也。篡何能歌,武王是也。故曰:孰能去辩与巧,而还与众人同道?故曰:思索精者明益衰,德行修者王道狭,卧名利者写生危,知周于六合之内者⑤,吾知生之有为阻也。持而满之,乃其殆也。名满于天下,不若其已也。名进而身退,天之道也。满盛之国,不可以仕任;满盛之家,不可以嫁子;骄倨傲暴之人,不可与交。

[注释]

①宪术:法术,法令政策。②周:俞樾云:"'周'字无义,疑'君'字之误,'可为天下君',犹下文言'可以为天下王也',君古文与周相似而误。"③精:细致,精密。④壁:通"辟",开辟。请:通"情",情况。⑤知:通"智"。六合:天地四方。泛指整个宇宙空间。

[译文]

制定和推行法令政策十分困难,它必须符合众人的心愿才可以施行。不要增加一个字,也不要减少一个字,只要接近众人的心愿就可以免除差错。所以说:论智慧,自己有什么智慧?论谋略,自己有什么谋略?考察众人的心愿,然后再制定和推行法令政策,百姓就会自己来归附。了解自己，叫做"稽"；了解他人，叫做"济"。了解他人如果能做到适宜，可成为天下的君主。内心牢记而专一，便可以长久不败，谨慎使用，就可以成就天下的王业。天的观察是精确的，四面开辟而能够了解事实，包括大地的土壤及其所有的生物。但人们能够像风和波浪一样，只求适合需要罢了。儿子继承父亲的称为义，臣子代替君主的称为篡位。篡位怎么能歌功颂德呢？周武王就是被歌颂的对象。所以说：谁能够放弃诡辩与巧诈，而与众人共同信奉一个道理呢？所以说：思索愈精细的人明智就会愈衰落，德行愈有修养的人王道就愈狭窄，醉心名利的人反而担忧生命的危险，智慧遍及天地四方，我知道他的生机就要受到阻碍了。矜持而自满，就很危险了。名满天下的，不如赶快停止。因为名进身退，这才是天道。极盛的国家，不可去做官；极盛的家族，不可同他结亲；骄倨傲暴的人，不可同他交往。

道之大如天，其广如地，其重如石，其轻如羽。民之所以，知者寡。故曰：何道之近，而莫之与能服①也？弃近而就远，何以费力也？故曰：欲爱吾身，先知吾情。君亲六合，以考内身。以此知象，乃知行情。既知行情，乃知养生。左右前后，周而复所。执仪服象，敬迎来者。今夫来者，必道其道，无迁无衍②，命乃长久。和以反中，形性相葆③。一以无贰，是谓知道。将欲服之，必一其端，而固其所守。责其往来，莫知其时；索之于天，与之为期。不失其期，乃能得之。故曰：吾语若大明④之极，大明之明，非爱人不予也。同则相从，反则相距也。吾察反相距，吾以故知古从之同也。

[注释]

①服：实行。②衍：通"延"，拖延。③葆：通"保"，保持，保护。④大明：指日月。

[译文]

　　道大得像天一样，广阔得像地一样，沉重得像石一样，轻巧得像羽毛一样。人们与它共处，但对它了解很少。所以说：为什么道离人那么近，而却没有人能够实行呢？舍近求远，为什么要多费力气呢？所以说：要爱惜自身，就要先了解一下自身的实际。普遍地观察宇宙万物，来验证身体的内部。用这种方法掌握一些迹象，就可以知道"道"的运行情况。已经知道"道"的运行情况，也就懂得了爱惜生命。在左在右，在前在后，周而复始。举行仪式，穿上礼服，恭敬地迎接来者。这个来者一定按照道的规律运行，不会改变也不会拖延，生命才能长久。和协返于正中，使形体与性命相互保持。专一而无二意，这就叫懂得了"道"。将要实行道，开始时必须专一，然后坚定地贯彻下去。责问道的往来，没有人了解它的时间；求索于上天，与上天相约为期。只要不失约，就能得到它了。所以说，我的话就像日月升到最高处一样，日月的光明，不爱惜人是不会给予的。与道相同的就相从，与道相反的就相离。我考察了相反相离，也就知道了古代相同相从的含义了。

任 法

圣君任①法而不任智，任数②而不任说，任公而不任私，任大道而不任小物，然后身佚③而天下治。失君④则不然，舍法而任智，故民舍事而好誉；舍数而任说，故民舍实而好言；舍公而好私，故民离法而妄行；舍大道而任小物，故上劳烦，百姓迷惑，而国家不治。圣君则不然，守道要⑤，处佚乐，驰骋弋猎，钟鼓竽瑟，宫中之乐，无禁圉⑥也。不思不虑，不忧不图，利身体，便形躯，养寿命，垂拱⑦而天下治。是故人主有能用其道者，不事心，不劳意，不动力，而土地自辟，囷仓自实，蓄积自多，甲兵自强，群臣无诈伪，百官无奸邪，奇术技艺之人，莫敢高言孟⑧行以过其情，以遇⑨其主矣。

[注释]

①任：凭借，用。②数：策略，权术。这里指政策。③佚：通"逸"，安逸。④失君：即庸君。⑤道要：大要，最主要的方面。⑥圉：通"御"，阻止。⑦垂拱：垂衣拱手，指不亲理事务。⑧孟：通"猛"，威猛。⑨遇：对待，相待。

[译文]

圣明的君主凭借法制而不凭借智谋，凭借政策而不凭借诡辩，凭借公法而不凭借私情，凭借大道而不凭借小事，然后自己安逸而天下也安定。庸君就不同了，舍弃法制而凭借智谋，所以人民就抛弃事实而追求名誉；舍弃政策而凭借诡辩，所以人民抛弃实际而好说空话；抛弃公法而喜爱私情，所以人民就会违背法制而胡作非为；抛弃大道而凭借小事，所以君主劳烦，百姓迷惑，而国家也不能治理好。有道的君主就不同了，遵守纲要，处身于安逸快乐的生活，骑马打猎，钟鼓竽瑟，宫中的乐趣，都是不禁止的。无思无虑，无忧无谋，有利身体健康，运宜形体，保养寿命，顺其自然而天下就能治理好。所以君主能够运用此道，不操心，不劳神，不必动力，土地自然会开辟，粮仓会充实，储备会增多，兵力会强大，群臣中没有诈伪之徒，百官中没有奸邪之人，即使有特殊技能的人也不敢夸大其词，来对待君主。

昔者尧之治天下也，犹埴之在埏也①，唯陶之所以为；犹金之在垆②，恣③冶之所以铸。其民引之而来，推之而往，使之而成，禁之而止。故尧之治也，善明法禁之令而已矣。黄帝之治天下也，其民不引而来，不推而往，不使而成，不禁而止。故黄帝之治也，置法而不变，使民安④其法者也。所谓仁义礼乐者，皆出于法，此先圣之所以一民者也。《周书》曰：国法法不一，则有国者不祥；民不道法，则不祥；国更立法以典民，则祥⑤；群臣不用礼义教训，则不祥；百官服事者离法而治，则不祥。故曰：法者，不可恒也，存亡治乱之所从出，圣君所以为天下大仪也。君臣上下贵贱皆发⑥焉，故曰法。

[注释]

①埴：黏土。埏：用水和土。这里指陶具。②垆：熔炉。③恣：听任，任凭。④安：习惯。⑤祥：依据上下文，"祥"上脱一"不"字。⑥发：通"法"。

[译文]

　　从前尧治理天下的时候，就像黏土在陶具中一样，任凭陶工制作；就像金属在熔炉里一样，任凭冶人铸造。他的民众呼之即来，不挥之则去，不差使他们就能成功，没有禁令就能制止。所以尧治理天下的方法，是善于明确法律禁令罢了。黄帝治理天下的时候，他的民众不呼之即来，不挥之则去，不差使他们就能成功，没有禁令就能制止。所以黄帝治理天下的办法，就是制定法律而不随意变更，使民众习惯法制。所谓仁义礼教，都出自法，这是先贤圣人们用来统一人民的手段。《周书》说：国法不统一，那么国君就不祥；人民不守法也不祥；国家更改确立的法制来管理人民，不祥；群臣不用礼义教化民众，不祥；百官统事的人违背法制来治理也不祥。所以说：法不能不持之以恒，这是存亡祸乱的根源，是圣贤的国君用来治理天下的最高准则。君臣上下贵贱都要依法行事，所以叫做"法"。

　　古之法也，世无请谒任举之人，无闲①识博学辩说之士，无伟服②，无奇行，皆囊③于法以事其主。故明王之所恒者二：一曰明法而固守之，二曰禁民私而收使之，此二者，主之所恒也。夫法者，上之所以一民使下也。私者，下之所以侵法乱主也。故圣君置仪设法而固守之，然故谌杵④习士闻识博学之人不可乱也，众强富贵私勇者不能侵也，信近亲爱者不能离也，珍怪奇物不能惑也，万物百事非在法之中者不能动也。故法者，天下之至道也，圣君之实用也。今天下则不然，皆有善法而不能守也。然故谌杵习士闻识博学之士能以其智乱法惑上，众强富贵私勇者能以其威犯法侵陵；邻国诸侯能以其权置子立相，大臣能以其私附百姓，蔎⑤公财以禄私士。凡如是而求法之行、国之治，不可得也。圣君则不然，卿相不得蔎其私，群臣不得辟⑥其所亲爱，圣君亦明其法而固守之，群臣修通辐凑以事其主⑦，百姓辑⑧睦听令道法以从其事。故曰：有生法，有守法，有法于法。夫生法者，君也；守法者，臣也；法于法者，民也。君臣上下贵贱皆从法，此谓为大治。

[注释]

①闲：通"娴"，熟练。②伟服：奇异的服装。③橐：覆盖，包括。④谌杵：孙诒让云："当为'堪材'，皆形之误也。"指办事能力强的人。⑤翦：通"剪"，削减。⑥辟：征召授予官职。⑦修通：和顺通畅。辐凑：同"辐辏"，集中，聚集。⑧辑：和，和睦。

[译文]

古代的法制，社会上没有请求拜谒举荐的人，没有那种娴识博学游说诡辩的人，没有奇异的服饰，没有怪异的行为，都在法的约束下来事奉君主。所以贤明的君主永远坚持的有两点：一是明确法制并坚定地遵守它；二是禁止民众行私而管制他们。这两点，是君主必须坚持的。法，是君主统一民众支配下属的。私，是下属用来侵犯法制祸乱君主的。所以有道的君主设置法律并坚定地遵守它。所以那些有才博学狡黠的人不能扰乱法度，那些有势力财富勇武的人不能侵犯法制，君主身边的亲信们不能违背法律，奇珍异宝也不能迷惑君主了，万事万物不合法的就不能推行。所以法是天下的最高准则，是贤明君主治理国家的有效方法。现在国家的情况却不是这样，有好的法度却不能执行。于是能干的、懂法度的和见识广、学问多的人，能够用他们的智谋来扰乱法度，迷惑君主；人多势强、财多位尊又有个人胆识的人，能够用他们的威势来破坏法度，侵害欺凌君主；邻国诸侯能够用他们的权力来废置太子，任用辅相；大臣能够用他们的私人恩惠来拉拢百姓，并挪用公家的钱财贿赂私人党羽。像这样还希望法度能通行，国家太平，是不可能的。贤明的君主就不这样，卿相不能挪用公家钱财贿赂他的私党，大臣不能引纳招用自己亲信的人，君主也明确制度并坚定地执行它，群臣像车轮上的辐条一样围绕着君主来侍奉他；百姓和睦，听令守法来做事。所以说：有的人制定法度，有的人执行法度，有的人被法度制约。制定法度的人，是君主；执行法度的人，是臣相；被法度制约的人，是人民百姓。君主大臣、上级下级、尊贵卑贱之人都遵从法度，这可以称为政治修明。

故主有三术：夫爱人不私赏也，恶人不私罚也，置仪设法以度量断者，上主也。爱人而私赏之，恶人而私罚之，倍①大臣，离左右，专以其心断者，中主也。臣有所爱而为私赏之，有所恶而为私罚之，倍其公法，损②其正心，专听其大臣者，危主也。故为人主者，不重爱人，不重恶人。重爱曰失德，重恶曰失威，威德皆失，则主危也。故明王之所操者六：生之，杀之，富之，贫之，贵之，贱之。此六柄者，主之所操也。主之所处者四：一曰文，二曰武，三曰威，四曰德。此四位者，主之所处也。借人以其所操，命曰夺柄；借人以其所处，命曰失位。夺柄失位，而求令之行，不可得也。法不平，令不全，是亦夺柄失位之道也。故有为枉法，有为毁令，此圣君之所以自禁也。故贵不能威，富不能禄，贱不能事，近不能亲，美不能淫也。植固③而不动，奇邪乃恐，奇革而邪化，令往而民移。故圣君失度量，置仪法，如天地之坚，如列星之固，如日月之明，如四时之信，然故令往而民从之。而失君则不然，法立而还废之，令出而后反之，枉法而从私，毁令而不全，是贵能威之，富能禄之，贱能事之，近能亲之，美能淫之也。此五者不禁于身，是以群臣百姓人挟其私而幸其主。彼幸而得之，则主日侵；彼幸而不得，则怨日产。夫日侵而产怨，此人君之所宜慎也。

[注释]

①倍：通"背"，背离。②损：丧失。③植固：坚定固守。

[译文]

所以君主有三种方法：欣赏某人却不私自奖赏，厌恶某人却不私自惩罚，确立礼仪法度，用这个标准判断事物的人，是上等的君主。欣赏某人并私自奖赏，厌恶某人并私自惩罚，背离大臣，脱离近臣，专凭个人心思判断事物的人，是中等的君主。大臣喜爱什么，君主就私自奖赏，大臣憎恶什么，君主就私自惩罚，违背国法，丧失正定的心思，专门听大臣话的人，是危险的君主。所以作为人君，不能过分偏爱某人，也不能过分厌恶某人。过分偏爱叫做丧失恩德，过分厌恶叫做丧失威势。威势和恩德都丧失掉，那么君主就危险了。因此，圣明的君主所要驾驭的有六个方面：使人活，使人死，使人富，使人贫，使人贵，使人贱。这六种权力，是君主所要掌握的。君主所占据的有四个方面：一是文治，二是武事，三是刑罚，四是施德。这四个方面，是君主所要占据的。把自己掌握的权力借给别人，叫做失权；把自己所处的借给别人，叫做失位。丧失权力和地位，还希望法令能够推行，是不可能的。法度不公平，政令不健全，这也是丧失权力和王位的原因。所以，有时歪曲法度，有时毁弃政令，这是圣明的君主禁止自己去做的。所以贵臣不能威胁他，富人不能贿赂他，贱者不能侍奉他，近臣不能亲昵他，美色不能迷惑他。执行法令坚定而不动摇，欺诈炫媚的人就会恐惧，他们的品性都会有所改变，法令一经颁布，民众就会移心从善了。所以，圣明的君主舍弃主观的标准，设立制度和仪法，像天地一样坚定，像列星一样稳固，像日月一样光明，像四时运行一样准确，这样，法令一经颁布人民就会听从。治国不当的君主就不是这样，法度施行后又废除，命令颁布后又收回，歪曲公法而使之迁就他的私意，毁坏政令而使之不健全。于是权贵能威胁他，富人能贿赂他，贱人能侍奉他，近臣能亲昵他，美色能迷惑他。这五个方面，如果君主不能自己禁止自己，那么群臣百姓人人怀着私意来讨好君主。他们讨好君主并达到了目的，那么君主的权力就会逐渐受到侵害。他们讨好君主但没有达到目的，那么怨恨就会逐渐产生。君主的权力受到侵害，群臣百姓产生怨恨，这是君主应该谨慎的事情。

凡为主而不得用其法，不能适其意，顾臣而行，离法而听贵臣，此所谓贵而威之也。富人用金玉事主而来焉，主离法而听之，此所谓富而禄之也。贱人以服约①卑敬悲色告愬其主，主因离法而听之，此所谓贱而事之也。近者以逼近亲爱有求其主，主因离法而听之，此谓近而亲之也。美者以巧言令色请其主，主因离法而听之，此所谓美而淫之也。治世则不然，不知亲疏远近贵贱美恶，以度量断之。其杀戮人者不怨也，其赏赐人者不德也。以法制行之，如天地之无私也。是以官无私论，士无私议，民无私说，皆虚其匈②以听于上。上以公正论，以法制断，故任天下而不重也。今乱君则不然，有私视也，故有不见也；有私听也，故有不闻也；有私虑也，故有不知也。夫私者，壅蔽③失位之道也。上舍公法而听私说，故群臣百姓皆设私立方以教于国，群党比周以立其私，请谒任举以乱公法，人用其心以幸于上。上无度量以禁止，是以私说日益，而公法日损，国之不治，从此产矣。

[注释]

①服约：顺服，屈服。②匈：同"胸"，"胸"为"匈"之或体，乃后出之字。③壅蔽：遮蔽，阻塞。

[译文]

凡是作为君主的却不能运用自己的法度，也不能按照自己的意愿行事，只是看着贵臣的脸色行事，离开法度而听从贵臣，这就叫做贵臣能够威胁他。富人用金玉事奉君主而提出要求,君主就背离法度而听从了,这就叫做富人能够贿赂他。贱人装出一副卑微、可怜的样子哀求君主,君主就背离法度而听信了他们,这就叫做贱人能够侍奉他。身边的近臣利用和君主的关系恳求君主,君主就背离法度听信了他们,这就叫做近臣能够亲昵他。美人用巧语令色请求君主,君主就背离法度听从了她们,这就叫做美色能够迷惑他。治世的情况就不是这样,不分亲疏、远近、贵贱和美丑,都用法度来判断。他依法杀人,被杀的人也没有怨恨;按功行赏,受赏的人也不必感激。全凭法制处理事情,好像天地那样无私。所以官吏没有私论,士人没有私议,百姓也没有私说,大家都虚心地听从君主。君主按照公正的原则发表政论,根据法制判断是非,所以担负治理天下的大任而不会感到沉重。现在的昏君就不是这样,用私心去看,所以就有看不见的地方;用私心去听,所以就有听不见的地方;用私心去考虑,所以就有不理智的地方。私心,正是受到蒙蔽、丢失王位的原因。君主离开了公正的法度而听取私人的言论,那么群臣百姓都会创立自己的一套言论,在国内宣扬;他们结党营私建立私人的势力,他们请求保举扰乱国家的公法,他们费尽心思讨好君主。君主如果没有法度来禁止这些,那么私论就会逐渐增多,法度就会逐渐削弱,国家的不安定就从此产生了。

夫君臣者,天地之位也;民者,众物之象也,各立其所职以待君令,群臣百姓安得各用其心而立私乎?故遵主令而行之,虽有伤败,无罚;非主令而行之,虽有功利,罪死。然故下之事上也,如响之应声也;臣之事主也,如影之从形也。故上令而下应,主行而臣从,此治之道也。夫非主令而行,有功利,因赏之,是教妄举也;遵主令而行之,有伤败而罚之,是使民虑利害而离法也。群臣百姓人虑利害,而以其私心举措①,则法制毁而令不行矣。

[注释]

①举措：举动，行为。

[译文]

君和臣好比天和地的位置，老百姓好比天地间的万事万物，都能够坚守自己的职责等待君主的命令行事，群臣百姓怎么能够各怀心机而去谋求自己的私欲呢？所以遵从君主的命令行事，即使遭到挫折失败，也不会处罚；不遵从君主的命令行事，即使取得功利，也要处以死罪。所以下面对待上面，如同回响反应声音一样；臣子对待君主，如同影子追随形体一样。所以上面发令，下面就执行；君主行事，臣民就遵从，这是治国之道。如果不按照君主的命令行事，取得功利，君主进行了赏赐，这是教导人妄自行事；按照君主的命令行事，遭到挫折失败，就加以处罚，这是使百姓只考虑利益而背离法度。群臣百姓人人都考虑利害关系，并都按照个人的私心行事，那么法制就会被摧毁，命令也就不能施行了。

明法

所谓治国者，主道①明也；所谓乱国者，臣术胜也。夫尊君卑臣，非计亲也，以执②胜也。百官识③，非惠也，刑罚必也。故君臣共道则乱，专授则失。夫国有四亡：令求不出，谓之灭；出而道留，谓之拥；下情求不上通，谓之塞；下情上而道止，谓之侵。故夫灭侵塞拥之所生，从法之不立也。是故先王之治国也，不淫意④于法之外，不为惠于法之内也。动无非法者，所以禁过而外私也。威不两错⑤，政不二门，以法治国，则举错而已。是故有法度之制者，不可巧以诈伪；有权衡之称者，不可欺以轻重；有寻⑥丈之数者，不可差以长短。今主释法以誉进能，则臣离上而下比周矣；以党举官，则民务交而不求用矣。是故官之失其治也，是主以誉为赏，以毁为罚也。然则喜赏恶罚之人，离公道而行私术矣。比周以相为匿⑦，是忘主死交以进其誉⑧。故交众者誉多，外内朋党，虽有大奸，其蔽主多矣。是以忠臣死于非罪，而邪臣起于非功。所死者非罪，所起者非功也，然则为人臣者重私而轻公矣。十至私人之门，不一至于庭。百虑其家，不一图国。属数虽众，非以尊君也。百官虽具，非以任国也，此之谓国无人。国无人者，非朝臣之衰也，家与家务于相益，不务尊君也。大臣务相贵而不任国，小臣持禄养交，不以官为事，故官失其能。是故先王之治国也，使法择人，不自举也。使法量功，不自度也。故能匿⑨而不可蔽，败而不可饰也；誉者不能进，而诽者不能退也，然则君臣之间明别，明别则易治也。主虽不身下为，而守法为之可也。

[注释]

①主道：君主治国之道。②执：应为"势"，《管子·明法解》作"势"，权势，威势。③识：此处有误，应为"论职"。《管子·明法解》作"论职"，奉公任职。④淫意：尹知章云："淫，游也。"游心肆意。⑤错：分开。⑥寻：中国古代的一种长度单位，八尺为寻。⑦匿：通"慝"，邪恶。⑧誉：通"与"，党与。下文"交众者誉多"中"誉"字同此。⑨匿：衍文。《管子·明法解》作"能不可蔽而败不可饰"，无"匿"字。

[译文]

所谓治理得好的国家，是因为君主治国之道显明；所谓混乱的国家，是因为臣下的权术超过了君主治国之道。君尊臣卑，并不是臣子对君主的亲爱，而是君主的权势压倒了臣子；百官奉公尽职，不是君主对臣子的恩惠，而是刑罚施行的结果。所以，君道臣道混淆不分，国家就会混乱；君主把权力授给别人，君主就会失国。国家的危亡有四种表现：法令发不出去，叫做"灭"；发出去却在中途停滞，叫做"壅"；下面的情况不能上达，叫做"塞"；下面的情况上达却在中途停滞，叫做"侵"。灭、侵、塞、壅现象的产生，都是因为法度没有确立起来。所以先王治理国家，在法度之外不会浪费心机，在法度之内也不会私行恩惠。任何行动都不离开法度，就是为了禁止过错而排除私术的。君权不能分开占有，政令也不能由两个部门制定，用法度来治理国家，就是一切按法度办事而已。因此，有了法度的规定，就不能通过伪诈来取巧；有了权衡的称量，就不能利用轻重来欺骗；有了寻丈的计算，就不能利用长短来出差错。如今君主如果放弃法度，按照虚名任用人，那么群臣就会背离君主而在下面结党营私；君主如果听信朋党举用官吏，那么人民就会专务结交而不追求实效。因此，官吏失去治理的权力，这是君主按照虚名行赏，根据诽谤惩罚的结果。这样，那些喜赏恶罚的人就要背离公法而推行私术。结党营私共同作伪，这是忘记君主专务结交而任用同党。所以结交的人多同党也就多，朝廷内外都有朋党，即使有大的奸恶，为他蒙蔽君主的人也就多了。因此忠臣往往无罪而被杀，邪臣往往无功而起家。被杀的无罪和起家的无功，那么作为人臣自然重私轻公了。他们十次奔走于私人的家门，而一次也不会到朝廷；总是考虑自己的家，而一次也不会为了国事谋划。朝廷所属的人虽然很多，但都不是尊奉君主的；百官虽然具备，但都不是治理国事的，这就叫做国中无人。所谓"国中无人"，并不是说朝廷大臣不足，而是说私家之间力求互相发展，而不力求尊奉君主；大臣之间力求互相抬举，而不力求治理国事；小臣拿着俸禄培养私交，也不把公职当做大事，所以官吏失去了作用。因此，先王治理国家，用法度任用人才，不私自推荐；用法度衡量功绩，不私自裁定。所以贤能的人不可能埋没，败类也不可能伪饰；徒有虚名的人不能任用，遭到诽谤的人也不能罢免。这样君臣之间的界限就分明了，界限分明就容易治理。君主虽然不亲自下去办事，但坚持依靠法度办事就可以了。

治 国

凡治国之道，必先富民。民富则易治也，民贫则难治也。奚以知其然也？民富则安乡重家，安乡重家则敬上畏罪，敬上畏罪则易治也。民贫则危乡轻家，危乡轻家则敢陵①上犯禁，陵上犯禁则难治也。故治国常富，而乱国常贫。是以善为国者，必先富民，然后治之。

昔者七十九代之君，法制不一，号令不同，然俱王天下者，何也？必国富而粟多也。夫富国多粟生于农，故先王贵之。凡为国之急者，必先禁末作文巧②；末作文巧禁，则民无所游食③；民无所游食则必农。民事农则田垦，田垦则粟多，粟多则国富，国富者兵强，兵强者战胜，战胜者地广。是以先王知众民、强兵、广地、富国之必生于粟也，故禁末作，止奇巧，而利农事。今为末作奇巧者，一日作而五日食，农夫终岁之作，不足以自食也。然则民舍本事而事末作，舍本事而事末作，则田荒而国贫矣。

[注释]

①陵：同"凌"，侵犯，对抗。②末作文巧：指经营奢侈品的手工业和商业。③游食：指居处不定，到处谋食。

[译文]

大凡治理国家的办法,一定要先使人民富裕起来。人民富裕了就容易治理,人民贫穷就难以治理。怎么知道是这样的呢?人民富裕就安于乡居看重家庭,安于乡居看重家庭就会恭敬君主畏惧刑罚,恭敬君主畏惧刑罚就容易治理了。人民贫穷就不安于乡居不看重家庭,不安于乡居不看重家庭就敢于对抗君上违犯禁令,对抗君上违犯禁令就难以治理了。所以治理得好的国家往往是富裕的,而治理得不好的国家往往是贫穷的。因此善于治理国家的君主,一定要先使人民富裕起来,然后再进行治理。

从前历代君主的法度不一样,号令也不相同,然而都能称王天下,这是为什么呢?必定是国家富裕粮食充足的缘故。国家富裕粮食充足都产生于农业,所以先代圣王都很重视农业。凡属于治理国家的当务之急,一定要先禁止奢侈性的手工业和商业,禁止了这些,人民便无法游荡谋食,人民无法游荡谋食,就只好从事农业了。人民从事农业土地就得到开垦,土地得到开垦粮食就会增加,粮食增加国家就会富裕,国家富裕兵力就会强大,兵力强大战争就可以取胜,战争取胜土地也就广阔了。因此先代圣王深知人口多、兵力强、国土广和国家富都一定来源于粮食,所以禁止奢侈性的工商业,从而利于发展农业。现在从事手工业和商业的人,一天的劳作可以得到五天之食,而农民整年的劳动,却不足以维持自家的生活。这样人民就会放弃农业而从事工商业,放弃农业而从事工商业,那么土地就会荒芜国家也就贫穷了。

凡农者月不足而岁有余者也,而上征暴急无时,则民倍贷①以给上之征矣。耕耨者有时,而泽不必足,则民倍贷以取庸②矣。秋籴③以五,春粜以束④,是又倍贷也。故以上之征而倍取于民者四,关市之租、府库之征、粟什一、厮舆⑤之事,此四时

治国 245

亦当一倍贷矣。夫以一民养四主，故逃徙者刑而上不能止者，粟少而民无积也。常山之东，河汝之间，蚤生而晚杀⑥，五谷之所蕃孰⑦也，四种而五获。中年亩二石，一夫为粟二百石。今也仓廪虚而民无积，农夫以粥⑧子者，上无术以均之也。故先王使农士商工四民交能易作，终岁之利无道相过也。是以民作一而得均，民作一则田垦，奸巧不生。田垦则粟多，粟多则国富，奸巧不生则民治。富而治，此王之道也。

[注释]

①倍贷：尹知章注："倍贷，谓贷一还二也。"高利借贷。②庸：古同"佣"，雇佣。③籴：买进粮食，与"粜"相对。④束：量词，古代以十为束。⑤厮舆：即厮役，从事杂事徭役的奴仆。⑥杀：凋落。⑦蕃孰：即蕃熟，庄稼成熟而得丰收。⑧粥：通"鬻"，卖。

[译文]

大凡农业每月往往供应不足，只有收获季节才能有余，而官府的征税频繁且没有定时，农民只好用高利借贷支付上面的征税。耕田锄草都有时间限制，但雨水不一定充足，农民只好用高利借贷来雇人浇地。秋天商人用五成的价格买进粮食，春天用十成的价格卖出粮食，这又是一项高利借贷。所以，以上的征税造成农民成倍偿还的有四项，关卡市场的租税、府库的征收、十分之一的农业税和官府的杂事徭役。这些一年四季下来，也相当于一项高利借贷了。用一个农民来供养四个债主，所以即使对外逃的人处于刑罚，也不能制止，这是因为粮食少而农民没有积蓄的缘故。常山以东，黄河、汝水之间的区域，是作物生长期早、凋落期晚、粮食丰收的好地方，四季都可以种植，五谷都有收获。中等年成亩产两石，一个劳力可生产粮食二百石。如今国家粮仓空虚而百姓没有积蓄，农民卖儿鬻女，原因就在于君主没有政策来均衡人们的收益。所以先王使农、士、商、工四民交换技能和产品，每年的收益不能互相超过。所以农民专心务农而收益可与其他行业均衡。农民专心务农，土地就会得到开垦，奸诈的事就不会发生。土地开垦，粮食就会增多；粮食增多，国家就会富裕；奸诈的事不出现，人民就会安定。国家富裕百姓安定，这才是成就王业的道路。

不生粟之国亡，粟生而死①者霸，粟生而不死者王。粟也者，民之所归也；粟也者，财之所归也；粟也者，地之所归也；粟多则天下之物尽至矣。故舜一徙成邑，二徙成都，参②徙成国。舜非严刑罚重禁令，而民归之矣，去者必害，从者必利也。先王者，善为民除害兴利，故天下之民归之。所谓兴利者，利农事也；所谓除害者，禁害农事也。农事胜则入粟多，入粟多则国富，国富则安乡重家，安乡重家则虽变俗易习，驱众移民，至于杀之而民不恶也，此务粟之功也。上不利农则粟少，粟少则人贫，人贫则轻家，轻家则易去，易去则上令不能必行，上令不能必行则禁不能必止，禁不能必止则战不必胜，守不必固矣。夫令不必行，禁不必止，战不必胜，守不必固，命之曰寄生之君，此由不利农少粟之害也。粟者，王之本事也，人主之人务，有人之涂③，治国之道也。

[注释]

①死：尽。②参：通"叁"，三。③涂：通"途"，途径、办法。

[译文]

不生产粮食的国家要灭亡，生产粮食而消耗殆尽的国家能称霸，生产粮食供消费后仍有积蓄的国家可称王。粮食，能使百姓来归附；粮食，能使财富积聚；粮食，能使领土开拓。粮食多了，天下的物产都会来了。所以，舜第一次迁徙建成邑，第二次迁徙建成都，第三次迁徙建成国。舜没有采用严厉的刑罚和禁令，而人民都来归附，这是因为离开他的人就会受到损害，跟从他的人就会得到好处。先代圣王，都善于为人民除害兴利，所以天下人民都来归附。所谓兴利，就是有利于农业生产；所谓除害，就是禁止有害于农业生产。农业发展了，粮食就会增加；粮食增加，国家就会富裕；国家富裕，人民就会安于乡居看重家庭；人民安于乡居看重家庭，即使改变他们的风俗和习惯，驱赶迁徙他们，以至于有所杀戮，人民都不会憎恶的，这都是从事粮食生产的功效。人君不重视发展农业，粮食就少；粮食少，人民就会贫困；人民贫困，就会轻视家庭；轻视家庭，就容易离家；容易离家，君主的法令就不能施行；君主的法令不能施行，禁令也不能制止；禁令不能制止，战争不能做到必胜，防守也就不能做到稳固了。法令不能施行，禁令不能制止，作战不能必胜，防守不能稳固，这叫做寄生的君主，这些都是因为不重视发展农业粮食缺乏的危害。所以粮食是成就王业的根本大事，是人君的重大任务，是招引百姓的途径，是治理国家的方法。

内 业①

凡物之精②,此则为生。下生五谷,上为列星。流于天地之间,谓之鬼神;藏于胸中,谓之圣人。是故民气,杲乎如登于天,杳乎如入于渊,淖乎如在于海,卒乎如在于己。是故此气也,不可止以力,而可安以德;不可呼以声,而可迎以音③。敬守勿失,是谓成德。德成而智出,万物果得。凡心之刑④,自充自盈,自生自成。其所以失之,必以忧乐喜怒欲利。能去忧乐喜怒欲利,心乃反济⑤。彼心之情,利安以宁,勿烦勿乱,和乃自成。折折乎如在于侧,忽忽乎如将不得,渺渺乎如穷无极。此稽⑥不远,日用其德。夫道者所以充形也,而人不能固。其往不复,其来不舍。谋乎莫闻其音,卒乎乃在于心,冥冥乎不见其形,淫淫乎与我俱生。不见其形,不闻其声,而序其成,谓之道。

凡道无所,善心安⑦爱。心静气理,道乃可止。彼道不远,民得以产。彼道不离,民因以知⑧。是故卒乎其如可与索,眇眇乎其如穷无所。彼道之情,恶音与声。修心静音,道乃可得。道也者,口之所不能言也,目之所不能视也,耳之所不能听也,所以修心而正形也。人之所失以死,所得以生也。事之所失以败,所得以成也。凡道无根无茎,无叶无荣⑨。万物以生,万物以成，命之曰道。

[注释]

①内业：修养内心之业，即内心的修养。②精：万物最精微的本质，即指精气。③音：王念孙云："即'意'字也，言不可呼之以声，而但可迎之以意也。"意念。④刑：通"形"，形体或实体。⑤反济：尹知章云："若能去六者，则心反守其所而能济成也。"指心的这种自然本性才会重新回归。⑥稽：考察。⑦安：通"焉"，乃，于是。⑧知：同"智"，智慧。⑨荣：开花。

[译文]

万事万物都有精气，都依靠它获得生命。在下产生地上的五谷，在上就是天空的群星。精气流散于天地之间，称为天地的精神；把它藏储在胸中，就成为圣人的智慧。这种精气，明亮如高升于天际，黯然如深入于渊底，舒展开如在四海之外，收聚起如在人身之中。对于这种精气，不可以用人力去留住它，只可以用德性使它安定；不可以声音去呼唤它，只可以意念迎取它。敬守精气而不遗失，便能进一步成就德性。德性的成就使人产生智慧，有了智慧可使天地万物皆得其宜。心的形体，能够自然地使精气充实盈满，能自然地生长。这种自然本性之所以会失去，那是由于忧、乐、喜、怒、嗜欲和贪利的侵入；如果能除掉这些情欲，心的这种自然本性才会重新回归。心的特性，最需要安定和宁静，保持不烦不乱，心的和谐就可以自然形成了。充盈于心中的精气，明亮如近身旁，幽微如不可索求，渺茫如无所终极。这种精气的考察并不疏远，我们日常生活中都在利用它的功德。道，是用来充实心的形体的，但人们往往不能固守。使它迷失而不再复回，即便复回也不会安置。它寂然无声不可得闻，但它收聚时却又聚于人的身心，它杳然无形，不可得见，但它却绵绵不断与生命共存。尽管看不到形体，听不到声音，却有步骤地使万物生长，这就是所谓的"道"。

凡是道都没有固定的停留场所，只有善于修心的人才能使它安处下来。心意静定、气脉通畅，道就可以留驻在这里。道并不在远方，人们得到它就生长；道并不离开人们，人们得到它就有智慧。它聚集时可以求索，散开时渺茫旷远难寻定处。道的特性，是厌恶声音的。只有修身静意才可以得道。所谓道，是口不能说出来，眼睛不能看见，耳朵不能听到的，但它可用来修养身心端正形体；人们失掉了它就会死亡，得到了它就会生长；事业失掉了它就将失败，得到了它就能成功。凡是道，没有根也没有茎，没有叶子也没有花。但万物得到它就能产生，得到它就能成长，所以称之为"道"。

天主正，地主平，人主安静。春秋冬夏，天之时也；山陵川谷，地之枝①也；喜怒取予，人之谋也。是故圣人与时变而不化，从物而不移。能正能静，然后能定。定心在中，耳目聪明，四枝②坚固，可以为精舍③。精也者，气之精者也。气，道乃生，生乃思，思乃知，知乃止矣。凡心之形，过知失生。一物能化谓之神，一事能变谓之智。化不易气，变不易智。惟执一之君子能为此乎！执一不失，能君万物。君子使物，不为物使，得一之理。治心在于中，治言出于口，治事加于人，然则天下治矣。一言得而天下服，一言定而天下听，公之谓也。形不正，德不来；中不静，心不治。正形摄德，天仁地义，则淫然而自至。神明至极，照④乎知万物。中义⑤守不忒，不以物乱官，不以官乱心，是谓中得。有神自在身，一往一来，莫之能思，失之必乱，得之必治。敬除其舍，精将自来。精想思之，宁念治之。严容畏敬，精将至定。得之而勿舍，耳目不淫，心无他图。正心在中，万物得度。道满天下，普在民所，民不能知也。一言之解，上察于天，下极于地，蟠⑥满九州。何谓解之？在于心安。我心治，官乃治。我心安，官乃安。治之者心也，安之者心也。心以藏心，心之中又有心焉。彼心之心，音⑦以先言，音然后形，形然后言，言然后使，使然后治。不治必乱，乱乃死。精存自生，其外安荣⑧。内藏以为泉原，浩然和平，以为气渊。渊之不涸，四体乃固；泉之不竭，九窍遂通。乃能穷天地，被⑨四海。中无惑意，外无邪灾。心全于中，形全于外。不逢天灾，不遇人害，谓之圣人。人能正静，皮肤裕宽，耳目聪明，筋信⑩而骨强，乃能戴大圜而履大方⑪。鉴于大清，视于大明。敬慎无忒，日新其德，遍知天下，穷于四极。敬发其充，是谓内得。然而不反，此生之忒。

[注释]

①枝：王念孙云："'枝'当为'材'字之误也。"物材。②枝：通"肢"。③精舍：尹知章云："心者，精之所舍。"即形体和心。④照：通"昭"。⑤义：衍文，涉上文"天仁地义"而衍。⑥蟠：通"播"，播布，遍及。⑦音：应为"意"，意念。⑧安：通"焉"，乃，于是。荣：光彩，鲜润。⑨被：普及，遍及。⑩信：通"伸"，指筋骨伸展自如。⑪圜：同"圆"，"大圜"指天，"大方"指地。

[译文]

天在于正，地在于平，人在于安静。春秋冬夏是天的时令，山陵川谷是地的物材，喜怒取予是人的谋虑。所以圣人总是随着时世改变而道不变化，随着事物变迁而道却不转移。心能端正守静，然后才能够坚定。有一个坚定的信念存于心中，那就能耳目聪明，四肢坚固，就可以作为"精"的留所。所谓"精"，就是气中的精华。气得道就产生生命，有生命就能思考，能思考就有智慧，有智慧就应停止了。大凡心的形体，求知过多，就会失其生机。能够专一于物掌握变化的叫做神，能够专一于事掌握变化的叫做智。物变化却不会改变气，事变化却不会改变智，只有坚持专一的君子才能做到这样呀！坚持专一而不失，就能够统领万物了。君子使用万物，不会被外物所支配，就是因为掌握了专一的原则。修治之心存于胸，信实之教出于口，合宜之事施于人，这样，天下也就会治理好了。掌握了道则天下归附，确立了道则天下听从，这就是"公"。形体不端正，精气就不来；内部不安静，心神就不定。正形修德，效法天仁地义，则精气就会绵绵不断地来到，神妙的作用发挥到极致，便使人朗然昭明地察知万物。内心守静而不生差错，不让外物扰乱感官功能，不让感官功能扰乱内心，这就叫做"内心悟道"了。本来有"神"存在心内，不过一往一来，难得猜测。但心内失去了神就纷乱，得到了神就安定。虔敬地把心里的杂念打扫干净，"精气"就会自然到来。以意念去存思，以静心去修持，整肃仪容，谨敬志意，精气必将安定下来。得到"精"而不舍弃，就需耳目不耽于声色，内心无所贪图。平正之心存于胸中，就能使一切事物都合宜适度。道满天下，普在民间，而人日用却不能察之。道的精蕴贯通天地，而且布满在九州。怎样才能了解道的精蕴呢？在于心去体悟。我的心能平定，感官就会平定；我的心能安静，感官就会安静。平定要由心，安静也要由心。这是因为心中包藏着心，心里面又有心。心中之心，先生意念，再说出话来。有了意念，就要传达出来。由于思维的传达，就有了声教政令的语言；有了声教言辞，然后有着使唤调遣的作用；有了使唤调遣的作用，然后可以管理事物。内心不安则势必乱，乱则身死。精气存在心中，人就会有生机，在外表现出光彩焕发。精气藏在内部就是泉源，浩大而又和平，成为气的渊源。渊源不会枯竭，四肢才能强壮；泉源不会枯竭，九窍才能通达。于是就能穷极天地，遍及四海了。心中没有疑惑，体外没有邪恶。心健全地保持在内部，形体健全地保持在外部，不逢天灾，不遇人祸，这就叫做圣人。人如果能达到端正守静的境界，那么皮肤就会丰满，耳聪目明，筋骨舒展强健。于是就能够顶天立地，明察如同清水，目光如同日月。严肃谨慎而没有差错，德行将会日日更新，从而遍知天下，达到四方极远的地方。恭敬地发挥内部的精气，就叫做内心有得。然而有人不能回到这样的境界，那是生活上有差失造成的。

凡道，必周必密，必宽必舒，必坚必固。守善勿舍，逐淫泽①薄，既知其极，反于道德。全心在中，不可蔽匿。和于形容，见于肤色。善气迎人，亲于弟兄；恶气迎人，害于戎兵。不言之声，疾于雷鼓。心气之形，明于日月，察于父母。赏不足以劝善，刑不足以惩过。气意得而天下服，心意定而天下听。搏②气如神，万物备存。能搏乎？能一乎？能无卜筮而知吉凶乎？能止乎？能已乎？能勿求诸人而得之己乎？思之，思之，又重思之。思之而不通，鬼神将通之。非鬼神之力也，精气之极也。四体既正，血气既静，一意搏心，耳目不淫，虽远若近。思索生知，慢易生忧，暴傲生怨，忧郁生疾，疾困乃死。思之而不舍，内困外薄③，不蚤为图，生将巽④舍。食莫若无饱，思莫若勿致，节适⑤之齐，彼将自至。凡人之生也，天出其精，地出其形，合此以为人，和乃生，不和不生。察和之道，其精不见，其征不丑⑥。平正擅匈⑦，论治在心，此以长寿。忿怒之失度，乃为之图。节其五欲，去其二凶，不喜不怒，平正擅匈。凡人之生也，必以平正。所以失之，必以喜怒忧患。是故止怒莫若诗，去忧莫若乐，节乐莫若礼，守礼莫若敬，守敬莫若静。内静外敬，能反其性，性将大定。

凡食之道，大充，伤而形不臧⑧。大摄，骨枯而血冱⑨。充摄之间，此谓和成。精之所舍，而知之所生。饥饱之失度，乃为之图。饱则疾动，饥则广⑩思，老则长虑。饱不疾动，气不通于四末⑪；饥不广思，饱而不废，老不长虑，困乃速竭。大心而敢，宽气而广，其形安而不移，能守一而弃万苛，见利不诱，见害不惧，宽舒而仁，独乐其身，是谓云气，意行似天。凡人之生也，必以其欢。忧则失纪，怒则失端。忧悲喜怒，道乃无处。爱欲静之，遇乱正之，勿引勿推，福将自归。彼道自来，可藉与谋。静则得之，躁则失之。灵气在心，一来一逝，其细无内，其大无外。所以失之，以躁为害。心能执静，道将自定。得道之人，理丞而屯泄⑫，匈中无败。节欲之道，万物不害。

[注释]

①泽：通"释"，舍去。②搏：应为"抟"字之误。抟，收聚。③薄：通"迫"，压迫。④巽：通"逊"，逊让，这里指离开。⑤节适：有节制而适度。⑥丑：张佩纶云："丑，类也。"类比。⑦擅：占据。匈：通"胸"。⑧臧：善，好。⑨冱：冻结，凝滞。⑩广：通"旷"，旷废。⑪四末：即四肢。⑫理：纹理。丞：通"蒸"，蒸发。屯：王引之认为应为"毛"字之误。

[译文]

凡是道，必定周到细密、宽大舒畅、坚实牢固。能够做到守善而不舍弃，驱逐淫邪，舍去浮薄，已经懂得了这个准则，就可以返回到道德的途径上来。健全的心在内部，不能隐蔽，可以表现在形体容貌上，也可以表现在肌肤颜色上。善气迎人，亲如兄弟；恶气迎人，恶如利刃。没有说出来的声音，比雷鼓传得还要迅速。心气的形体，比日月还明亮，比父母了解子女更透彻。赏赐不足于劝勉善，刑罚也不足于惩戒恶。气意已得，天下就会归附；心意已定，天下就会听从。收聚精气达到神明的境界，万物就能尽存于心中。问题是人们能专心吗？能一意吗？能够不用占卜而预知凶吉吗？能想止就止吗？能想完就完吗？能不求于人而依靠自我觉悟吗？思考，思考，反复思考。思考而不通，鬼神将会帮你想通。其实这不是鬼神的力量，而是精气的极妙作用。四体已端正，血气已平静，一心一意，耳目不受外物的迷惑，这样即使是遥远的事物，也如同在近旁一样。思考求索能够产生智慧，懈怠疏忽能够产生忧患，残暴骄傲能够产生怨恨，忧虑抑郁能够产生疾病，疾病困苦能够导致死亡。思虑过度而不休息，就会内生困窘，外受压迫，如不早点想办法，生命将会离开躯体。吃东西不宜太饱，思考问题不宜过度，有节制而适度，生命就会自然来到。凡是人的生命，都是由天给他精气，由地给他形体，两者合在一起成为人。两者结合和谐就有生命，结合不和谐就没有生命。考察和谐的过程，它的精气不可看见，它的信验也不可类比。平和端正占据胸间，弥漫心中，就能长寿。愤怒过度，就应该想办法调控。节制五种嗜欲，除去喜怒两凶，不喜不怒，平和中正就可以占据胸间了。凡是人的生命，一定要平和中正。如果失去了，一定会因为喜怒而忧患。所以说，制止愤怒没有什么比得上诗歌，消除忧虑没有什么比得上音乐，控制享乐没有什么比得上守礼，遵守礼仪没有什么比得上恭敬，保持恭敬没有什么比得上虚静。内心虚静，外表恭敬，就能使本性复归，并使本性保持稳定。

关于食的规律：吃得太多，就会伤身而损害形体；吃得太少，就会骨枯而血液凝滞。吃得适中，这就叫做和成。这也是精气汇集、智慧产生的原因。饥饱如果失度，就要想办法解决。吃得太饱就要赶快活动，太饿了就要停止思虑，衰老就要避免思虑。吃饱了而不赶快活动，血气就不能到达四肢；饥饿而不停止思虑，饥饿就会更加严重；衰老就要避免思虑，否则就会身心疲困而迅速衰竭。心胸宽广而敞亮，意气宽和而广泛，形体安详而不游移，能够保持专心致志而放弃烦琐的事物，见利不被诱惑，见害不会畏惧，心情宽舒而仁慈，自得其乐，这就是运用精气的境界，气意运行好像在天空一样。凡是人的生命，一定要依靠欢畅。忧虑就会失去秩序，愤怒就会失去端绪。忧悲喜怒，那么精气就无法留处。有了爱的欲望就要使之平静，有了愚乱的思想就要改正它，既不用引也不用推，幸福将会自然降临。道会自然来，人可以借助道而谋虑。虚静就能得到道，急躁就会失去道。灵气在于人的心中，有时来有时消逝，它小得可以说没有内，大得可以说没有外。失掉灵气的原因就是急躁为害。如果心能够坚持虚静，道就会自然安定。得到道的人，邪气会从皮肤纹理毛孔中蒸发排泄出去，胸中也没有郁积败坏的东西。坚持节欲之道，就可以不受万物的伤害了。

小 问

桓公问管子曰："治而不乱，明而不蔽，若何？"管子对曰："明分任职，则治而不乱，明而不蔽矣。"公曰："请问富国奈何？"管子对曰："力地而动于时，则国必富矣。"公又问曰："吾欲行广仁大义，以利天下，奚为而可？"管子对曰："诛暴禁非，存亡继绝而赦无罪，则仁广而义大矣。"公曰："吾闻之也，夫诛暴禁非而赦无罪者，必有战胜之器、攻取之数①，而后能诛暴禁非而赦无罪。"公曰："请问战胜之器？"管子对曰："选天下之豪杰，致天下之精材，来天下之良工，则有战胜之器矣。"公曰："攻取之数何如？"管子对曰："毁其备，散其积，夺之食，则无固城矣。"公曰："然则取之若何？"管子对曰："假②而礼之，厚而无欺，则天下之士至矣。"公曰："致天下之精材若何？"管子对曰："五而六之，九而十之，不可为数。"公曰："来工若何？"管子对曰："三倍，不远千里。"桓公曰："吾已知战胜之器、攻取之数矣。请问行军袭邑，举错③而知先后，不失地利若何？"管子对曰："用货察图④。"公曰："野战必胜若何？"管子对曰："以奇。"公曰："吾欲遍知天下若何？"管子对曰："小以吾不识，则天下不足识也。"公曰："守战远见，有患。夫民不必死，则不可与出乎守战之难；不必信，则不可恃而外知。夫恃不死之民而求以守战，恃不信之人而求以外知，此兵之三暗也。使民必死必信若何？"管子对曰："明三本。"公曰："何谓三本？"管子对曰："三本者，一曰固，二曰尊，三曰质⑤。"公曰："何谓也？"管子对曰："故国父母，坟墓之所在，固也；田宅爵禄，尊也；妻子，质也。三者备，然后大其威，厉其意，则民必死而不我欺也。"

[注释]

①数：规律，必然性。②假：宽容。③错：通"措"。④用货察图：尹知章云："用货为反间，则知其先后；察彼国图，则不失地利也。"⑤质：人质。

[译文]

桓公问管子道："治理国家且不使其混乱，彰明法度而不出现弊病，该怎么做呢？"管子回答说："明确地分配各人的职责，则可以使国家太平而无乱，法度明确而没有弊病了。"桓公问："如何能使国家富有呢？"管子回答说："耕种土地并顺应时节进行农事，国家就一定会富有起来。"桓公又问："我想推行仁德大义，来造福天下，怎么做才能达到呢？"管子回答说："处死暴徒，禁绝错行，使将亡者保全性命，使将绝者延续下来，赦免无罪之人，您的德行自然流传，仁义自然增多了。"桓公说："我听过这样的说法：那些诛暴徒禁错行而赦免无罪的，必然有可取胜的利器和进攻的法则，然后才能诛暴徒禁错行而赦免无罪。"桓公问："请问战胜敌人的利器是什么呢？"管子回答说："选拔天下的豪杰之士，招致天下的能人奇才，使天下的优秀工匠来到，就拥有了战胜敌人的武器。"桓公问："攻城取胜的法则呢？"管子回答说："捣毁敌人的工事，散掉敌人的囤积，夺取敌人的粮饷，就没有坚固的守城了。"桓公问："那么我如何取得这些呢？"管子回答说："宽容而以礼待之，厚德而不欺诈，那么天下之士就来了。"桓公问："怎样招致天下的能人奇才?"管子回答:"如果其他君主给予贤才的报酬是五,您就应该给六;他人酬之以九,您就酬之以十,这样天下的贤士都会归顺您了。"桓公问:"如何让工匠前来呢?"管仲回答说:"如果您能给他们比别的地方多三倍的报酬,那他们不远千里也会前来。"桓公说:"我已经知道战胜之器和攻取之数了,请问行军袭城,行事有序,不失去地利,要怎么做呢?"管子回答说:"以财物离间敌人,考察敌国地图。"桓公问:"要想百战百胜,怎样做呢?"管子回答说:"出奇制胜。"桓公说:"我想要遍知天下之事,应该怎么做呢?"管子回答说:"如果能博闻多见,就能遍知天下之事了。"桓公又说:"为国者要入守出战,在这二者间就预见祸患,人民不怀有必死报国之心,就不能把守城出战这等艰辛之事交给他们。不怀有对君王的绝对信任,就不能靠他们来了解天下之事。凭借无必死之心的人民而求取守战之胜,凭借不怀有必信之心的人民而知天下,这是用兵的三暗啊。想使人民怀有必死必信之心,怎么做呢?"管子回答说:"向他们阐明'三本'的道理。"桓公问:"什么是'三本'?"管子回答:"所谓'三本',第一是固心,第二是尊位,第三是存质。"桓公问:"这是什么意思?"管子回答说:"故乡父母,祖坟之所在,是使人心稳固的根本。赏赐田宅爵禄,可使人地位尊贵。妻子儿女可以作为人质。这三者齐备了,然后扩大自己的威严,严厉地表达自己的意愿,则人民就会不畏惧为国献身,也不会欺骗君主了。"

桓公问治民于管子,管子对曰:"凡牧①民者,必知其疾,而忧之以德,勿惧以罪,勿止以力。慎此四者,足以治民也。"桓公曰:"寡人睹其善也,何为其寡也?"管仲对曰:"夫寡非有国者之患也。昔者天子中立,地方千里,四言者该②焉,何为其寡也?夫牧民不知其疾,则民疾;不忧以德,则民多怨;惧之以罪，则民多诈；止之以力，则往者不反，来者鹜距③。故圣王之牧民也，不在其多也。"桓公曰："善。勿已，如是又何以行之？"管仲对曰："质信极忠，严以有礼，慎此四者，所以行之也。"桓公曰："请闻其说。"管仲对曰："信也者，民信之；忠也者，民怀之；严也者，民畏之；礼也者，民美之。语曰：泽命不渝④，信也；非其所欲，勿施于人，仁也；坚中外正，严也；质信以让，礼也。"桓公曰："善哉！牧民何先？"管子对曰："有时先事，有时先政，有时先德，有时先恕。飘风暴雨不为人害，涸旱不为民患，百川道⑤，年谷熟，籴货⑥贱，禽兽与人聚食民食，民不疾疫。当此时也，民富且骄。牧民者，厚收善岁，以充仓廪，禁薮泽，此谓先之以事，随之以刑，敬之以礼乐，以振⑦其淫。此谓先之以政。飘风暴雨为民害，涸旱为民患，年谷不熟，岁饥，籴货贵，民疾疫。当此时也，民贫且罢⑧。牧民者，发仓廪、山林、薮泽以共其财，后之以事，先之以恕，以振其罢。此谓先之以德。其收之也，不夺民财；其施之也，不失有德。富上而足下，此圣王之至事也。"桓公曰："善。"

[注释]

①牧：统治。②该：通"赅"，具备。③鹜距：郭沫若云："'鹜距'，当以声求之，殆犹趑趄或踟蹰。"指踟蹰不前的样子。④泽：通"释"，舍弃。渝：改变。⑤道：通"导"，疏导。⑥籴：买进粮食。粜：卖出粮食。⑦振：整治，整顿。⑧罢：通"疲"，疲劳，疲乏。

[译文]

桓公问管子治理人民的道理，管子回答说："但凡那些统治人民的人，都了解人民的疾苦，凭借其仁德的心为他们担忧，不对他们加以罪责来使他们害怕，不使用武力制止他们的行为，谨慎地按照这四点行事，就足以治理人民了。"桓公说："我看得出这四条很好，但我的人民很少，怎么办呢？"管仲回答道："人民数量少并不是治国者应该忧患的事。当年天子立居中央之地，统治的地域方圆数千里，四方少数民族的言论都秉承着天子的教令。怎么能说人民少呢？统治人民的人不知道人民的疾苦，则人民的生活就困苦不堪。不以自己的仁德之心来为人民忧虑，则人民就多埋怨之辞。对他们加以罪责来使人民畏惧，则人民就会有更多的欺骗行为。以武力来制止他们的言行，则去者不会再返回来，来者也会裹足不前了。所以圣贤的国君，并不在乎人民的数量有多少。"桓公道："那好吧，既然如此又该怎样具体实行呢？"管仲回答道："君主能诚信又极尽仁义，严正而又有礼节，谨慎认真地注意这四点，就能够实行了。"桓公说："请详细加以说明。"管仲回答道："诚信的人，人民也信任他，实行仁政的人，人民就归附他，严正的人，人民也敬畏他，有礼节的人，人民就赞美他。常语说：舍弃性命也不改变初衷，就是诚信；不是自己想做的事，而不强加给别人，是真正的仁德。内心坚定而外表端正，是真正的严正，诚信而谦让，是真正的有礼。"桓公说："好吧，统治人民以什么为先呢？"管子回答道："有时先施以政事，有时先施以仁德。在没有狂风暴雨为害的年景，人民也没有干旱天灾的忧患，百河通畅，年谷丰熟，粮价低廉，禽兽与人同吃粮食，人们也没有疾病和瘟疫。这时，人民是富有而且自满的。统治人民的人，应该大量收购丰年的收成，来补充国家的粮米之仓。禁制薮泽的采伐捕获，先抓好政事，随之用以刑法，以礼乐来告诫人民，整顿淫邪的风气。这就叫做先施以'政'。如果遇上狂风暴雨为害的年景，同时也存在干旱之灾，年谷不丰熟，在饥荒之年，粮价提高，人民又有了疾病和瘟疫。在这时，人民是穷困而且疲惫的。治民者就应该开放仓廪、山林和薮泽，以供应人民财物，不先讲政事，而先讲仁德，以整顿人民的疲困之状。这个就叫做先施以'德'。丰年收聚人民的产品，不夺民财；荒年施与养马人民以财物，又不失有德行；富裕了君主而且满足了人民，这是圣王所行的最好的事情。"桓公说:"好。"

桓公问管仲曰:"寡人欲霸,以二三子之功,既得霸矣。今吾有①欲王,其可乎?"管仲对曰:"公当召叔牙而问焉。"鲍叔至,公又问焉。鲍叔对曰:"公当召宾胥无而问焉。"宾胥无趋而进,公又问焉。宾胥无对曰:"古之王者,其君丰,其臣教。今君之臣丰。"公遵遁②缪然远,二三子遂徐行而进。公曰:"昔者大王贤,王季贤,文王贤,武王贤。武王伐殷,克之,七年而崩,周公旦辅成王而治天下,仅能制于四海之内矣。今寡人之子不若寡人,寡人不若二三子。以此观之,则吾不王必矣。"桓公曰:"我欲胜民,为之奈何?"管仲对曰:"此非人君之言也。胜民为易。夫胜民之为道,非天下之大道也。君欲胜民,则使有司疏狱③,而谒有罪者偿,数省而严诛,若此则民胜矣。虽然,胜民之为道,非天下之大道也。使民畏公而不见亲,祸亟及于身。虽能不久,则人持莫之弑也,危哉!君之国岌乎!"

桓公观于厩,问厩吏曰:"厩何事最难?"厩吏未对,管仲对曰:"夷吾尝为圉人④矣,傅⑤马栈最难。先傅曲木,曲木又求曲木,曲木已傅,直木毋所施矣。先傅直木,直木又求直木,直木已傅,曲木亦无所施矣。"

桓公谓管仲曰:"吾欲伐大国之不服者,奈何?"管仲对曰:"先爱四封之内,然后可以恶竟⑥外之不善者;先定卿大夫之家,然后可以危邻之敌国。是故先王必有置也,然后有废也;必有利也,然后有害也。"

[注释]

①有:通"又"。②遵遁:也作"遵循",逡巡,退却的样子。③疏狱:尹知章云:"谓疏录狱囚。"疏,分条记录或分条陈述。④圉人:养马人。⑤傅:通"附",指编次马所站立的木栈。⑥竟:同"境",国境。

[译文]

　　桓公问管仲:"我想要称霸,凭借几个臣子的帮助,已经达到了目的。如今我又想称王,能够做到吗?"管仲回答说:"您该召见鲍叔牙而问这个问题。"鲍叔牙到了,桓公又问这个问题。鲍叔牙回答说:"您应当召见宾胥无去问他。"宾胥无小步快行而进,桓公又问他这个问题。宾胥无回答说:"先古的帝王们,若君德大行,则众臣默然。如今大王您的臣德胜于君。"桓公逡巡而退,群臣于是徐行而进。桓公说:"昔日大王贤明,王季贤明,文王贤明,武王贤明。武王征伐殷并取得胜利,七年后驾崩。周公旦辅佐成王治理天下,也只能管治四海之内而已。如今我的儿子不如我,我不如我的臣子们。由此看来,我必然无法称王了。"桓公说:"我想胜服于民,应该怎么做呢?"管仲回答说:"这不是作为君王应该有的言论。以刑罚使人民驯服容易做到,但以使人民胜服为道,这不是天下的大道。大王想要胜服于人民,那就让狱官分条记录犯人情况,奖赏揭发罪行的人,时常反省自身的过失,严格管理诛杀之刑,这样做则可以胜民了。虽然是这样,但使人民胜服之道,不是天下的大道。用严刑使人民畏惧公家而不能与之亲近,祸及于身,如此虽能胜人,但不能久安。即使国君不为人所弑,国家也处于危险之中了。您的国家已经岌岌可危了!"

　　桓公察看马厩,问掌管马厩的官吏说:"马厩里什么工作最难?"掌管马厩的官吏还没有回答,管仲回答说:"我曾当过养马的官,最困难的事就是排立马所站立的木栈。如先立曲木,曲木要与曲木相配,曲木排好后,直木就无法使用了。如果先用直木,直木要与直木相配,直木排好后,曲木也就无法使用了。"

　　桓公对管仲说:"我想要讨伐那些不服从命令的大国,该怎么办?"管仲回答说:"先要爱护国内,然后才可以憎恨国外不好的;先要安定卿大夫的家,然后才可能使相邻的敌国有危险。因此,先代的君王一定要有设置,然后才有废弃;一定先兴利,然后才除害。"

桓公践位,令衅社塞祷①。祝凫已疵献胙②,祝曰:"除君苛疾与若之多虚而少实。"桓公不说③,瞋目而视祝凫已疵。祝凫已疵授酒而祭之。曰:"又与君之若贤。"桓公怒,将诛之,而未也,以复管仲。管仲于是知桓公之可以霸也。桓公乘马,虎望见之而伏。桓公问管仲曰:"今者寡人乘马,虎望见寡人而不敢行,其故何也?"管仲对曰:"意者君乘駮马而洀桓④,迎日而驰乎?"公曰:"然。"管仲对曰:"此駮象也。駮食虎豹,故虎疑焉。"

[注释]

①衅:古代一种祭祀仪式,用牲畜血涂器祭祀。塞:同"赛",古代一种酬报神灵的祭礼。②胙:祭肉。③说:同"悦",高兴。④駮:传说中的兽名。《说文解字》:"駮,兽,如马,倨牙,食虎豹。"駮马,即指毛色斑驳的马。洀桓:逗留,徘徊。

[译文]

桓公即位为国君,于是命令血祭社神进行酬神祈祷。祝史凫已疵献上祭肉,祈祷说:"请除掉国君苛捐的毛病和国君多虚空少实际的作风。"桓公听了很不高兴,瞪着眼睛看着祝史凫已疵。祝史凫已疵又斟酒祭祀说:"还要除掉国君看似贤德的毛病。"桓公发怒了,要杀祝史,但没有杀,并把这件事告诉了管仲。管仲于是知道桓公是可以成就霸业的。桓公骑马,老虎看见他就趴下了。桓公问管仲说:"现在我骑马,老虎看见我都不敢走了,这是什么原因?"管仲回答说:"我想您骑着杂毛色的马在路上徘徊,然后朝着太阳奔跑了吧?"桓公说:"是这样的。"管仲回答说:"这是駮兽的形象,駮兽吃虎豹,所以虎就害怕了。"

楚伐莒，莒君使人求救于齐。桓公将救之，管仲曰："君勿救也。"公曰："其故何也？"管仲对曰："臣与其使者言，三①辱其君，颜色不变。臣使官无满其礼，三强其使者争之以死。莒君，小人也。君勿救。"桓公果不救而莒亡。

桓公放春②，三月观于野，桓公曰："何物可比于君子之德乎？"隰朋对曰："夫粟，内甲以处，中有卷城③，外有兵刃，未敢自恃，自命曰粟。此其可比于君子之德乎！"管仲曰："苗，始其少也，眴眴④乎何其孺子也！至其壮也，庄庄乎何其士也！至其成也，由由乎兹免⑤何其君子也！天下得之则安，不得则危，故命之曰禾。此其可比于君子之德矣。"桓公曰："善。"

[注释]

①三：表示多次。②放春：古代寒食节前的一种游春活动。③卷城：指粟的外壳。④眴眴：尹知章云："眴眴，柔顺貌。穀苗始则柔顺，故似孺子也。"柔顺的样子。⑤兹：同"滋"，增益，多。免：通"俛"，低头。

[译文]

楚国攻伐莒国，莒国国君派人向齐桓公求救。桓公要去援救莒国，管仲说："您不要去救。"桓公说："为什么？"管仲回答说："我同莒国的使臣谈话，多次侮辱他的国君，他脸色都不变。我让接待他的官员不要给足赠礼，这使臣就以死相争。有这样使臣的莒国国君，看来也是个小人。您不要去救他。"桓公果然没有援救而莒国就灭亡了。

桓公春游，三月份在田野上观赏。桓公说："什么东西可以与君子之德相比呢？"隰朋回答说："粟，处在甲胄之内，中间有卷城保护，外面还有尖锐的兵刃，但还不敢自恃其强大，自称为微小的粟。这大概可以与君子之德相比了吧！"管仲说："禾苗，开始生长的时候，柔顺得就像个孩子；到了壮年的时候，庄重得就像一个男子汉；到它成熟的时候，和悦地俯首向根就像个君子。天下得到它就会安定，失去它就会危险，所以称之为禾。这大概可以同君子之德相比了。"桓公说："好。"

桓公北伐孤竹，未至卑耳之溪十里，闟然[1]止，瞠然视，援弓将射，引而未敢发也。谓左右曰："见是前人乎？"左右对曰："不见也。"公曰："事其不济乎，寡人大惑。今者寡人见人长尺而人物具焉：冠，右袪[2]衣，走马前疾。事其不济乎，寡人大惑。岂有人若此者乎？"管仲对曰："臣闻登山之神有俞儿者，长尺而人物具焉。霸王之君兴，而登山神见。且走马前疾，道也。袪衣，示前有水也。右袪衣，示从右方涉也。"至卑耳之溪，有赞水者[3]曰："从左方涉，其深及冠；从右方涉，其深至膝。若右涉，其大济。"桓公立拜管仲于马前曰："仲父之圣至若此，寡人之抵罪也久矣。"管仲对曰："夷吾闻之，圣人先知无形。今已有形而后知之，臣非圣也，善承教也。"

[注释]

①闟然：忽然，突然。②袪：撩起。③赞水者：引导涉水的人。赞，辅助，辅佐。

[译文]

桓公北伐孤竹国时，在离卑耳溪十里的地方，突然停止前进，瞪着眼睛看着前方，挽起弓箭将要射，拉开了弓但没有射出去。对左右的人说："见到前面的人了吗？"左右回答说："没有看见。"桓公说："事情大概不能成功，我很迷惑不解。刚才我看见一个人身长一尺而样子都具备：戴帽子，右手撩衣，跑在马前很快。事情大概不能成功，我很迷惑不解。怎么会有人像这样子呢？"管仲回答说："我听说登山神中有个叫俞儿的，身长一尺而人的样子都具备。成就霸王之业的君主兴起的时候，登山神就会出现。跑在马前

小问　267

很快，表示前面有路；撩衣，表示前面有水；右手撩衣，表示从右边过河。"到了卑耳溪，有引导渡水的向导说："从左边过河，水深没顶；从右边过河，水深至膝。如果从右边过河，就会成功。"桓公立刻在马前拜谢管仲说："仲父的圣明达到这么高的境地，我所犯的罪过有很长时间了。"管仲回答说："我听说，圣人是在没有形迹之前就能预知事情的。现在事情已有形迹，然后我才知道，所以我不是圣人，只是善于接受圣人的教导罢了。"

桓公使管仲求宁戚，宁戚应之曰："浩浩乎！"管仲不知，至中食而虑之。婢子曰："公何虑？"管仲曰："非婢子之所知也。"婢子曰："公其毋少少，毋贱贱。昔者吴干战，未齔①不得入军门。国子擿②其齿，遂入，为干国多。百里傒，秦国之饭牛者也，穆公举而相之，遂霸诸侯。由是观之，贱岂可贱，少岂可少哉？"管仲曰："然。公使我求宁戚，宁戚应我曰：'浩浩乎。'吾不识。"婢子曰："诗有之：'浩浩者水，育育者鱼，未有室家，而安召我居？'宁子其欲室乎？"

[注释]

①齔：小孩换牙。②擿：同"掷"，投掷。

[译文]

桓公派管仲去征召宁戚，宁戚答复说："浩浩乎。"管仲不知道什么意思，到吃中饭的时候还在思考这件事。婢女说："您在想什么？"管仲说："不是你所能懂得的。"婢女说："您可不要小看年少的人，也不要鄙视卑贱的人。从前吴国同干国开战，规定没有换牙的少年不能参军作战，干国的少年就拔掉他们的牙齿，于是进入军队，为干国立了很多功。百里傒是秦国喂牛的，秦穆公提拔而任他为相，从而称霸诸侯。由此观之，卑贱的人怎么可以鄙视，年少的人怎么可以小看呢！"管仲说："好。桓公派我去征召宁戚，宁戚答复说：'浩浩乎。'我不懂什么意思。"婢女说："诗里有：'浩浩的大水，养育着很多的鱼。没有室家，召我干什么呢？'宁戚大概是想娶妻成家吧？"

桓公与管仲阖①门而谋伐莒，未发也，而已闻于国矣。桓公怒谓管仲曰："寡人与仲父阖门而谋伐莒，未发也，而已闻于国，其故何也？"管仲曰："国必有圣人。"桓公曰："然。夫日之役者，有执席食以视上者，必彼是邪！"于是乃令之复役，毋复相代。少焉，东郭邮至，桓公令傧者延②而上，与之分级而上③，问焉，曰："子言伐莒者乎？"东郭邮曰："然，臣也。"桓公曰："寡人不言伐莒而子言伐莒，其故何也？"东郭邮对曰："臣闻之，君子善谋，而小人善意④，臣意之也。"桓公曰："子奚以意之？"东郭邮曰："夫欣然喜乐者，钟鼓之色也；夫渊然清静者，缞绖⑤之色也；漻然丰满，而手足拇动者，兵甲之色也。日者臣视二君之在台上也，口开而不阖，是言莒也；举手而指，势当莒也。且臣观小国诸侯之不服者，唯莒。于是，臣故曰伐莒。"桓公曰："善哉，以微射⑥明，此之谓乎！子其坐，寡人与子同之。"

客或欲见齐桓公，请仕上官，授禄千钟。公以告管仲，曰："君予之。"客闻之，曰："臣不仕矣。"公曰："何故？"对曰："臣闻取人以人者，其去人也亦用人。吾不仕矣。"

[注释]

①阖：关闭。②延：引进，迎接。③上：王念孙云："'上'当为'立'，此涉上句之误也。"《吕氏春秋》、《说苑》及《论衡》均作"分级而立"。④意：料想，猜想。⑤缞绖：丧服。⑥射：猜度。

[译文]

桓公和管仲关着门谋划讨伐莒，还没有行动，就已经在国内传开了。桓公生气地对管仲说："我同仲父关着门谋划讨伐莒，还没有行动，就已经在国内传开了，这是为什么呢？"管仲说："国中一定有圣人。"桓公说："是这样的。有一个执席而食而向上看的人，一定是他。"于是就命令他继续服役，不得更换。不久，东郭邮来了，桓公让礼宾的官吏请他上来，和他站在不同的石级上，询问他说："你就是那个说讨伐莒的人吗？"东郭邮说："是的。是我。"桓公说："我没有说伐莒而你说伐莒，为什么呢？"东郭邮回答说："我听说，君子善于谋划，而小人善于推测，我是推测出来的。"桓公说："您是怎么推测出来的？"东郭邮说："欣然喜乐，是鸣钟击鼓的脸色；深沉清静，是服丧戴孝的脸色；清澈丰满，而手足拇指都有动作，这是发动战争的脸色。那天，我看见你们在台上，口开着而不合，是说'莒'字；举手指划，方向对着莒国。而且我观察小国诸侯不肯服从的，唯有莒国。所以我说是伐莒。"桓公说："好。从细微的地方判断辨明大事，说的就是这种情况吧！您请坐下来，我和您一起谋划这件事。"

　　有一个宾客想要见齐桓公，请求做大官，授禄千钟。桓公把这件事告诉了管仲，管仲说："可以给他。"这人听了之后说："我不做官了。"桓公说："为什么？"回答说："我听说任用人时听别人的，那废弃人的时候也是听别人的。所以我不做官了。"

禁 藏

禁藏于胸胁①之内，而祸避于万里之外，能以此制彼者，唯能以己知人者也。夫冬日之不滥②，非爱冰也；夏日之不炀③，非爱火也。为不适于身不便于体也。夫明王不美宫室，非喜小也；不听钟鼓，非恶乐也。为其伤于本事而妨于教也。故先慎于己而后彼，官亦慎内而后外，民亦务本而去末。居民于其所乐，事之于其所利，赏之于其所善，罚之于其所恶，信之于其所余财，功之于其所无诛。于下无诛者，必诛者也；有诛者，不必诛者也。以有刑至无刑者，其法易而民全；以无刑至有刑者，其刑烦而奸多；夫先易者后难，先难而后易，万物尽然。明王知其然，故必诛而不赦，必赏而不迁④者，非喜予而乐其杀也，所以为人致利除害也。于以养老长弱，完活⑤万民，莫明焉。

[注释]

①胁：胸部的两侧。②滥：尹知章云："滥，谓泛冰于水以求寒，所谓滥浆。"③炀：烘干，烤火。④迁：变更，变动。⑤完活：保全养育。

[译文]

把应"禁"的事情铭记在心中，就可以避祸于万里之外了。能够用"禁"去防止祸害的，只有那些能以己度人的人。冬天不用冰水，不是因为吝惜冰块；夏天不去烤火，并不是因为吝惜火。是因为那样对自己的身体不适宜。圣明的君主不使自己的宫殿华美，并不是因为他喜欢简陋的房屋；不听钟鼓之乐，并不是因为不爱好音乐。是因为这样做会伤及农业生产，妨碍教化的推行。所以君主应当先谨慎地约束自己，然后管教别人；官吏也应当谨慎地管理自己，然后才能管理好外部；百姓也应当致力于农业生产而放弃工商业。使百姓居住在他们乐意居住的地方，使他们从事对他们有益的事情，奖赏他们认为是善的人物，惩罚他们认为不好的行为，使百姓相信多余的财产不会被剥夺，使百姓从事不犯法的活动。对下不用诛杀，正是申明有罪必杀的结果；百姓中有人被诛杀，就是没有坚持有罪必杀的后果。从有刑罚到没刑罚，就是说明法律简易而百姓得以保全；从没有刑罚到有刑罚，就说明了刑罚繁琐复杂且奸邪之徒多。开始容易后来难，开始难后来容易，世间万物都是这样的。圣明的君主明白这些，所以他对一定要诛杀的人绝不赦免，应该奖赏的人绝不拖延，这并不是因为君主喜欢奖赏、乐于杀戮，而是因为这样做会给百姓带来利益，驱除祸害。于是赡养老人，抚养弱者，保全万民，没有比这更明智的了。

夫不法①法则治。法者，天下之仪也，所以决疑而明是非也，百姓所县命②也。故明王慎之，不为亲戚故贵易其法，吏不敢以长官威严危其命，民不以珠玉重宝犯其禁。故主上视法严于亲戚，吏之举令敬于师长，民之承教重于神宝。故法立而不用，刑设而不行也。夫施功而不钧③，位虽高，为用者少；赦罪而不一，德虽厚，不誉者多；举事而不时，力虽尽，其功不成；刑赏不当，断斩虽多，其暴不禁。夫公之所加，罪虽重，下无怨气；私之所加，赏虽多，上不为欢。行法不道，众民不能顺；举错④不当，众民不能成。不攻⑤不备，当今为愚人。故圣人之制事也，能节宫室、适⑥车舆以实藏，则国必富，位必尊矣。能适衣服、去玩好以奉本，而用必赡⑦、身必安矣。能移无益之事、无补之费，通币行礼，而党必多、交必亲矣。夫众人者，多营于物而苦其力、劳其心，故困而不赡，大者以失其国，小者以危其身。

[注释]

①法：郭沫若云："上'法'当读为废。"法法，即废法。②县：通"悬"，意为生命所系。百姓所县命，指关系到百姓的生死。③钧：通"均"，均衡。④错：通"措"，措施。⑤攻：通"工"，善于。⑥适：节制。⑦赡：富足。

[译文]

如果不废除法令制度，那么天下就可以得到治理了。法令是天下的仪表，是用来解决疑问和明辨是非的手段，它也关系着百姓的生命。因此圣明的君主会谨慎地对待它，不会因为亲戚、旧交和权贵而改变已经制定的法律，官吏们就不敢凭借长官的威严危害国家的法令，百姓也不会用珠宝玉器去贿赂官吏从而触犯禁令。因此君主把法令看得比自己的亲戚还要重要，官吏执行法令比敬重师长还要严肃，百姓接受教化比供奉祖先还要神圣。所以法令虽然确立了但是不需要使用，刑罚设立了但是不需要实行。如果论功行赏不公平，授予的职位再高，也很少有人效命；赦免和惩罚不一致，即使德惠丰厚，不称赞的人还是很多；办事情不合时机，虽然已经尽心尽力，但不会得到成功；判决刑罚不当，即使斩杀很多凶徒，但是暴戾的事情还是不会终止。依照法令公正地行事，刑罚虽然重，但百姓不会有怨气；凭私心办事，奖赏虽多，但是百姓也不会满意。执行法令不符合道理，百姓是不会顺从的；制定措施不恰当，百姓就不能成功地办事；不善于采取措施，不使法令达到完备，应当称为愚人。因此圣明的君主行事，能够节俭宫殿内室陈设，节制使用车驾来充实国库，这样国家就会富裕，君主的地位就会尊贵。能够简约服饰、舍弃玩好之物来发展农业，那么财用就会富足，君主的地位就会稳固。能摆脱没有益处的事情和不必要的开支，送财物，同时广泛进行外交活动，那么盟友一定会增多，交往的关系也会亲密无间。至于一般的君主，大多受外物的迷惑而为此劳心劳力，所以弄得困顿不堪而国用不足，严重的可能亡国，轻的也会危害自身。

凡人之情，得所欲则乐，逢所恶则忧，此贵贱之所同有也。近之不能勿欲，远之不能勿忘，人情皆然。而好恶不同，各行所欲，而安危异焉，然后贤不肖之形见也。夫物有多寡，而情不能等；事有成败，而意不能同；行有进退，而力不能两也。故立身于中，养有节：宫室足以避燥湿，饮食足以和血气，衣服足以适寒温，礼仪足以别贵贱。游虞①足以发欢欣，棺椁足以朽骨，衣衾足以朽肉，坟墓足以道记②。不作无补之功，不为无益之事，故意定而不营气情③。气情不营，则耳目谷④、衣食足；耳目谷、衣食足，则侵争不生，怨怒无有，上下相亲，兵刃不用矣。故适身行义，俭约恭敬，其唯无福，祸亦不来矣；骄傲侈泰⑤，离度绝理，其唯无祸，福亦不至矣。是故君子上观绝理者以自恐也，下观不及者，以自隐⑥也。故曰：誉不虚出，而患不独生，福不择家，祸不索人，此之谓也。能以所闻瞻察，则事必明矣。故凡治乱之情，皆道上始。

[注释]

①游虞：嬉游娱乐。虞，通"娱"。②道记：尹知章云："道识其处，各有记也。"标志。③气情：指情欲。④谷：尹知章云："谷，善也，谓聪明不亏。"指耳聪目明。⑤侈泰：奢侈无度。⑥隐：省察。

[译文]

大凡人的常情，满足欲望就会快乐，遇到厌恶的事情就会忧愁,这是不论地位高低的人都共有的情绪。对身边的东西不能不希望占有,对遥远的东西不能不遗忘,人的本性都是这样的。然而每个人的喜好和厌恶不同,各自按各自的想法行事,所以安危的结局也就不同了,这样贤能的人和不肖的人就会显现出来。天下间的物产有多有少,而各人的要求不相同;做事有成功有失败,而各人的意愿也不一致;行事中有进有退,而个人的力量也不能适应。所以为人行事要保持适中,生活给养要有节制:宫室只要可以避干燥和潮湿就行了,饮食只要可以中和体内血气就行了,衣服只要可以适应寒冷和暑热就行了,礼仪只要可以区分贵贱就行了,娱乐游玩只要可以抒发欢欣就行了,棺木只要可以盛装枯骨就行了,衣衾只要可以包裹尸体就行了,坟墓只要可以作标记就行了。不要做没有功效的工作,不要做没有益处的事情,这样就可以使意志坚定而不会被情欲所迷惑了。情欲不受迷惑,那么就会耳聪目明、衣食充足,就不会发生侵掠抢夺的战争,没有怨怒,上下和睦相亲,就不需要动用武力了。所以克制自身,遵行仪法,节俭简约而恭敬有礼,这样做即使没有福泽,祸患也不会到来;骄傲自恃,奢侈无度,违反常理,背离法度,这样做即使没有祸害,福泽也不会来临。因此君子一方面观察违背法度和道义的人,用他们来作为自己的警戒,另一方面观察那些行为不能达到法度要求的人,以此来自我省察。所以说:荣誉不凭空产生,祸患也不会单独出现,福泽的降临不会选择门第,灾祸不会自动找到头上,说的就是这个道理。能用自己的亲身见闻来审慎省察自己,那么事情必定明晰。因此大凡治乱的根源,都是从统治者那里开始的。

故善者圉①之以害,牵之以利,能利害者,财多而过寡矣。夫凡人之情,见利莫能勿就②,见害莫能勿避。其商人通贾,倍道兼行,夜以续日,千里而不远者,利在前也。渔人之入海,海深万仞，就彼逆流，乘危百里，宿夜③不出者，利在水也。故利之所在，虽千仞之山，无所不上；深源之下，无所不入焉。故善者势④利之在，而民自美安，不推而往，不引而来，不烦不扰，而民自富。如鸟之覆卵，无形无声，而唯见其成。

[注释]

①囿：阻止。②就：靠近。③宿夜：宿，通"夙"。即夙夜。④势：张佩纶云："'势'当作'执'。"掌握。

[译文]

所以善于治国的君主会用祸害来阻止百姓，用利益来吸引百姓，能很好地利用祸害和利益治理百姓，那么国家财富就会增多，而过失错误就会少了。大凡人之常情：见到利益没有不靠近的，见到祸害没有不避而远之的。商人做买卖，经常一天走两天的路程，日以继夜，千里迢迢而不以为远，是因为利在前面。渔人下海捕鱼，即使海深万仞，都会随波逆流冒险出航百里而日夜不停，是因为利在水中。所以有利益存在的地方，即使是千仞的高山也没有不敢上的人，即使是万尺的深渊也没有不敢进的人。所以善于掌握利益所在的地方，百姓就自然地安居下来，无需要推动，他们也会前往，无需要引导，他们也会前来，既不烦劳也不干扰，百姓会自然富裕起来。这就像鸟雀孵卵，不见其形，不闻其声，小鸟就破巢而出了。

夫为国之本，得天之时而为经，得人之心而为纪，法令为维纲①，吏为网罟，什伍为行列，赏诛为文武。缮农具当器械，耕农当攻战，推引铫耨②以当剑戟，被蓑以当铠鑐③，菹笠以当盾橹④，故耕器具则战器备，农事习则攻战巧矣。当春三月，萩室熯造⑤，钻燧易火，杼井易水，所以去兹⑥毒也。举春祭，塞⑦久祷，以鱼为牲，以蘖⑧为酒，相召，所以属亲戚也。毋杀畜生，毋拊⑨卵，毋伐木，毋夭英，毋拊竿，所以息百长也。赐鳏寡，振⑩孤独，贷无种，与无赋，所以劝弱民。发五正，赦薄罪，出拘民，解仇雠，所以建时功施生谷也。夏赏五德，满爵禄，迁官位，礼孝弟⑪，复⑫贤力，所以劝功也。秋行五刑，诛大罪，所以禁淫邪止盗贼。冬收五藏，最⑬万物，所以内⑭作民也。四时事备，而民功百倍矣。故春仁夏忠，秋急冬闭，顺天之时，约地之宜，忠⑮人之和。故风雨时，五谷实，草木美多，六畜蕃息，国富兵强，民材⑯而令行，内无烦扰之政，外无强敌之患也。夫动静顺然后和也，不失其时然后富，不失其法然后治。故国不虚富，民不虚治。不治而昌，不乱而亡者，自古至今，未尝有也。故国多私勇者其兵弱，吏多私智者其法乱，民多私利者其国贫。故德莫若博厚，使民死之；赏罚莫若必成⑰，使民信之。

[注释]

①维纲：用以系物和提网的绳子。②铫耨：即铫和耨，锄田的农具。③铠镯：铠甲和短衣。④橹：盾牌。⑤获：通"樵"，柴薪，这里指焚柴薪熏烤房间。造：同"灶"。⑥兹：通"滋"，滋生。⑦塞：通"赛"，古代祭祀酬神之称。⑧蘖：酿酒的曲。⑨拊：击，打。⑩振：通"赈"，救济。⑪弟：通"悌"。⑫复：免除。⑬最：聚，聚合。⑭内：通"纳"，接纳。⑮忠：通"中"，符合。⑯材：通"财"，这里指富足。⑰必成：王念孙云："'必成'本作'成必'，'成'即'诚'字也。"

[译文]

治国的根本，能掌握天时的叫做"经"，能收拢人心的叫做"纪"，把法令当做渔网的总纲绳，官吏当做渔网，什伍为军队的阵形，奖赏诛罚作为进攻的预示。修理好农具当做兵器，耕种就如同进攻打仗，手挥锄具好比在使用剑戟，身披蓑衣当做穿上了铠甲和短衣，带着草笠当做盾牌。因此，耕种用的工具齐备就等于作战时的兵器齐备，熟习农业生产就等于精通打仗了。到了春季三月份，要点燃灶火熏烤家室，更换用来生火的木材，掏井换水，以去除滋生的有毒物质。举行春祭，向天祈祷求安康，把鱼当做祭品，用酒曲做成米酒，互相邀请做客，以联络亲朋戚友间的感情。不杀牲畜，不打剥禽卵，不砍伐树木，不采摘花朵，不损坏初生的树苗，是为了让万物生生不息。帮助鳏寡，赈济孤独，向缺乏种子的农户借贷粮种，帮助无能力交赋税的人，是为了劝勉贫弱的百姓。颁布各种政令，赦免罪行轻的人，释放被拘留的百姓，解决纠纷，这是为了完成春天的农事工作，发展粮食生产。夏季，奖赏各种有德行的人，增加官吏的俸禄，迁升有功的官员，礼待孝悌的人，免除贤能者的徭役，这是为了勉励人们建立功勋。秋季进行各种刑罚，处死犯了不可宽恕罪行的人，这是为了禁止淫邪，防止盗贼。冬季收藏好各种粮食谷物，收集各种工具妥善保管，这是为了接纳远方而来的农民。一年四季的任务都安排完备，那么百姓办事便会有百倍的功效了。所以春天让万物萌生，夏天让万物生长，秋天赶紧收获，冬天贮藏封闭，要顺应天时，合乎地利，符合了人和。这样国家就会风调雨顺，五谷丰登，草木繁盛，六畜兴旺，国富兵强，百姓富裕，法令通行，国内就没有烦忧的政事，国外也没有强敌压境的祸患了。动静举止合乎尺度，然后才能和谐；不误农时耕种，然后才能富裕；不舍弃法制，然后才能形成天下大治的局面。所以国家不会无缘无故地富裕强大起来，百姓不会无缘无故地安定和顺。不实行管制措施，国家却昌盛强大；不发生动乱，国家却灭亡的事情，从古到今都未曾有过的。所以国家如果多凭私勇而好斗的人，军队的实力就会削弱；官吏中如果多为一己之私而运用自己智慧的人，法制就会被打乱；百姓中如果多贪图利益的人，国家就会贫困。因此，德政中没有比博大宽厚更重要的，使百姓为国家誓死效力；赏罚里没有比诚实守信更重要的，使百姓坚定不移地信任君主和国家。

夫善牧民者，非以城郭也，辅之以什，司之以伍。伍无非其人，人无非其里，里无非其家。故奔亡者无所匿，迁徙者无所容，不求而约，不召而来。故民无流亡之意，吏无备追之忧。故主政可往于民，民心可系于主。夫法之制民也，犹陶之于埴①，冶之于金也。故审利害之所在，民之去就，如火之于燥湿，水之于高下。夫民之所主，衣与食也；食之所生，水与土也。所以富民有要，食民有率②，率三十亩而足于卒岁。岁兼美恶，亩取一石，则人有三十石；果蓏素食当十石，糠秕③六畜当十石，则人有五十石；布帛麻丝，旁入奇④利，未在其中也。故国有余藏，民有余食。夫叙钧者，所以多寡也；权衡者，所以视重轻也；户籍田结⑤者，所以知贫富之不訾⑥也。故善者必先知其田，乃知其人，田备然后民可足也。

[注释]

①埴：黏土。②率：标准。③糠：作物脱落的皮或壳。秕：不饱满的谷粒。糠秕，指没有多大价值的粮食。④奇：余，指其他的额外收入。⑤田结：即地约，有关土地使用分配的券书。⑥訾：计算，估量。

[译文]

善于管理百姓的君主，不是凭借内外的城墙，而是通过什伍制度对百姓进行治理的。伍中没有不属于本伍的百姓，百姓没有不在本里居住的，里中没有不属于本里的百姓。所以逃亡的人没有藏匿的地方，迁徙的人没有容身的场所，不要求百姓什么，却能够得到百姓的拥护；不召唤人们，人们就自然前来。所以百姓没有逃亡的想法，官吏没有防备追捕的忧虑。因此君王的政令就可以到达民间，百姓的心就可以系于君主。法律管理百姓，如烧制陶器对于黏土，冶炼金属对于金属材料一样。因此查明利益祸害之所在，百姓的去向就会像火喜欢干燥而避开潮湿，水从高处流向低处一样，清楚了然了。百姓的生存，依靠的是衣物与食物；而食物的生产，关键在于水与土。因此使百姓富裕是有要领的，使百姓有粮食吃是有标准的。标准是：三十亩土地足够一年的生活需要。将年成的好坏考虑进来，每亩地收税一石，那么每人就有三十石粮食；瓜果蔬菜相当于十石粮食，糠秕和牲畜相当于十石粮食，那么每人就有五十石；布帛麻丝和其他的收入不包括在内。因此，国家就有了富余的储藏，百姓就有了剩余的粮食。锲钩这两种工具是用来计算多少的，权衡这两种工具是用来计量轻重的，户籍地约是用来了解贫富差别的。所以善于治理国家的君主，必须先了解田地的情况，从而了解百姓的状况，土地充足，百姓才会富足。

凡有天下者，以情①伐者帝，以事伐者王，以政伐者霸。而谋有功②者五：一曰视其所爱，以分其威，一人两心，其内必衰也，臣不用，其国可危。二曰视其阴所憎，厚其货赂③，得情可深，身内情外，其国可知。三曰听其淫乐，以广其心，遗④以竽瑟美人，以塞其内；遗以谄臣文马⑤，以蔽其外。外内蔽塞，可以成败。四曰必深亲之，如典之同生，阴内⑥辩士，使图其计；内勇士，使高其气；内人他国，使倍⑦其约，绝其使，拂⑧其意，是必士斗。两国相敌，必承其弊。五曰深察其谋，谨其忠臣，揆其所使，令内不信，使有离意。离气不能令，必内自贼。忠臣已死，故政可夺。此五者，谋功之道也。

[注释]

①情：敌之内情。②功：通"攻"。③货赂：财物。④遗：赠送。⑤文马：毛色有文采的马。⑥内：通"纳"，接纳。⑦倍：通"背"，违背。⑧拂：违背。

[译文]

凡是想拥有天下的人，深知敌人内情而讨伐的，可以成就帝业；察觉敌人于事有失而讨伐的，可以成就王业；查明敌人于政治有失而讨伐的，可以成就霸业。而攻伐敌国的计谋有五种情况：一是查明敌国国君所宠信的大臣，削弱他们的势力，使他们怀有二心，那么敌国就从内衰败了，臣民不为国君效力，这个国家就危险了。二是观察敌国君主私下所憎恨的人，然后用大量财物去贿赂他们，这样就可以得知敌国的形势了，身在国内而向外通风报信，那么这个国家就了解得差不多了。三是听到敌国君主喜欢淫乐，消磨他的心智，送给他竽瑟和美人，从内蒙蔽他；送给他善于阿谀奉承的大臣和良马，从外蒙蔽他；这样内外都被蒙蔽了，就可以促成敌国的失败了。四是必须在表面上同敌国君主保持亲密无间的关系，好像要和他共存亡一样，暗地里派遣善于言辞的人帮他出谋划策，派出勇士使他气盛。再派遣人到其他的国家去，使它背弃盟约，断绝使者，违背它的意愿，这就必然会引起争斗。两国互相为敌，就可以利用其不利的局面。五是深入观察敌国的谋略，谨慎地对待敌国的忠臣，挑拨君主与亲近的人之间的关系，使他们互相不信任，有背离的意愿。有背离的意愿，心就会不一致，内部就会互相杀戮。忠臣一旦死去，敌国的政权就可以夺取了。这五种情况，就是攻伐敌国的方法。

国 蓄

国有十年之蓄,而民不足于食,皆以其技能望君之禄也;君有山海之金①,而民不足于用,是皆以其事业交接于君上也。故人君挟②其食,守其用,据有余而制不足,故民无不累③于上也。五谷食米,民之司命④也;黄金刀币,民之通施⑤也。故善者执其通施以御其司命,故民力可得而尽也。夫民者亲信而死利,海内皆然。民予则喜,夺则怒,民情皆然。先王知其然,故见⑥予之形,不见夺之理,故民爱可洽于上也。租籍⑦者,所以强求也;租税者,所虑而请也。王霸之君,去其所以强求,废⑧其所虑而请,故天下乐从也。利出于一孔,其国无敌;出二孔者,其兵不诎⑨;出三孔者,不可以举兵;出四孔者,其国必亡。先王知其然,故塞民之养,隘其利途。故予之在君,夺之在君,贫之在君,富之在君。故民之戴上如日月,亲君若父母。

[注释]

①山海之金:指专营盐铁的收入。②挟:控制。③累:拘系,捆绑。④司命:掌握命运。⑤通施:同"通移",流通的货币。⑥见:同"现",显现。⑦租籍:租税。⑧废:保留。⑨诎:通"屈",屈服。

[译文]

国家有十年的粮食贮备,而人民却缺乏粮食,那么人民就会凭借自己的技能求取君主的俸禄；国君有专营盐铁的收入，而人民却缺乏财用，那么人民就会凭借自己的事业换取君主的金钱。所以国君控制粮食，掌握财用，依靠国家的富余来控制人民的不足，所以人民没有不被君主控制的。五谷食米，掌握着人民的生命；黄金刀币，是人民用于流通的货币。所以善于治国的君主，掌握流通的货币以此来掌握人民的生命，因此就可以最大限度地使用民力了。人民总是信任亲己的人，并舍命谋求财利，普天之下都是这样。给百姓好处就高兴，掠夺他们的财富就发怒，人情也都是这样。先王知道这个道理，所以显现给予人民利益的行迹，而掩盖夺取人民利益的行迹，所以人民就很爱戴君主了。租籍，是强制进行征收的；租税，是经过考虑而征收的。成就王霸之业的君主，抛弃强制征收的形式，保留经过思虑而征收的，所以天下百姓就乐于服从了。财利专出于一个通道，这样的国家无敌天下；分处于两个通道，军事的战斗力会削弱一半；分处于三个通道，就没有能力出兵作战了；分处于四个通道，国家就一定会灭亡。先王明白这个道理，所以阻塞百姓谋取高利，限制他们获利的途径。因此，给予百姓利益决定于国君，剥夺百姓利益决定于国君，使百姓贫穷决定于国君，使百姓富足也决定于国君。所以百姓拥戴国君如同日月，亲近国君如同父母了。

凡将为国，不通于轻重，不可为笼①以守民；不能调通民利，不可以语制为大治。是故万乘之国有万金之贾，千乘之国有千金之贾，然者何也？国多失利，则臣不尽其忠，士不尽其死矣。岁有凶穰②，故谷有贵贱；令有缓急，故物有轻重。然而人君不能治，故使蓄贾③游市，乘民之不给，百倍其本。分地若一，强者能守；分财若一，智者能收。智者有什倍人之功，愚者有不赓④本之事。然而人君不能调，故民有相百倍之生也。夫民富则不可以禄使也，贫则不可以罚威也。法令之不行，万民之不治，贫富之不齐也。且君引镊⑤量用，耕田发草上⑥，得其数矣。民人所食，人有若干步亩之数矣，计本量委⑦则足矣。然而民有饥饿不食者何也？谷有所藏也。人君铸钱立币，民庶之通施也，人有若干百千之数矣。然而人事不及、用不足者何也？利有所并藏也。然则人君非能散积聚，钧羡⑧不足，分并财利而调民事也，则君虽强本趣⑨耕，而自为铸币而无已，乃今使民下相役耳，恶能以为治乎？

[注释]

①笼：控制，垄断。②穰：丰收。③蓄贾：囤积居奇的商人。④赓：尹知章云："赓，犹偿也。"补偿。⑤镊：古代计数用的筹码。⑥上：郭沫若云："'上'当为'土'，'草土'连文，本书习见。"⑦计本量委：计量生产与贮存。⑧钧：同"均"。羡：多余。⑨趣：通"促"。催促，督促。

[译文]

大凡将要治理国家，不懂得轻重之术，就不能垄断经济来控制人民；不能够调控民利，就不能讲求管制经济来实现大治。所以一个万乘之国如果出现了拥有万金的大商贾，一个千乘之国如果出现了拥有千金的大商贾，这说明什么呢？这是因为国家财利大量流失，而臣子也不肯尽忠，战士也不肯尽力。年成有丰有歉，所以粮食的价格有贵有贱；号令有缓有急，所以物价有高有低。如果君主不能够治理，就会使那些囤积居奇的富商进出于市场，利用人民的供给不足，获得百倍的厚利。假如分到的土地是相同的，但强者善于掌握；假如分到的财产是相同的，但智者善于获利。智者可以获得十倍的高利，而愚者却会做出不够补偿本钱的事情。如果人君不能够调控，那么百姓的财产就会出现百倍的差距。百姓富足了，就不能用利禄去役使他们了；百姓穷困了，就不能用刑罚去威慑他们了。法令不能推行，万民不能治理，都是由于社会上贫富不均的缘故。而且君主利用筹码计算用度，估算耕田垦地多少，能收获粮食多少。百姓所食用的口粮，每人需要若干田亩的出产是一定的，统计生产和贮存是充足的。然而人民仍有饥饿没有饭吃的，这是为什么呢？这是因为粮食被囤积起来了。君主铸造钱币，作为民间交易的手段，每人需要几百几千是有一定数目的。然而百姓仍有日常费用不充足的，这是为什么呢？这是因为钱财被积聚起来了。所以，君主如不能散开积聚的粮食，调节多余和不足，分散兼并的货币，调节人民的消费，即使君主加强农业，督促农业生产，且自己不停止地铸造货币，也只是造成如今贫困百姓被富豪所奴役的现象而已，难道能够算是国家治理好了吗？

岁适美，则市粜①无予，而狗彘食人食。岁适凶，则市籴釜十缗②，而道有饿民。然则岂壤力固不足，而食固不赡③也哉？夫往岁之粜贱，狗彘食人食，故来岁之民不足也。物适贱，则半力而无予，民事不偿其本。物适贵，则什倍而不可得，民失其用。然则岂财物固寡，而本委④不足也哉？夫民利之时失，而物利之不平也。故善者委施于民之所不足，操事于民之所有余。夫民有余则轻之，故人君敛之以轻；民不足则重之，故人君散之以重。敛积之以轻，散行之以重，故君必有什倍之利，而财之橫⑤可得而平也。

[注释]

①粜：卖出粮食。②籴：买进粮食，与"粜"相对。缗：成串的铜钱。③赡：富足。④本委：贮存的谷物。⑤橫：指物价。

[译文]

年成遇上丰收，市场上的粮食卖不出去，而猪狗都吃人的粮食；年成遇上荒年，市场上买一釜粮食需要十贯钱，路上到处都有饥饿的百姓。这难道是因为地力本来不足，而粮食本来就不充足造成的吗？这是因为往年粮食的售价太低，猪狗都吃人的粮食，所以来年人民的粮食就不充足了。商品遇上低价，即使按照工价的一半也卖不出去，人民的生产都不够本钱；商品遇上高价，即使是十倍的高价也买不到，人民的需要得不到满足。这难道是因为财货本来就少，贮存的粮食不充足造成的吗？这是因为失去了调节人民财利的时机，所以财物的价格才会产生如此大的差距。所以善于治国的君主总是在人民物资不足时，把库存的东西供应出去；而在人民物资有余时，再把财货储存起来。人民物资有余时就会低价卖出，君主就低价收购；人民物资不足时就会高价买进，君主就高价售出。用低价收购，用高价售出，这样君主必定获得十倍的盈利，而且市场上财货的价格也得到了平抑。

凡轻重之大利，以重射轻，以贱泄平，万物之满虚随财准平而不变，衡绝则重见①。人君知其然，故守之以准平。使万室之都，必有万钟之藏，藏繦千万；使千室之都，必有千钟之藏，藏繦百万。春以奉②耕，夏以奉芸，耒耜械器、种穰③粮食，毕取赡于君，故大贾蓄家不得豪夺吾民矣。然则何？君养其本谨也。春赋以敛缯帛，夏贷以收秋实，是故民无废事，而国无失利也。

[注释]

①见：通"现"。②奉：供奉，供应。③种穰：种子。

[译文]

实行轻重之术的最大好处，在于用较高价格收购廉价的商品以垄断货物，然后再用较低的价格售出这些物资来平抑物价，这样万物的盈缺会随着平准基金而不会上下波动，供求的关系一旦失去平衡，那么物价就会出现涨落了。君主懂得这个道理，所以用平准来进行调节和掌握。使有万户人口的都邑一定藏有万钟的粮食和一千万贯的钱币；有千户人口的都邑一定藏有千钟的粮食和一百万贯的钱币。春天供应春耕需要，夏天供应夏锄需要，一切农具、种子和粮食，都由国君来供给，所以富商大贾就不能对百姓巧取豪夺了。那么为什么会这样呢？这是因为君主注重发展农业。春耕时放贷给百姓，用以收取他们的丝织品；夏锄时放贷给百姓，用以收购他们的秋粮，因此百姓就不会荒废农业，国家也不会有财利流失了。

凡五谷者，万物之主也。谷贵则万物必贱，谷贱则万物必贵，两者为敌，则不俱平。故人君御谷物之秩相胜[1]，而操事于其不平之间。故万民无籍[2]，而国利归于君也。夫以室庑[3]籍，谓之毁成；以六畜籍，谓之止生；以田亩籍，谓之禁耕；以正人籍，谓之离情；以正户籍，谓之养赢[4]。五者不可毕用，故王者遍行而不尽也。故天子籍于币，诸侯籍于食。中岁之谷，粜石十钱。大男食四石，月有四十之籍；大女食三石，月有三十之籍；吾子食二石，月有二十之籍。岁凶谷贵，粜石二十钱，则大男有八十之籍，大女有六十之籍，吾子有四十之籍。是人君非发号令收啬[5]而户籍也，彼人君守其本委谨，而男女诸君吾子无不服籍者也。一人廪食[6]，十人得余；十人廪食，百人得余；百人廪食，千人得余。夫物多则贱，寡则贵，散则轻，聚则重。人君知其然，故视国之羡不足而御其财物，谷贱则以币予食，布帛贱则以币予衣，视物之轻重而御之以准。故贵贱可调，而君得其利。

[注释]

①相胜：相互制约。②无籍：不纳税，不征税。③室庑：尹知章云："小曰室，大曰庑。"指房屋。④养赢：谓有利于豪富之家。⑤啬：征收。⑥廪食：从国家的仓库买粮。

[译文]

粮食是万物的主宰。粮食的价格高，万物的价格必然低；粮食的价格低，万物的价格必然高。粮价和物价互相对立，不能处于平衡状态。所以君主要能够驾驭粮价物价相互制约的关系，而在不平衡之间获利。所以即使不向万民征税，国家的财利也可以归于君主。若是征收房屋税，就等于要毁坏房屋；若是征收家畜税，就等于限制家畜的繁殖；若是征收田亩税，就等于破坏农耕；若是按人征税，就等于断绝人们情欲；若是按门户征税，就等于优待富豪。这五者不可以同时实行，所以成就王业的君主每一种都曾实行过，但没有同时采用。因此，天子应该依靠货币来征税，诸侯应该依靠粮食来征税。在中等年成的时候，每出售一石粮食加价十钱。成年男子每月吃粮四石，就等于征收了四十钱的税；成年女子吃粮三石，就等于征收三十钱的税；小孩吃粮二石，就等于征收二十钱的税。若是荒年粮食贵的时候，买一石粮食加价二十钱，那么成年男子每月征收八十钱的税，成年女子征收六十钱的税，小孩征收四十钱的税。这样君主并不需要发号施令挨户征税，只要认真掌握粮食的生产和贮存，男人女人大人小孩就没有不纳税的了。一人从国家仓库买粮，国家的盈余足于分给十人；十人从国家仓库买粮，国家的盈余足于分给百人；百人从国家仓库买粮，国家的盈余足于分给千人。市场上的商品多了物价就贱，少了物价就贵，抛售时物价就跌，囤积时物价就涨。君主懂得这个道理，所以根据国内市场的盈缺状况来控制财物的多少，粮食贱就运用货币投放于粮食，布帛贱就运用货币投放于布帛，然后根据物价的涨落而用平准来加以调节。因此，既可以调节物价的高低，又可以使君主获利。

前有万乘之国，而后有千乘之国，谓之抵①国。前有千乘之国，而后有万乘之国，谓之距②国。壤正方，四面受敌，谓之衢国③。以百乘衢处，谓之托食之君。千乘衢处，壤削少半；万乘衢处，壤削太半。何谓百乘衢处托食之君也？夫以百乘衢处，危慑围阻千乘万乘之间，夫国之君不相中，举兵而相攻，必以为扞扦格蔽圉④之用，有功利不得乡⑤。大臣死于外，分壤而功；列陈系累⑥获虏，分赏而禄；是壤地尽于功赏，而税臧殚于继孤也⑦。是特名罗于为君耳，无壤之有。号有百乘之守，而实无尺壤之用，故谓托食之君。然则大国内欵⑧，小国用尽，何以及⑨此？曰：百乘之国，官赋轨符⑩，乘四时之朝夕⑪，御之以轻重之准，然后百乘可及也。千乘之国，封天财之所殖，械器之所出，财物之所生，视岁之满虚而轻重其禄，然后千乘可足也。万乘之国，守岁之满虚，乘民之缓急，正其号令而御其大准，然后万乘可资也。

玉起于禺氏⑫，金起于汝汉，珠起于赤野⑬，东西南北距周七千八百里，水绝壤断，舟车不能通。先王为其途之远，其至之难，故托用于其重，以珠玉为上币，以黄金为中币，以刀布为下币。三币握之则非有补于暖也，食之则非有补于饱也，先王以守财物，以御民事，而平天下也。今人君籍求于民，令曰：十日而具，则财物之贾⑭什去一；令曰：八日而具，则财物之贾什去二；令曰：五日而具，则财物之贾什去半；朝令而夕具，则财物之贾什去九。先王知其然，故不求于万民而籍于号令也。

[注释]

①抵：通"牴"，犄角。以前角御敌，示强敌在前。②距：本指雄鸡爪子后面突出像脚趾的部分。这里指以后爪御敌，指强敌在后。③衢国：指地处冲要的国家。④扦格蔽圉：防御。⑤乡：通"享"，分享。⑥系累：拘囚。⑦税臧：同"税藏"，国家的库藏。殚：尽。⑧欵：空。内欵，指国家内部财政空虚。⑨及：通"给"，供给，补给。⑩轨符：古代国家发行的一种借券。⑪朝夕：即潮汐。朝，通"潮"；夕，通"汐"。用潮水的涨落来比喻物价的起伏。⑫禺氏：古代西北的一个少数民族。尹知章云："禺氏，西北戎名，玉之所出。"⑬赤野：古代传说中产珠玉之地。尹知章云："赤野，盖在昆仑虚之西。"⑭贾：同"价"。

[译文]

前有万乘之国，后有千乘之国，这叫做"抵国"。前有千乘之国，后有万乘之国，这叫做"距国"。国土见方，四面受敌，这叫做"衢国"。以百乘小国处在四面受敌的位置，君主谓之为寄食之君。千乘之国处在四面受敌的位置，国土将被削去小半；万乘之国处在四面受敌的位置，国土将被削去大半。为什么百乘小国处在四面受敌的位置，君主就称为寄食之君呢？这是因为百乘小国处在千乘与万乘大国的威胁与包围之中，一旦大国国君不和睦，举兵相攻，必然会把这小国作为防御进攻的工具，即使有战果，小国得不到分享。而小国的大臣战死在外，要分封土地来酬劳他的战功；战士俘获敌虏，要分给奖赏并增加他的俸禄。这样，小国的土地都用于论功行赏，国家的库藏都用于抚恤将士的遗孤了。这样的国君实际上只是虚有其名，已经没有土地。虽然号称拥有百乘，实际上已经没有一尺土地，所以称之为寄食之君。然而大国内部财力空虚，小国财用耗尽，用什么办法进行补给呢？回答是：百乘小国可以由国家发行债券，根据不同季节物价的起伏，运用轻重之术加以掌握调节，这样百乘小国就可以得到补给了。千乘之国，可以封禁自然资源，这是器械和财物产生的来源，然后根据年成的丰歉，运用轻重之术调节俸禄，如此千乘之国就可以得到满足了。万乘之国可以根据年成的丰歉，利用人民需要的缓急，调整运用号令而控制掌握全国的经济平衡，如此万乘之国也就可以丰足了。

宝玉出产在禺氏，黄金出产在汝汉，珍珠出产在赤野，东西南北距离周都大约有七千八百里。水土隔绝，舟车不能相通。先王因为这些珍宝路途遥远，得来困难，所以就借助于它们的贵重，把珠玉作为上币，黄金作为中币，刀布作为下币。这三种货币，手握着不能够取暖，吃了不能充饥，而先王运用它们来控制财物，驾驭百姓，治理天下。现在君主向百姓强行征税，命令规定十天交齐，那么财物的价格就会下降十分之一；命令规定八天交齐，那么财物的价格就会下降十分之二；命令规定五天交齐，那么财物的价格就会下降一半；早晨下令晚上交齐，那么财物的价格就会下降十分之九。先王懂得这个道理，所以不向百姓强行征税，而是通过号令，运用轻重之术来取得税款。

山国轨①

桓公问管子曰:"请问官②国轨。"管子对曰:"田有轨,人有轨,用有轨,乡有轨,人事③有轨,币有轨,县有轨,国有轨。不通于轨数④而欲为国,不可。"桓公曰:"行轨数奈何?"对曰:"某乡田若干?人事之准若干?谷重若干?曰:某县之人若干?田若干?币若干而中用?谷重若干而中币?终岁度人食,其余若干?曰:某乡女胜事者终岁绩,其功业若干?以功业直时而櫎之,终岁,人已衣被之后,余衣若干?别群轨,相壤宜。"桓公曰:"何谓别群轨,相壤宜?"管子对曰:"有莞蒲之壤,有竹箭檀柘之壤,有氾下渐泽⑤之壤,有水潦鱼鳖之壤。今四壤之数,君皆善官而守之,则籍于财物,不籍于人。亩十亩⑥之壤,君不以轨守,则民且守之。民有过移⑦长力,不以本为得,此君失也。"

[注释]

①轨:统计。国轨,即国家的统计工作。②官:通"管",管制,管理。③人事:即民事,指日常的费用。④数:即术,方法。⑤渐泽:低湿之地。⑥亩十亩:应为"亩十鼓"。马非百云:"亩十鼓,谓每地一亩可产谷十鼓。"⑦过:当为"通"。通移,即为货币。

[译文]

桓公问管仲说:"请问关于管理国家的统计工作。"管仲回答说："土地要有统计,人口要有统计,财用要有统计,日常费用要有统计,货币要有统计,乡要有统计,县要有统计,国家也要有统计。不懂得统计的方法而想要治理国家,是不可以的。"桓公说："那么如何实行统计的方法呢?"回答说："比如某个乡的土地有多少?日常费用的标准是多少?粮食的总值是多少?还有:某个县的人口是多少?土地是多少?多少货币适合于该县的使用?粮食的总值多少才适合货币的流通?全年计算供应人的口粮后,余粮有多少?还有:某个乡的女劳力全年纺织,完成的成品有多少?按照当时的市价统计,全年供应穿衣盖被后,余布有多少?区别以上多种统计,同时调查土地适宜生长的情况。"桓公说："为什么要区别多种统计,同时调查土地适宜生长的情况呢?"管仲回答说："有适宜莞蒲生长的沼泽地,有适宜竹箭檀柘生长的山地,有低洼潮湿的涝地,有适宜鱼鳖生长的水地。这四种土地,君主如果都善于管理和控制,那么就可以从它们的产品中取得收益,而不必向人们征税。至于每亩产十鼓的良田,君主如果不用统计的方法加以控制,那么人们就会去控制。他们的手中有货币,崇尚财力,而不重视农业生产,这便是君主的失策了。"

桓公曰："轨意安出?"管子对曰："不阴据其轨,皆下制其上。"桓公曰："此若言何谓也?"管子对曰："某乡田若干,食者若干,某乡之女事若干,余衣若干。谨行州里,曰:'田若干,人若干,人众田不度食若干。'曰:'田若干,余食若干。'必得轨程①,此调之泰轨②也。然后调立环乘之币③,田轨之有余于其人食者,谨置公币焉,大家众,小家寡。山田、间田,曰终岁其食不足于其人若干,则置公币焉,以满其准。重岁丰年,五谷登,谓高田之萌④曰:'吾所寄币于子者若干,乡谷之檵若干,请为子什减三。'谷为上,币为下。高田抚⑤,间田、山田不被,谷十倍。山田以君寄币,振⑥其不赡,未淫失也。高田以时抚于主上,坐长加十也。女贡织帛,苟合于国奉者,皆置而券之。以乡横市准曰:'上无币,有谷,以谷准币。'环谷而应策⑦,国奉决。谷反准,赋轨币⑧,谷廪⑨,重有⑩加十。谓大家、委贽家⑪曰:'上且修游,人出若干币。'谓邻县曰:'有实者皆勿左右,不赡,则且为人马假其食民。'邻县四面皆横,谷坐长而十倍。上下令曰:'贽家假币,皆以谷准币,直币而庚⑫之。'谷为下,币为上。百都百县轨据,谷坐长十倍,环谷而应假币。国币之九在上,一在下。币重而万物轻,敛万物,应之以币。币在下,万物皆在上,万物重十倍。官府以市横出万物,隆⑬而止。国轨布于未形,据其已成。乘令而进退,无求于民,谓之国轨。"

[注释]

①轨程:经调查统计得出的标准数据。②泰轨:即大轨,指总体统计。③环乘:指全面计算。环,周遍。环乘之币,指经过全面计算而确定发行的货币。④萌:通"民"、"氓",人民。⑤抚:占有。⑥振:通"赈",救济。⑦环谷:同"还谷"。策:即上文"置而券之"之"券",意为契据或合同。⑧赋:放贷。轨币:根据统计而发行的货币。⑨廪:贮藏谷物的仓库。这里指囤积。⑩有:通"又"。⑪大家:指地主。委贽家:指放高利贷的人。⑫庚:赔偿,偿还。⑬隆:通"降",物价下降。

[译文]

桓公说:"实行统计的具体措施是怎样的?"管仲回答说:"如果不秘密地掌握统计数据,君主就会受制于下面。"桓公说:"这话是什么意思呢?"管仲回答说:"如一个乡土地有多少,吃粮食的有多少,一乡从事纺织的妇女有多少,余布有多少。认真巡视州里后,情况是:'地有多少,人有多少,人多地少粮食不足有多少。'有的情况是:'地有多少,余粮有多少。'必须调查得出一个标准数据,这就是所称的总体统计。然后就可以发行一笔经过全面计算而确定的货币。对于预计土地的收成超过口粮的农户，就要借贷给他们。大户人家多贷，小户人家少贷。山地和中等土地的农户，全年土地收成不足口粮的有多少，也要借贷给他们，来保持他们的最低生活标准。秋后丰收，五谷丰登。官府就对耕种上等土地的农户说：'我借贷给你们的货币有多少钱？乡中粮食的时价是多少？请按照十分之七的比例折算成粮食偿还。'这样粮食的价格就会上涨，币值就会下跌。因为上等土地的余粮被官府所掌握，中等土地和山田又没有余粮，所以粮价将上涨了十倍。但山地的农户因为有官府的贷款，接济了不足，也没有过分的损失。而上等土地的余粮被国家所掌握，从而使粮价增长了十倍。对于妇女所生产的布帛，只要适合于国家的需要，都定价收购，订立合同。合同要按乡、市的价格写明：'官府没有钱，有粮，用粮食折价收购。'这样又用粮食支付了购买布帛的款项，国家的需求也解决了。粮价又返回到了原来的水平，然后再贷放经过统计而发行的货币，囤积粮食，从而使粮价又上涨十倍。这时通告地主和高利贷者说：'国君将巡行各地，你们要出钱若干以备用。'并通告邻近各县说：'有余粮的都不准擅自处理。如果巡行用粮不足，为了解决人马的食用将要向民间借粮。'周围邻县的粮价都受到了影响，价格又涨十倍。于是国君下令说：'向富商、高利贷者所借的货币，都用粮食折价偿还。'这样粮食的价格就会降下来，币值又要上升了。各都各县，其统计的工作都按此法行事，从而使粮价涨了十倍，然后用粮食来偿还贷款。这样国家货币的九成在官府，只有一成在民间。那么币值就高而万物的价格就贱，于是投放货币以此来收购物资。如货币都在民间，物资都集中在官府，那么万物的价格就会上涨十倍。官府按照市价抛售物资，直到物价下降而止。所以国家的统计工作要在事先就进行，依据它就能够达到成功。君主运用国家的号令进退自如，不必向百姓征税，这就叫做国家的统计工作。"

桓公问于管子曰:"不籍而赡国①,为之有道乎?"管子对曰:"轨守其时,有官②天财,何求于民?"桓公曰:"何谓官天财?"管子对曰:"泰春民之功繇③;泰夏民之令之所止,令之所发;泰秋民令之所止,令之所发;泰冬民令之所止,令之所发。此皆民所以时守④也。此物之高下之时也,此民之所以相并兼之时也,君守诸四务。"桓公曰:"何谓四务?"管子对曰:"泰春,民之且所用者,君已廪之矣;泰夏,民之且所用者,君已廪之矣;泰秋,民之且所用者,君已廪之矣;泰冬,民之且所用者,君已廪之矣。泰春功布日,春缣衣⑤,夏单衣,捍宠累箕胜籝屑糇⑥若干,日之功,用人若干。无赀之家,皆假之械器胜籝屑糇公衣,功已而归公衣,折券⑦。故力出于民,而用出于上。春十日不害耕事,夏十日不害芸事,秋十日不害敛实,冬二十日不害除田。此之谓时作。"

[注释]

①赡国:满足国家财政的需要。②官:通"管",管理。③泰:同"大",下仿此。功繇:农事和徭役。繇,通"徭"。④时守:掌握时机。⑤缣衣:缣制之衣。缣,双丝织,与单衣相对。⑥"捍宠"句:均为农用器具。⑦折券:废除合同。

[译文]

桓公问管仲说:"不向百姓征收赋税而能满足国家的财政需要,有这样的办法吗?"管仲回答说:"进行统计工作并能掌握时机,又能管理好自然资源,何必向百姓征税呢?"桓公说:"什么叫做管理好自然资源呢?"管仲回答说:"春天是人民从事农业生产与服徭役的时节;此外,夏天就要明令规定封禁和开发山泽的时间;秋天也要明令规定封禁和开发山泽的时间;冬天也要明令规定封禁和开发山泽的时间。这是百姓掌握时机的原因。这是物价涨落的时节,也是百姓相互兼并的时节，所以君主一定要掌握这'四务'。"桓公说："什么叫做四务呢？"管仲回答说："春天，人民将用的物品，君主早有贮备了；夏天，人民将用的物品，君主早有贮备了；秋天，人民将用的物品，君主早有贮备了；冬天，人民将用的物品，君主早有贮备了。春天，安排农事的时候就要统计，春天的夹衣，夏天的单衣，各种农用器具，需要用多少天，需要用多少人。没有钱的农家都可以租借农用器具和衣服，农事结束后归还公家，并废除合同。所以，劳力出自于百姓，而器用出自于国君。春季需要十天的时间来耕种，夏季需要十天的时间来锄草，秋季需要十天的时间来收获，冬季需要二十天的时间来整治土地。这就叫做及时农作。"

桓公曰："善。吾欲立轨官①，为之奈何？"管子对曰："盐铁之策，足以立轨官。"桓公曰："奈何？"管子对曰："龙夏之地，布黄金九千，以币赀②金，巨家以金，小家以币。周岐山至于峥丘之西塞丘者，山邑之田也，布币称贫富而调之。周寿陵而东至少沙者，中田也，据之以币，巨家以金，小家以币。三壤已抚，而国谷再什倍。梁渭、阳琐之牛马满齐衍，请驱之颠齿③，量其高壮，曰：'为国师旅、战车，驱就敛子之牛马，上无币，请以谷视市横而庚子。'牛马为上，粟二家。二家散其粟，反准，牛马归于上。"

[注释]

①轨官：古代掌管会计事宜的官吏。②赀：通"资"，辅助。③驱：通"区"，区别。颠齿：白齿。

[译文]

桓公说："好。我想要建立一个统计的机构，该怎么办呢？"管仲回答说："利用盐铁专营的收入，就足够建立一个统计的机构。"

桓公说:"建立后如何工作呢?"管仲回答说:"龙夏之地,是上等的土地,要贷放黄金九千斤,并用钱币辅助黄金,大户用金,小户用币。在周岐山到峥丘以西的塞丘地区,是山地,要贷放钱币且按照贫富加以调节。在寿陵往东至少沙一带,是中等土地,也要贷放货币,大户用金,小户用币。这三种土地的出产都已掌握在国家手中,那么粮价就会再涨十倍。梁渭、阳琐两地出产的牛马遍布齐国的田野,要根据白齿加以区分,验看它们的高壮程度,然后通告两地说:'国家要建设军队,配备战车,所以要征购你们的牛马,但国家没有钱,用粮食按照市价折算来支付。'这样牛马掌握在国家手中,两地得到了粮食。当两地把粮食出卖以后,粮价就回到了原来的水平,而牛马已经落到国家的手中了。"

管子曰:"请立赀①于民,有田倍之。内毋有,其外外皆为赀壤。被鞍之马千乘,齐之战车之具,具于此,无求于民。此去丘邑之籍也。国谷之朝夕②在上,山林廪械器之高下在上,春秋冬夏之轻重在上。行田畴,田中有木者,谓之谷贼。宫中四荣,树其余曰害女功。宫室械器非山无所仰。然后君立三等之租于山,曰:握以下者为柴楂,把以上者为室奉③,三围以上为棺椁之奉。柴楂之租若干,室奉之租若干,棺椁之租若干。"管子曰:"盐铁抚轨,谷一廪十,君常操九。民衣食而繇④,下安无怨咎。去其田赋,以租其山。巨家重葬其亲者服重租,小家菲⑤葬其亲者服小租;巨家美修其宫室者服重租,小家为室庐者服小租。上立轨于国,民之贫富如加之以绳,谓之国轨。"

[注释]

①赀:罚款制度。②朝夕:通"潮汐",即价格的起伏涨落。③室奉:指建房用材。④繇:通"由",来源。⑤菲:微薄。

[译文]

管仲说:"请建立人民不服徭役的罚款制度,要覆盖所有的田地。在限定的土地面积内不罚款,此外都是罚款制度执行的范围。可使用的战马千匹,配备战车千辆,都可以利用这一制度来配备,不必向人民去征税。这也就免除了丘邑的军赋了。国内粮价的涨落决定权在于国家,山林和库藏器械价格的高低也决定于国家,春秋冬夏物价的高低也决定于国家。巡行农田,凡在田地里种植树木的,都叫做种谷之害。凡是房屋四周不种桑树而种其他的,都叫做妨害女工养蚕纺织。使营盖房屋、制造器械的木材,不依靠国家的山林就没有其他的来源。然后君主就可以在山林中建立三个等级的租税,一握以下的叫小木柴,一把以上的为建筑用材,三围以上作为制造棺椁的上等木材;小木柴应收租税多少,建筑用材应收租税多少,棺椁用材应收租税多少。"管仲说:"用盐铁专卖的收入来进行统计工作,可以使粮食因为国家的囤积而从一涨到十,国君一般可以掌握十分之九。人民的衣食有了来源,生活就会安定而没有怨恨。免除百姓的田赋,而通过山林征收租税。富户厚葬亲属的要缴纳重租,小户薄葬亲属的要缴纳轻租;富户修建豪宅要缴纳重租,贫户建造简陋的房屋缴纳轻租。君主在国内建立统计制度,人民的贫富就像使用绳索一样可以控制,这就叫做国家的统计工作。"

山权数^①

桓公问管子曰："请问权数？"管子对曰："天以时为权，地以财为权，人以力为权，君以令为权。失天之权，则人地之权亡。"桓公曰："何为失天之权则人地之权亡？"管子对曰："汤七年旱，禹五年水，民之无檀②卖子者。汤以庄山之金铸币，而赎民之无檀卖子者；禹以历山之金铸币，而赎民之无檀卖子者。故天权失，人地之权皆失也。故王者岁守十分之参③，三年与少半成岁，三十一年而藏十一年与少半。藏参之一不足以伤民，而农夫敬事力作，故天毁垫④，凶旱水泆⑤，民无人于沟壑乞请者也。此守时以待天权之道也。"桓公曰："善。吾欲行三权之数，为之奈何？"管子对曰："梁山之阳绤绌、夜石之币，天下无有。"管子曰："以守国谷，岁守一分，以行五年，国谷之重什倍异日。"管子曰："请立币，国铜以二年之粟顾⑥之，立黔落⑦。力重⑧与天下调，彼重则见⑨射，轻则见泄，故与天下调。泄者，失权也；见射者，失策也。不备天权，下相求备，准⑩下阴相隶，此刑罚之所起而乱之之本也。故平则不平，民富则不如贫，委积⑪则虚矣，此三权之失也已。"桓公曰："守三权之数奈何？"管子对曰："大丰则藏分，阸⑫亦藏分。"桓公曰："阸者所以益也，何以藏分？"管子对曰："隘⑬则易益也，一可以为十，十可以为百。以陜守丰，陜之准数一上十，丰之策数十去九，则吾九为余。于数策丰，则三权皆在君，此之谓国权。"

[注释]

①权数：指权衡轻重的方法。山：衍文。②饘：粥。③参：通"三"。④坴：同"地"。⑤洪：通"溢"，水漫出。⑥顾：通"雇"，雇佣。⑦黔落：冶铜铸币的场所。⑧力重：许维遹云："'力重'有脱误，疑当作'施轻重'。"⑨见：被。⑩准：等于。⑪委积：国家储备的粮草和财物。⑫陜：与"大丰"相对，指凶年。⑬隘：险要。

[译文]

桓公问管仲说："请问关于权衡轻重的方法。"管仲回答说："天以时令为其权衡的手段，地以财物为其权衡的手段，人以能力为其权衡的手段，君主以发号施令为权衡的手段。丧失了天时的权衡，那么人和地的权衡也就丧失了。"桓公说："为什么说丧失了天时的权衡，人和地的权衡也就丧失了呢？"管仲回答说："商汤在位有七年大旱，夏禹在位有五年大水，人民没有饭吃以至出现卖儿卖女的现象。商汤用庄山出产的金属铸币，来赎救人民无食而出卖儿女的；夏禹用历山出产的金属铸币，来赎救人民无食而出卖儿女的。所以，丧失了天时的权衡，人和地的权衡也丧失了。因此成王业的君主每年贮蓄收成的十分之三，三年多就有了相当于一年的贮备，三十一年就有了相当于十一年多一点的贮备。每年贮蓄三分之一不至于伤害民生，而且还可以促进农民努力耕种，所以即使有天灾，发生凶旱水涝，百姓也不会有死在沟壑或者四处乞讨的了。这就是掌握天时来对待天时权衡的方法。"桓公说："好。我想实行'三权'的方法，该怎么办？"管仲回答说："梁山南面所产的绨绸和山东掖县出产的玉石，其他地方是绝无仅有的。"管仲接着说："用这些东西收购粮食，每年贮备一分，这样实行五年，就会使粮食的价格比以前上涨十倍。"管仲接着说："还要铸造钱币，用两年的贮备粮食雇人开采国家的铜矿，建立冶铜铸币的场所。实施轻重之术，要与别国保持一致，因为本国价格高，别国就会来倾销射利；本国价格低，物资就会向外泄流，所以要与别国保持一致。物资向外泄流，就等于本国失权；被人倾销射利，就等于本国失策了。国君如果不能防备天时水旱，那么人民就会互相求取防备，这等于使人民私下相互奴役，这是刑罚起用的原因和国家动乱的根源。贫富差距悬殊，富户比贫穷更危险，国家的储备也逐渐空虚了，这样三权就全部丧失了。"桓公说："如何掌握'三权'的方法呢？"管仲回答说："丰收之年要储存收成的一定份额，歉收之年也要储存收成的一定份额。"桓公说："歉收之年应当赈济补助，怎么储存收成的一定份额呢？"管仲回答说："歉收之年粮价容易上涨，一可涨到十，十可涨到百。用歉收之年来掌握丰收之年，歉收之年，卖一分粮食，可得十分价；丰收之年，买十分粮食，仅用一分价，其余的九分就成为国家的赢利。用轻重之术来控制丰年，这样'三权'就将掌握在君主手中，这就叫做国家的权衡。"

桓公问于管子曰："请问国制①。"管子对曰："国无制，地有量。"桓公曰："何谓国无制，地有量？"管子对曰："高田十石，间田②五石，庸田③三石，其余皆属诸荒田。地量百亩，一夫之力也。粟贾一，粟贾十，粟贾三十，粟贾百④。其在流策者，百亩从⑤中千亩之策也。然则百乘从千乘也，千乘从万乘也。故地有量，国无策。"桓公曰："善。""今欲为大国，大国欲为天下，不通权策，其无能者矣。"桓公曰："今行权奈何？"管子对曰："君通于广狭之数，不以狭畏广；通于轻重之数，不以少畏多，此国策之大者也。"桓公曰："善。盖⑥天下，视海内，长誉而无止，为之有道乎？"管子对曰："有。轨守其数，准平其流，动于未形，而守事已成。物一也而十，是九为用。徐疾之数，轻重之策也，一可以为十，十可以为百。引⑦十之半而藏四，以五操事，在君之决塞。"桓公曰："何谓决塞？"管子曰："君不高仁，则国不相被；君不高慈孝，则民简其亲而轻过。此乱之至也。则君请以国策十分之一者树表置高⑧，乡之孝子聘之币，孝子兄弟众寡不与师旅之事。树表置高而高仁慈孝，财散而轻。乘轻而守之以策，则十之五有⑨在上。运五如行事，如日月之终复。此长有天下之道，谓之准道。"

[注释]

①国制：治理国家的政策。②间田：中等的土地。③庸田：下等的土地。④"粟贾"句：马非百云："此盖言上述四种田区之谷价，因产量有多少而贵贱不同。"⑤从：赶上。⑥盖：胜过，超出。⑦引：取出，拿出。⑧树表：建立表率。置高：建造高大门闾，指树立典范。⑨有：通"又"。

[译文]

桓公问管仲说："请问关于治理国家的政策。"管仲回答说："国家没有固定的政策，土地却有一定的产量。"桓公说："什么叫做国家没有固定的政策，而土地却有一定的产量呢？"管仲回答说："上等土地亩产十石，中等土地亩产五石，下等上地亩产三石，其余都属于不毛之地的荒地。百亩的耕种，是一个农民能胜任的。如果高田的粮价为一，间田的粮价就为十，庸田的粮价就为三十，荒地的粮价就为一百。如果精通商品流通获利的策略，百亩土地的收益就可以赶上或相当于千亩土地的收益。如此这样，百乘之国就可以赶上千乘之国，千乘之国就可以赶上万乘之国了。所以土地有一定的产量，而国家则没有固定不变的政策。"桓公说："好。"管仲说："如今小国想成为大国，大国想统一天下，如果不懂得权衡的策略，是不可能实现的。"桓公说："如今想要实行权衡的策略，该怎么做呢？"管仲回答说："君主要通晓广和狭的道理，就不会因为国土狭小而害怕国土广阔的；要通晓轻和重的道理，就不会因为资财少而害怕资财多的。这就是治国策略的核心。"桓公说:"好。如果想要统一天下,治理海内,并永久地被人所赞誉,有办法做到吗?"管仲回答说:"有。那就是:用统计的方法控制经济的数据,用平准的方法调节商品的流通,事前就要制定措施,依据它便能成事。使财物由一变为十,其余九分就成为国家的赢利。运用号令缓急的方法和轻重之术的作用,使财物由一增长为十,十增长为百。然后拿出收益半数的五分之四作为贮备,其余半数重新投入使用,这些都取决于君主的开放与收闭。"桓公说:"什么叫做开放与收闭?"管仲说:"君主不提倡仁爱,那么国人就不会相互帮扶;君主不提倡慈孝,国人就会怠慢双亲而轻易犯错。这是国家祸乱的开始。君主要用收益的十分之一来建立表率,树立典范,表彰仁孝。对于乡里的孝子,要赠送货币加以聘问,孝子的兄弟不论多少都要免服兵役。建立表率,树立典范,提倡仁爱与慈孝,那么财物将会施散于社会,而币值就会轻贱下来。国家可以趁着币值轻贱的时机而运用轻重之策加以控制,十分之五的财物又重新掌握在国家的手中。然后再运用五成的财物继续投入使用,像日月不停地运转一样往而复来。这就是长久拥有天下的办法,也可以称为平准之道。"

　　桓公问于管子曰:"请问教数①。"管子对曰:"民之能明于农事者,置之黄金一斤,直食八石;民之能蕃育六畜者,置之黄金一斤,直食八石;民之能树艺者,置之黄金一斤,直食八石;民之能树瓜瓠荤菜百果使蕃衮②者,置之黄金一斤,直食八石;民之能已民疾病者,置之黄金一斤,直食八石;民之知时、曰岁且厄、曰某谷不登、曰某谷丰者,置之黄金一斤,直食八石;民之通于蚕桑、使蚕不疾病者,皆置之黄金一斤,直食八石。谨听其言而藏之官,使师旅之事无所与,此国策之者也。国用相靡而足,相困揲而誉③。然后置四限,高下令之徐疾,驱屏④万物,守之以策，有五官技⑤。"桓公曰："何谓五官技？"管子曰："诗者所以记物也，时者所以记岁也，春秋⑥者所以记成败也，行者道民之利害也，易者所以守凶吉成败也，卜者占凶吉利害也。民之能此者，皆一马之田，一金之衣。此使君不迷妄之数也。六家者即见：其时使豫先蚤闲之日受之，故君无失时，无失策，万物兴丰；无失利，远占得失，以为末教；诗记人无失辞；行殚⑦道无失义；易守祸福凶吉不相乱。此谓君棅⑧。"

[注释]

①教数：教育的方法。②蕃袞：蕃育，繁殖。袞，同"育"。③"相因"句：王引之云："当为'相揲而儋'。《广雅》曰：'揲，积也。'言国用相积而赡也。"④驱屏：驱逐弃置。这里指驱使万物囤积。⑤有：通"又"。官：通"管"，管理。马非百云："谓于奖励七能、设置四限之外，又当管制五种技能之人，使其皆为政府之财政经济政策服务也。"⑥春秋：历史。⑦殚：张佩纶云："'殚'字无义，当作'阐'。"⑧棅：同"柄"。

[译文]

桓公问管仲说："请问关于教育的方法。"管仲回答说："百姓中有精通农事的，奖赏黄金一斤，或值粮八石；百姓中有精通畜养牲畜的，奖赏黄金一斤，或值粮八石；百姓中有精通园艺树木的，奖赏黄金一斤，或值粮八石；百姓中有善种瓜果蔬菜使其产量提高的，奖赏黄金一斤，或值粮八石；百姓中有善于治病的，奖赏黄金一斤，或值粮八石；百姓中有通晓天时、能预言灾情、预言某种作物歉收或丰收的，奖赏黄金一斤，或值粮八石；百姓中有精通养蚕并使其不生病的，也奖赏黄金一斤，或值粮八石。要认真听取这些言论并把记录保存在官府，使他们免除兵役之事。这就是治国策略之一。国家的财用因消费和积蓄的相互作用而保证充足。然后就可以划定四周的界限，灵活掌握号令的缓急，驱使物资囤积，用轻重之策加以控制。此外，还要管理好拥有五种技能的人。"桓公说：

"什么是管理拥有五种技能的人?"管仲说:"掌握诗的人可用来记述事物,掌握时的人可用来记述年成,掌握历史的人可用来记述国家的兴衰成败,掌握行神的人可指导行路的利害,掌握《易》的人可用来预测吉凶成败,懂得占卜的人可预测凶吉与利害。百姓之中有上述技能的人,都奖赏一匹马所能耕种的土地,一斤金所能买到的衣服。这是使国君摆脱迷惑虚妄的一种措施。掌握这五种技能的人即刻就能显现效能:掌握时的人能够预先说明情况,使君主不会错过时机,失去对策,从而带来万物兴盛;掌握历史的人能够使国君不失财利,可以预测将来的得失,作为日后趋利避害的教训;掌握诗的人,记述人们的行事,不会言语失当;掌握行神的人,阐明道路的情况,而不会误入歧途;掌握《易》的人,可以预测祸福凶吉,而不至于发生错乱。这些都称为君主的权柄。"

桓公问于管子曰:"权棣之数,吾已得闻之矣,守国之固①奈何?"曰:"能皆已官,时皆已官,得失之数,万物之终始,君皆已官之矣。其余皆以数行。"桓公曰:"何谓以数行?"管子对曰:"谷者民之司命也,智者民之辅也。民智而君愚,下富而君贫,下贫而君富,此之谓事名二。国机,徐疾而已矣;君道,度法而已矣;人心,禁缪②而已矣。"桓公曰:"何谓度法?何谓禁缪?"管子对曰:"度法者,量人力而举功;禁缪者,非③往而戒来。故祸不萌通④,而民无患咎。"桓公曰:"请闻心禁。"管子对曰:"晋有臣不忠于其君,虑杀其主,谓之公过⑤。诸公过之家,毋使得事君,此晋之过失也。齐之公过,坐立长差⑥。恶恶乎来刑,善善乎来荣,戒也。此之谓国戒⑦。"

[注释]

①守国之固:巩固国家的政权。②禁缪:禁止约束。③非:马非百云:"非,罪也。"④萌通:发生和流行。⑤公过:政治罪犯。⑥坐立长差:马非

百云:"定罪为坐。长犹长幼之长。差,次也。坐立长差,即罪定首从之意。"
⑦国戒:治理国家的人应引以为戒的事情。

[译文]

桓公问管仲说:"运用权柄的方法,我已经知道了,那么要巩固国家的政权,该怎么办呢?"回答说:"有专能的人都已授官使用,掌握天时的人都已授官使用,通晓得失规律、万物始终的人,君主都已授官使用了。其余都可依照一般方法进行管理。"桓公说:"按照一般的方法进行管理是怎么样呢?"管仲回答说:"粮食是人们生命的主宰,智慧是人们行事的辅助。百姓掌握了智慧君主就可能愚昧,君主掌握了智慧百姓就可能愚昧,民富君就贫,民贫君就富,这称为事情的两个方面。国家的机要,在于掌握命令的缓急;为君之道,在于制定法令;控制人心,在于禁止约束。"桓公说:"制定法令怎么做?禁止约束怎么做?"管仲回答说:"制定法令,要注意量力而行;禁止约束,要注意惩前毖后。这样祸患就不会发生和流行,百姓也就不会犯错了。"桓公说:"请谈一谈控制人心。"管仲回答说:"晋国有臣子对国君不忠,甚至想杀害君主,这被称为重大的政治罪犯。对于政治罪犯的亲属,晋国规定不准任职事君,这就是晋国的过失了。齐国对待政治罪犯,则按照主从的差异分别定罪。惩治坏人就应该用刑罚,表彰好人就应该用奖赏,这就是戒止人心邪恶的办法。这可以说是治理国家的人应引以为戒的事情。"

桓公问管子曰:"轻重准①施之矣,策尽于此乎?"管子曰:"未也。将御②神用宝。"桓公曰:"何谓御神用宝?"管子对曰:"北郭有掘阙③而得龟者,此检④数百里之地也。"桓公曰:"何谓得龟百里之地?"管子对曰:"北郭之得龟者,令过之平盘之中。君请起十乘之使,百金之提,命北郭得龟之家曰:'赐若⑤曰:'服中大夫。'曰:'东海之子类于龟,托舍⑥于若,赐若大夫之服以终而身，劳若以百金。'之龟为无赀⑦，而藏诸泰台，一日而衅⑧之以四牛，立宝曰无赀。还四年，伐孤竹。丁氏之家粟可食三军之师行五月，召丁氏而命之曰：'吾有无赀之宝于此，吾今将有大事，请以宝为质于子，以假子之邑粟。'丁氏北乡⑨再拜，入粟，不敢受宝质。桓公命丁氏曰：'寡人老矣，为子者不知此数，终受吾质。'丁氏归，革筑室，赋籍⑩藏龟。还四年，伐孤竹，谓丁氏之粟中食三军五月之食。桓公立贡数，文行中七⑪，年龟中四千金，黑白之子当千金。凡贡制，中二齐之壤策⑫也。用贡：国危出宝，国安行流。"桓公曰："何谓行流？"管子对曰："物有豫⑬，则君失策而民失生矣。故善为天下者，操于二豫⑭之外。"桓公曰："何谓二豫之外？"管子对曰："万乘之国，不可以无万金之蓄饰⑮；千乘之国，不可以无千金之蓄饰；百乘之国，不可以无百金之蓄饰。以此与令进退，此之谓乘时⑯。"

[注释]

①轻重准：即轻重之准，利用轻重之术实现平准。②御：控制，约束。③掘阙：当为"掘阅"。古"阅"、"穴"同，如宋玉《风赋》"空穴来风"，《庄子》云"空阅来风"。④检：尹知章云："检犹比也。以此龟为用者，其数可比百里之地。"⑤若：你。⑥托舍：寄居。⑦无赀：即无资，无可估价，不可计算。⑧衅：血祭。⑨乡：同"向"。⑩赋籍：尹知章云："赋，敷也。籍，席也。"铺设席子。⑪文行：张佩纶云："'文行'当作'文龟'。"据下文，"七"后脱"千金"二字。⑫壤策：土地政策。⑬豫：王引之云："'豫'犹'讹'。物有豫者，谓富商蓄贾虚定物价以讹人，而牟取暴利也。"⑭二豫：指工商虚定物价来牟取暴利。⑮蓄饰：指国库的储备。⑯乘时：控制时机。

[译文]

桓公问管仲说："利用轻重之术实现平准已经施行以后，权衡轻重的策略就此结束了吗？"管仲回答说："没有。还有驱使神怪，运用宝物。"桓公说："什么叫做驱使神怪、运用宝物呢？"管仲回答说:"北郭有人挖掘洞穴得到一只神龟,这只神龟的价值相当于百里土地的收益。"桓公说:"为什么说一只神龟的价值相当于百里土地的收益呢?"管仲回答说:"北郭得到神龟的人,把神龟放在大盘子中。国君派遣使臣,配备十乘马车,携带黄金百斤,对得龟的人说:'国君赏赐你穿中大夫的官服。'还说:'这是东海海神的儿子,寄居在你家里,所以赏赐你终身享用中大夫的官服,并奖赏你黄金百斤。'于是这只神龟就成为无价的宝物,而被收藏在大台之上,每天要用四头牛来血祭,从而成为无价之宝。四年后,征讨孤竹国,桓公听说丁氏所藏的粮食足够军队五个月食用,于是把丁氏召来说:'我这有一件无价之宝,现在我将要出征,想要把宝物作为抵押,借用你的粮食。'丁氏向北再拜领命,把粮食交给了国家,但不敢接受作为抵押的宝物。桓公便对丁氏说:'我老了,儿子们又不知道借粮的具体数目,你还是接受我的抵押吧。'丁氏回家后,改建房屋,铺设席子,把神龟收藏起来了。四年后,讨伐孤竹,丁氏的粮食果然供给三军吃了五个月。桓公于是规定进贡宝物的价格:文龟相当于七千金,年龟相当于四千金,黑白的子龟相当于一千金。凡进贡宝物所得的收益,相当于齐国土地政策收益的二倍。进贡宝物的使用:在国家危难的时候,把它作为宝物抵押出去;在国家安定的时候,使它促进物资的流通。"桓公说:"什么是促进物资的流通呢?"管仲回答说:"市场物价如果出现了投机欺骗的现象,那么国君就失去了权衡轻重的策略,而百姓也失去了谋生的手段。所以善于治理天下的人,要在实行投机欺骗之术的工商之外采取措施进行治理。"桓公说:"什么是在实行投机欺骗之术的工商之外采取措施呢?"管仲回答说:"万乘之国不可以没有价值万金的国库储备,千乘之国不可以没有价值千金的国库储备,百乘之国不可以没有价值百金的国库储备。利用国库储备和国家的政令配合使用,这就称为控制时机。"

山至数[1]

桓公问管子曰："梁聚谓寡人曰：'古者轻赋税而肥籍敛[2]，取下无顺于此者矣。'梁聚之言何如？"管子对曰："梁聚之言非也。彼轻赋税则仓廪虚，肥籍敛则械器不奉。械器不奉，则诸侯之皮币不衣；仓廪虚，则俥[3]贱无禄。外皮币不衣于天下，内国俥贱，梁聚之言非也。君有山，山有金，以立币，以币准谷而授禄，故国谷斯在上。谷贾什倍，农夫夜寝蚤起，不待见使；五谷什倍，士半禄而死君，农夫夜寝蚤起，力作而无止。彼善为国者，不曰使之，使不得不使；不曰贫之，使不得不用，故使民无有不得不使者。夫梁聚之言非也。"桓公曰："善。"

[注释]

①至数：运用轻重之术的最高水准。山：衍文。②肥：丁士涵云："肥，古'伿'字。《集韵》曰：'伿，薄也。'"籍敛：征收田税。③俥：同"士"。

[译文]

桓公问管仲说："梁聚对我讲：'古时候减轻赋税、减少征敛，对百姓征税没有比这样更顺当了。'梁聚的言论怎么样？"管仲回答说："梁聚的话是错误的。减轻赋税，国家的储备就会空虚；减少征敛，械器就会不充足。械器不充足，诸侯就穿不上皮帛衣服；国家的储备空虚，战士的地位就会低贱，没有俸禄。在外齐国的皮帛不能向天下各国输出，在内战士的地位低贱，所以梁聚的话是错误的。国君拥有群山，山中产铜，用来铸造钱币，然后用钱币折算粮食发放俸禄，这样，粮食就会集中在国家手中。粮价上涨十倍，农民早起晚睡，不用驱使；五谷的产量增加了十倍，战士只要得到一半的俸禄，就愿为国捐躯，农民更是早起晚睡，努力耕作不止。所以，善于治理国家的人，不用言语驱使百姓，而让百姓不得不被驱使；不用言语利用百姓，而让百姓不得不被利用，所以使百姓没有不为国君所用、为国君所使的。梁聚的言论是错误的。"桓公说："好。"

桓公又问于管子曰："有人教我，谓之请士。曰：'何不官①百能？'"管子对曰："何谓百能？"桓公曰："使智者尽其智，谋士尽其谋，百工尽其巧。若此，则可以为国乎？"管子对曰："请士之言非也。禄肥则士不死，币轻则士简②赏，万物轻则士偷幸③。三怠在国，何数之有？彼谷十藏于上，三游于下，谋士尽其虑，智士尽其知，勇士轻其死。请士所谓妄言也。不通于轻重，谓之妄言。"

[注释]

①官：通"管"。②简：怠慢。③偷幸：苟且侥幸。

[译文]

桓公又问管仲说："有一个名叫请士的人对我说：'为什么不对各种才能的人进行管理呢？'"管仲说："什么是管理各种才能的人？"桓公说："就是使有智慧的人尽量发挥他的智慧，谋士尽量发挥他的谋略，百工尽量发挥他的技能。这样就可以治理国家了吗？"管仲回答说："请士的言论是错误的。俸禄轻，士就不肯为国效命；币值低，士就会轻视奖赏；物价低，士就会苟且偷生。如果国家存在这三种懈怠现象，还有什么办法呢？如果把粮食的七成掌握在国家手中，只有三成在民间流通，谋士就会尽量发挥他们的谋略，智士就会尽量发挥他们的智慧，勇士也就会不惜生命，为国捐躯了。请士这种言论，就是所谓的错误言论。因为不懂得轻重之术，就称之为错误的言论。"

桓公问于管子曰："昔者周人有天下，诸侯宾服，名教①通于天下，而夺于其下，何数也？"管子对曰："君分壤而贡入，市朝②同流。黄金，一策也；江阳之珠，一策也；秦之明山之曾青③，一策也。此谓以寡为多，以狭为广，轨出④之属也。"桓公曰："天下之数尽于轨出之属也？""今国谷重什倍而万物轻，大夫谓贾之⑤：'子为吾运谷而敛财。'谷之重一也，今九为余，谷重而万物轻。若此，则国财九在大夫矣。国岁反一，财物之九者皆倍重而出矣。财物在下，币之九在大夫。然则币谷羡⑥在大夫也。天子以客行，令以时出。熟谷之人亡，诸侯受而官之。连朋而聚与⑦，高下万物，以合民用。内则大夫自还⑧而不尽忠，外则诸侯连朋合与，熟谷之人则去亡，故天子失其权也。"桓公曰："善。"

[注释]

①名教：名声与教化。②市朝：市集，市场。③曾青：矿产名。色青，可供绘画及化金属使用。④轨出：郭沫若云："'轨出'乃'轻重'之残文耳。"⑤之：应为"人"字之误。⑥羡：盈余。⑦连朋：结党。聚与：结聚党与。⑧还：通"环"。自环，即为自己打算。

[译文]

桓公问管仲说："从前周朝拥有天下，诸侯宾服，名声和教行遍布天下，然而最终还是被臣下篡夺了，是什么缘故呢？"管仲回答说："国君根据不同的地区而确定贡物，它们在市场上同样可以流通。利用黄金买卖是一个办法，利用江阳之珠买卖是一个办法，利用秦地明山所产的曾青买卖也是一个办法。这就叫做以少变多，以狭变广，也属于轻重之术的运用。"桓公说："天下的方法都属于轻重之术吗？"管仲说："假如现在粮价上涨十倍而物价很低，大夫就会对商人说：'你要替我贩卖粮食而收购货物。'假如粮食原价为一，现在就有九倍的盈利，这是因此粮食贵而其他货物贱的缘故。像这样，国家货物的九成都掌握在大夫手中。等到粮价恢复原状，再把九成的货物高价销售出去。货物推销到民间，而九倍的货币又进入了大夫的手中。如此这样，钱币、粮食的盈余都掌握在大夫的手中，天子成了客位，政令也不能按时发出。精通粮食买卖的人都外逃，诸侯们都接纳并委以官职。他们结聚朋党，掌控物价，控制民用。在国内大夫自谋私利而不肯尽忠，在国外诸侯结聚朋党，精通粮食买卖的人离开外逃，所以天子便失去了他的权柄。"桓公说："好。"

桓公又问管子曰："终身有天下而勿失，为之有道乎？"管子对曰："请勿施于天下，独施之于吾国。"桓公曰："此若言何谓也？"管子对曰："国之广狭、壤之肥硗有数，终岁食余有数。彼守国者，守谷而已矣。曰：某县之壤广若干，某县之壤狭若干，则必积委币，于是县州里受①公钱。泰秋，国谷去参之一，君下令谓郡县属大夫，里邑皆籍粟入若干。谷重一也，以藏于上者。国谷参分，则二分在上矣。泰春，国谷倍重，数也。泰夏，赋谷以市㯺，民皆受上谷以治田土。泰秋，田谷之存予者若干，今上敛谷以币。民曰：无币，以谷，则民之三有②归于上矣。重之相因，时之化举，无不为国策。君用大夫之委，以流归于上。君用民，以时归于君。藏轻，出轻以重，数也。则彼安有自还之大夫独委之？彼诸侯之谷十，使吾国谷二十，则诸侯谷归吾国矣。诸侯谷二十，吾国谷十，则吾国谷归于诸侯矣。故善为天下者,谨守重流③,而天下不吾泄矣。彼重之相归,如水之就下,吾国岁非凶也,以币藏之,故国谷倍重,故诸侯之谷至也。是藏一分以致④诸侯之一分,利不夺于天下,大夫不得以富侈。以重藏轻,国常有十国之策也。故诸侯服而无正,臣橚⑤从而以忠,此以轻重御天下之道也,谓之数应⑥。"

[注释]

①受:同"授"。②有:通"又"。③重流:尹知章云:"重流,谓严守谷价,不使流散。"指不轻易使物资外流。④致:招引。⑤橚:衍文。⑥数应:马非百云:"数应者,数谓定数,应谓效果。谓此乃实行轻重之策之必然效果也。"

[译文]

桓公又问管仲说:"终身拥有天下而不会丧失,有办法做到吗?"管仲回答说:"这样的办法不能在天下实行,只能先在本国实行。"桓公说:"这话是什么意思?"管仲回答说:"国家的广狭、土壤的肥瘠是有定数的,全年粮食的消费和盈余也是有定数的。控制国家,在于控制粮食而已。比如说某县的土地多大,某县的土地多小,都一定要贮备货币,在县州里向农民发放贷款。到了秋天,粮价下降三分之一,国君便下令郡县的属大夫,让其管辖的里邑都要按照贷款数额向国家上交粮食。粮价与时价相同,粮食就贮藏在国库中。假如粮食算作三分,其中有二分掌握在国家手里。春天,粮价成倍上涨,是必然的。夏天,再把粮食按市价进行发放,百姓都获得了国家的粮食而进行耕种。到了秋天,就对百姓说:过去贷给你们粮食若干,现在国家要求折成货币归还。百姓说:没有货币,只能还粮。这样农民盈余十分之三的粮食又归国库了。这样,利用粮价的上涨,掌握季节的差价变化,无不是国家的理财之道。君主取用大夫的积粮,则是通过流通的办法归到国库的。取用百姓的粮食,是通过季节的差价变化归到国库的。在粮价低时,囤积粮食,等到粮价上涨时,再以高价卖出去,这是必然的。这样,怎么还会有自谋私利的大夫独自囤积粮食呢?如果各诸侯国的粮价是十,我国的粮价是二十,那么各诸侯国的粮食都会流散到我国了。如果诸侯国的粮价是二十,我国是十,我国的粮食就会流散到各诸侯国了。所以善于治理天下的人,必须严格控制高价防止物资外流的政策,使各诸侯国无法泄散我国的粮食。粮食流向高价的地方,就像水往低处流一样,我们国家并没有发生灾荒,而用货币收购粮食加以囤积,从而使粮价成倍上涨,所以各诸侯国的粮食就来到了。这就是我们收购粮食一分,就可以招引诸侯国的一分,财利不会被其他诸侯国所夺,大夫也不能得以牟取暴利。这种低价囤积、高价抛售的政策,使国家可以拥有十个国家的财富。所以各诸侯都臣服而不会背叛,臣子也服从而尽忠。这就是用轻重之术驾驭天下的办法,称为实行轻重之术的必然效果。"

桓公问管子曰:"请问国会①。"管子对曰:"君失大夫为无伍,失民为失下。故守大夫以县之策,守一县以一乡之策,守一乡以一家之策,守家以一人之策。"桓公曰:"其会数奈何?"管子对曰:"币准之数,一县必有一县中田之策,一乡必有一乡中田之策,一家必有一家直人之用。故不以时守郡为无与,不以时守乡为无伍。"桓公曰:"行此奈何?"管子对曰:"王者藏于民,霸者藏于大夫,残国亡家藏于箧。"桓公曰:"何谓藏于民?""请散栈台之钱,散诸城阳;鹿台之布②,散诸济阴。君下令于百姓曰:'民富君无与贫,民贫君无与富。故赋无钱布,府无藏财,赀③藏于民。'岁丰,五谷登,五谷大轻,谷贾去上岁之分,以币据④之。谷为君,币为下,国币尽在下,币轻,谷重上分。上岁之二分在下,下岁之二分在上,则二岁者四分在上,则国谷之一分在下,谷三倍重。邦布之籍⑤,终岁十钱。人家受食,十亩加十，是一家十户也。出于国谷策而藏于币者也。以国币之分复布百姓，四减国谷，三在上，一在下，复策也。大夫聚⑥壤而封，积实而骄上，请夺之以会。"桓公曰："何谓夺之以会？"管子对曰："粟之三分在上，谓民萌⑦皆受上粟，度君藏焉，五谷相靡⑧而重去什三，为余以国币准谷反行⑨，大夫无什于重。君以币赋禄，什在上。君出谷，什而去七。君敛三，上赋七，散振⑩不资者，仁义也。五谷相靡而轻，数也；以乡完重而籍国⑪，数也；出实财，散仁义，万物轻，数也。乘时进退，故曰：王者乘时，圣人乘易。"桓公曰："善。"

[注释]

①国会：即国计，指国家财政收支的各种会计事务。②布：古代的一种钱币。③赍：同"资"，财货。④据：占据，这里指囤积。⑤邦布之籍：国家征收的人口税。⑥聚：当为"裂"字之误。⑦萌：通"氓"。民萌，即民众。⑧靡：分散。⑨"为余"句：郭沫若云："其粟之余分在下者，则在谷价既平之后，反以国币准平价收购之，此之谓'余以国币谷准反行'。于是则大夫无法抬高谷价，即'大夫无什于重'。"⑩振：通"赈"，救济。⑪"以乡"句：马非百云："'完'疑'家'字之误。国即郡，指大夫封地。谓利用乡与家之谷之重，以籍敛大夫之谷。"

[译文]

桓公问管仲说："请问关于国家的统计工作。"管仲回答说："国君对大夫失去控制，等于没有部属；对百姓失去控制，等于没有基础。控制大夫要用控制一个县的办法，控制一个县要用控制一个乡的办法，控制一个乡要用控制一个家庭的办法，控制一个家庭要用控制一个人的办法。"桓公说："如何实行统计的方法？"管仲回答说："货币流通的标准数量，一个县必有适合于该县土地的调查数字，一乡必有适合于该乡土地的调查数字，一家必有适合于一家人口用度的调查数字。所以不及时控制郡的经济情况就等于没有相与，不及时控制乡的经济情况就等于没有部属。"桓公说："怎样实行？"管仲回答道："成就王业的将财富藏于百姓，成就霸业的把财富藏于大夫，败国亡家的把财富藏在箱子里。"桓公说："什么叫把财富藏于百姓呢？"管仲说："请将栈台的钱币，放贷到城阳一带；将鹿台的钱币，放贷到济阴一带。国君对百姓说：'百姓富裕了君主不会贫穷，百姓贫穷了君主也不会富裕，因此不向百姓征收钱币，府库也不积累钱财，把财富都藏在百姓手里。'等到丰年，五谷丰登，粮价大跌，比去年降低了若干分，国家就用放贷的货币收购粮食囤积起来。这样谷居上位，币居下位，钱币都投放在民间，币值下跌，粮价又上涨了若干分。上年的粮食有两分在下，下年的粮食有两分在上，两年后就会有四分粮食在上，只有一分在民间流通，粮价就会上涨三倍。国家征收的人口税，一年十钱。如百姓都向国家买粮，把每十亩土地出产的粮食加价十钱，就可以得到相当于征收十户的人口税。这就是利用国家的粮食销售政策把粮食储存在货币中了。然后用国家货币的若干分再发贷给百姓，使粮食的四分之三掌握在国家手中，只有一分流散在民间，重复运用这项政策。至于大夫裂地分封，囤积粮食而对抗君主，也可以用统计的方法来收夺他们的粮食。"桓公说："怎么用统计的方法来收夺他们的粮食呢？"管仲回答说："粮食的四分之三掌握在国家手里，然后按照国家的库存把粮食抛售给百姓。粮食分散，粮价就下跌十分之三，剩下的粮食国家在谷价平抑后用货币收购，于是大夫就无法抬高粮价了。国君用货币发放俸禄，全部粮食都掌握在国家手中。然后国君拿出十分之七的粮食，也就是储备三成，放贷七成，救济贫民，显示自己的仁义。这样粮食流散，从而使粮价下跌，是一种方法；靠乡的高价粮食收购大夫的粮食，是一种办法；投放粮食财物，散布仁义之名，又平抑物价，也是一个办法。所以一定掌握时机而决定进退。所以说：成就王业的人善于掌握时机，而圣人则善于掌握变化。"桓公说:"好。"

桓公问管子曰:"特命我曰:'天子三百领,泰①啬。而散大夫准此而行。'此如何?"管子曰:"非法家也。大夫高其垄②,美其室,此夺农事及市庸③,此非便国之道也。民不得以织为缯绡而狸④之于地。彼善为国者,乘时徐疾而已矣,谓之国会。"桓公问管子曰:"请问争夺之事何如?"管子曰:"以戚始。"桓公曰:"何谓用⑤戚始?"管子对曰:"君人之主,弟兄十人,分国为十;兄弟五人,分国为五。三世则昭穆同祖,十世则为祐⑥。故伏尸满衍⑦,兵决而无止。轻重之家复游于其间。故曰:毋予人以壤,毋授人以财。财终则有始,与四时废起。圣人理之以徐疾,守之以决塞,夺之以轻重,行之以仁义,故与天壤同数,此王者之大辔也。"

[注释]

①泰:同"太"。②垄:坟冢。③市庸:即市佣,指市场受雇而从事劳役的人。④狸:应为"埋"字,形似而误。⑤用:同"以"。⑥祐:古代宗庙里藏神主的石匣。⑦衍:低而平坦之地。

[译文]

桓公问管仲说:"特告诉我说:'天子的葬衣只用三百件,过于吝啬了,而列大夫也应照此办理。'你看怎么样?"管仲说:"这不是正常士大夫的做法。大夫把坟墓修筑得很高,把墓室装饰得很美,这是耽误农事和市场上的佣工,这不是对国家有利的办法。百姓不应把彩帛作为修饰棺椁之用而埋于地下。所以善于治理国家的人,需要掌握时机,调节政令的缓急就可以了。这也叫做国家的统计工作。"桓公问管仲说:"请问国家争权夺利的事情是怎样出现的?"管仲回答说:"是从亲戚开始的。"桓公说:"为什么说是从亲戚开始的呢?"管仲回答说:"一个国君有弟兄十人,就要分封为十个国家；有弟兄五人，就要分封为五个国家。在三代之内，无论昭穆，都是同一祖宗，而在十代之后，只是祖宗的牌位放在一起而已。所以一旦出现争夺，就会伏尸满地，诉诸武力而不止息。于是轻重之家往来于其间，从中谋取私利。所以说：不可把土地分封给人，不可把财富资源授给人。财富资源的生产消费终而复始，和四时的更替一样。圣人用号令的缓急来治理国家，用政策的放收来控制国家，用轻重之术来盈利，用仁义之道来推行，所以能够与天地共同长久不败，这正是成就王业的根本纲领。"

桓公问管子曰："请问币乘马①？"管子对曰："始取夫三大夫之家，方六里而一乘，二十七人而奉一乘。币乘马者，方六里，田之美恶若干，谷之多寡若干，谷之贵贱若干，凡方六里用币若干，谷之重用币若干。故币乘马者，布币于国，币为一国陆地之数，谓之币乘马。"桓公曰："行币乘马之数奈何？"管子对曰："士受资以币，大夫受邑以币，人马受食以币，则一国之谷在上，币赀②在下。国谷什倍，数也。万物财物去什二，策也。皮革、筋角、羽毛、竹箭、器械、财物，苟合于国器君用者，皆有矩券③于上。君实乡州藏焉。曰：'某月某日，苟从责④者，乡决州决⑤。'故曰：就庸⑥一日而决。国策出于谷轨，国之策货，币乘马者也。今刀布藏于官府，巧币、万物轻重，皆在贾之⑦。彼币重而万物轻，币轻而万物重，彼谷重而谷轻。人君操谷、币、金衡，而天下可定也。此守天下之数也。"

[注释]

①乘马：运筹，指经济谋划。②赀：资财。③矩券：尹知章云："矩券，常券。"指刻在竹木简上的契约。④责：同"债"。⑤决：解除。指解除债务合同关系。⑥就庸：马非百云："就庸读为僦佣。"雇佣运输。⑦之：当为"人"字之误。

[译文]

桓公问管仲说:"请问关于货币的筹划。"管仲回答说:"可以从三夫之家算起,见方六里的土地要出兵车一辆,并配备二十七人。所谓货币的筹划,就以六里见方的土地为单位,计算好地瘠地各有多少,产粮多少,粮食的价格多少,六里见方的土地需要货币多少,用粮食价格来计算应需要货币多少。所以货币的筹划,就是在全国施行货币的筹划,使货币的数字与全国的土地数量相适应,这就称为货币的筹划。"桓公说:"如何实行货币的筹划呢?"管仲回答说:"士的俸禄用货币支付,大夫封邑的租税也用货币支付,人马的食用也用货币来支付,这样粮食就都掌握在国家手里,货币就流散在民间。粮价上涨十倍,就是这项政策。其他财物因为粮价上涨而下跌了二成,也是这项政策的结果。对于皮革、筋角、羽毛、竹箭、器械及其他财物,如符合国家规格和君主需用的,都要订立收购的合同。国家的粮食贮藏在各乡各州的,于是通告说:'某月某日,凡是与国家有债务合同的,都到本乡本州以粮食结算。'这样,百姓雇用车马人夫运物领粮,只需要一天时间就可以解决。国家的政策,取决于粮食的统计,但国家以粮换币而获利,则是货币的计算筹划的作用。如今,钱币虽然贮藏在官府,但是巧用货币和操纵物价的都是商人。市场上币值上涨而物价下跌,币值下跌而物价上涨,粮价上涨而金价下跌。国君如果能控制粮食、货币、黄金的平衡关系,那么天下就可以安定了。这也是控制天下的办法。"

桓公问于管子曰:"准衡、轻重、国会,吾得闻之矣,请问县①数?"管子对曰:"狼牡以至于冯会之日,龙夏以北至于海庄,禽兽羊牛之地也,何不以此通国策哉?"桓公曰:"何谓通国策?"管子对曰:"冯市门一吏书赘直事,若其事唐圉牧食之人养视不失扞殂者②，去其都秩，与其县秩。大夫不乡赘合游③者，谓之无礼义。大夫幽其春秋④，列民幽其门山之祠。冯会、龙夏、牛羊牺牲月贾十倍异日。此出诸礼义，籍于无用之地，因扪⑤牢策也，谓之通。"

[注释]

①县：同"悬"，系连，关联。②唐：应为"庚"字之误。唐圉牧食之人，指从事畜牧的人。养视：养护照看，这里指饲养牲畜。扞殂：马非百云："'殂'当作'阻'。'扞'者御其患，阻者防其逸。"③乡赘合游：马非百云："犹言在乡村聚会牛马，进行配种。"④幽其春秋：马非百云："幽者，禁也。谓禁止其以牛羊牺牲供春享秋尝之用也。"⑤扪：丁士涵云："'扪'疑'栏'字误。"马非百云："栏牢者所以管制牛马者也，借以形容国家垄断经济政策之意。"

[译文]

桓公问管仲说："平准之法、轻重之术、国家的统计，我都已经知道了。请问与它们相关的理财方法。"管仲回答说："从狼牡到冯会口，从龙夏以北到海庄，是禽兽牛羊生长的地方，为什么不利用畜牧业贯彻国家的理财办法呢？"桓公说："如何贯彻国家的理财办法呢？"管仲回答说："在冯会口设立一官吏，专门负责记载牛羊繁育的情况。如果发现从事畜牧的人，饲养牲畜没有病患和逃亡的，就取消他的都级俸禄，给予县级俸禄以示表彰。如果发现大夫不肯参加乡里聚会牛马、进行配种繁殖的，这叫做没有礼仪。大夫禁止在春秋两季的祭祀上使用牛羊，民众禁止在门神和山神的祭祀上使用牛羊。这样冯会、龙夏一带牛羊的价格就会比往日上涨十倍。这项政策，出自于祭祀的礼仪，向无用的牧地进行征收，进而垄断畜牧业的政策。这就是贯彻国家的理财办法。"

桓公问管子曰："请问国①势。"管子对曰："有山处之国，有氾下多水之国,有山地分之国,有水泆②之国,有漏壤之国。此国之五势,人君之所忧也。山处之国,常藏谷三分之一;氾下多水之国,常操国谷三分之一;山地分之国,常操国谷十分之三;水泉之所伤,水泆之国,常操十分之二;漏壤之国,谨下诸侯之五谷,与工雕文梓器以下天下之五谷③,此准时五势之数也。"

[注释]

①国:郭沫若云:"古国、域字通作'或',凡此所谓'国'均谓地域也。"②泆:通"溢"。③与:帮助。梓器:木工所制作的器具。马非百云:"然则雕文梓器者,乃指木工所制作雕有精美花饰之各种木器而言。"

[译文]

桓公问管仲说:"请问有关地势的问题。"管仲回答说:"有多山的地区,有低洼多水的地区,有山陵、平原各占一半的地区,有溢水的地区,有土壤漏水的地区。这是国家五种不利的地势,也是君主所应忧虑的事情。多山的地区要贮备粮食三分之一,低洼多水的地区要贮备粮食三分之一,山陵平原各占一半的地区要贮备粮食十分之三,经常受到水泉的伤害,溢水的地区要贮备粮食十分之二,只有漏水的地区要努力取得其他诸侯国的粮食,帮助发展手工业,用雕有精美华饰的木器换取各诸侯国的粮食。这就是因地制宜地解决五种不利地势问题的办法。"

桓公问管子曰:"今有海内,县诸侯,则国势不用已乎?"管子对曰:"今以诸侯为竽,公州之饰①焉,以乘四时,行扪牢之策,以东西南北相彼,用平而准。故曰:为诸侯,则高下万物以应诸侯;遍有天下,则赋币以守万物之朝夕,调而已。利有足则行,不满则有止②。王者乡州以时察之,故利不相倾,县③死其所。君守大奉一,谓之国簿④。"

[注释]

①饬：通"饬"，整饬，整治。②"利有"句：马非百云："谓某地谷物有余则决而行之，使其外出。某地谷物不足，则塞而止之，不使外流。"③县：同"悬"，系连。④国簿：国家的会计事务。

[译文]

桓公问管仲说："如今拥有海内，掌握天下诸侯，那么解决各种地势的政策就不用了吗？"管仲回答说："如今是用诸侯掌握天下各州，整饬经济，利用季节的价差变化，实行控制市场的策略，使东西南北的出产相互补充，从而达到平衡。所以说：在诸侯国分立的时候，就用控制物价来对付各诸侯国；在天下统一的时候，就利用货币来控制物价的涨落，使之调平。谷物充足就使之调出，不足就要制止外流。君主要定期巡视各乡各州的经济情况，所以百姓谋求财利不至于互相倾轧，不愿意离开家乡，安居至死。国君掌握大局，奉行利从上出、利出一孔的政策，这就叫做国家的统计谋算。"

国 准[①]

桓公问于管子曰:"国准可得闻乎?"管子对曰:"国准者,视时而立仪[②]。"桓公曰:"何谓视时而立仪?"对曰:"黄帝之王,谨逃其爪牙。有虞之王,枯泽童山。夏后之王,烧增薮,焚沛泽,不益民之利。殷人之王,诸侯无牛马之牢,不利其器。周人之王,官能以备物。五家之数殊而用一也。"桓公曰:"然则五家之数,籍何者为善也?"管子对曰:"烧山林,破增薮,焚沛泽,猛兽众也。童山竭泽者,君智不足也。烧增薮,焚沛泽,不益民利,逃械器,闭智能者,辅己者也。诸侯无牛马之牢,不利其器者,曰淫器而一民心者也。以人御人,逃戈刃,高仁义,乘天固以安己者也。五家之数殊而用一也。"

[注释]

①国准:指国家的平准措施。②仪:措施。

[译文]

桓公问管仲说:"请问关于国家的平准措施,可以说来听听吗?"管仲回答说:"国家的平准措施,就是按照时势而制定措施。"桓公说:"什么是按照时势而制定措施呢?"管仲回答说:"黄帝治理天下的时候,努力铲除作乱的帮凶。虞舜治理天下的时候,砍光山林,抽干水泽。夏后氏治理天下的时候,焚毁大泽,不增加人民的财利。殷人治理天下的时候,不允许诸侯经营畜牧业,并限制他们制造武器。周人治理天下的时候设立官职,任用贤能,并贮备物资。五家的做法虽然不一样,但其作用是一样的。"桓公说:"那么,这五家的做法,哪一家更好呢?"管仲回答说:"焚烧山林,焚毁大泽,是因为禽兽太多了。伐光山林,抽干水泽,是因为君主智力不足。焚烧大泽,不增加人民的财利,限制制造武器,闭塞人民智能,这是因为要加强自己。不允许诸侯经营畜牧业,并限制他们制造武器,这是为了不过分生产武器而统一民心。设置官职,任用贤能,禁止制造兵器,提倡仁义,这是因为要利用天道来巩固自己的地位。五家的措施虽然不同,但作用是一样的。"

桓公曰:"今当时之王者立何而可?"管子对曰:"请兼用五家而勿尽。"桓公曰:"何谓?"管子对曰:"立祈祥以固山泽①,立械器以使万物,天下皆利而谨操重策。童山竭泽,益利搏流。出山金立币,存菹丘②,立骈牢,以为民饶。彼菹菜之壤,非五谷之所生也,麋鹿牛马之地。春秋赋生杀老,立施③以守五谷,此以无用之壤臧④民之赢。五家之数皆用而勿尽。"

[注释]

①祈祥:古代祭山的一种祭仪。固:禁锢,闭塞。②菹丘:指杂草繁茂的山丘。③施:即通施,指货币。④臧:通"藏",储藏。

[译文]

桓公说:"当今的国君,应该采用哪一家的办法呢?"管仲回答说:"可以兼用五家的措施,但又不能拘泥于任何一家。"桓公说:"这是什么意思?"管仲回答说:"设立祭神的坛场来封禁山泽的资源,制造武器工具来利用物资,使天下的百姓都会获利,并严格控制物价政策。伐光山林,抽干水泽,增加财利并要控制流通。开发矿山,铸造钱币,建立牧场,建造牲畜栏圈,使人民富饶起来。长满杂草的洼地,不是粮食生长的地方,可以作为饲养麋鹿牛马的地方,春秋两季,把幼畜贷给百姓,把老畜杀掉供祭祀食用,铸造货币来控制粮食。这就是利用无用的土地来储藏百姓的余粮。这样,五家的措施都采用了,但并没有拘泥于任何一家。"

桓公曰:"五代之王以尽天下数矣,来世之王者可得而闻乎?"管子对曰:"好讥①而不乱,亟变而不变,时至则为,过则去。王数不可豫致②。此五家之国准也。"

[注释]

①讥:考察。②致:获得。

[译文]

桓公说:"以上五个朝代的君主,已经用尽了各种办法,以后成就王业的君主应该怎么做,可以说来听听吗?"管仲回答说:"重视考察就不会混乱,积极改革而不留恋过去,时机成熟就要实行,时机不成熟就应放弃。成就王业的措施是不能预先获得的。这就是五代君主治理国家的平准措施。"

轻重甲[①]

桓公曰："轻重有数乎？"管子对曰："轻重无数。物发而应之，闻声而乘之。故为国不能来天下之财，致天下之民，则国不可成。"桓公曰："何谓来天下之财？"管子对曰："昔者桀之时，女乐三万人，端噪晨乐闻于三衢[②]，是无不服文绣衣裳者。伊尹以薄之游女工文绣纂组[③]，一纯得粟百钟于桀之国。夫桀之国者，天子之国也。桀无天下忧，饰妇女钟鼓之乐，故伊尹得其粟而夺之流[④]。此之谓来天下之财。"桓公曰："何谓致天下之民？"管子对曰："请使州有一掌[⑤]，里有枳五朌[⑥]，民无以与正籍者予之长假[⑦]，死而不葬者予之长度[⑧]。饥者得食，寒者得衣，死者得葬，不资者得振[⑨]，则天下之归我者若流水。此之谓致天下之民。故圣人善用非其有，使非其人，动言摇辞[⑩]，万民可得而亲。"桓公曰："善。"

[注释]

①轻重：这是论述"轻重"的第一篇，所以题为"轻重甲"。②"端噪"句：孙星衍云："《太平御览》卷四百九十二引作'晨噪于端门，乐闻于三衢'，此有脱误。"端门，宫殿的正南门。三衢，四通八达的大路。③薄：通"亳"。游女：无业的妇女。纂组：编织。④流：流通。⑤掌：马非百云："掌当是古时仓名。"⑥朌：地窖。⑦正籍：赋税。长假：马非百云："谓民之

无产业、无纳税能力者,由政府以国有范围公田池泽长期假之。"即长期借予。⑧长度:葬地。⑨振:通"赈",救济。⑩动言摇辞:指宣传鼓动,发号施令。

[译文]

桓公说:"轻重之术有一定的规律吗?"管仲回答说:"轻重之术没有规律。事物萌动就要有所回应,听到声息就要有所利用。所以治理国家如果不能积聚天下的财富,不能招引天下的人民,那么国家就不能成立。"桓公说:"什么是积聚天下的财富?"管仲回答说:"从前夏桀统治时期,有女乐三万人,清晨在端门鼓乐喧闹,在各条大路上都能听到,这些人无不穿着华丽的衣服。伊尹于是让亳地无业的妇女专门进行刺绣和编织,一匹织物可以从夏桀那里换来百钟粮食。夏朝是天子之国。但夏桀不为天下忧劳,而只追求女乐享乐,所以伊尹取得了他的粮食并操纵了商品的流通。这就叫做积聚天下的财富。"桓公说:"什么是招引天下的人民?"管仲回答说:"请在每个州设一个粮仓,在每个里贮备五窖的存粮。对那种没有纳税能力的百姓给予长期借贷,对那种死后没有能力埋葬的百姓,给予安葬的地方。饥饿的人得到食物,寒冷的人得到衣服,死去的人得到安葬,穷困的人得到救济,那么天下人就会归附我们像流水一样。这就叫做招引天下的人民。所以,圣人善于利用不属于自己的财富,善于役使不属于自己的人民,一旦宣传鼓动,发号施令,就能使万民归附和亲近。"桓公说:"好。"

桓公问管子曰:"夫汤以七十里之薄,兼桀之天下,其故何也?"管子对曰:"桀者,冬不为杠①,夏不束柎②,以观冻溺;弛③牝虎充市,以观其惊骇。至汤而不然。夷竞④而积粟,饥者食之,寒者衣之,不资者振之,天下归汤若流水。此桀之所以失其天下也。"桓公曰:"桀使汤得为是,其故何也?"管子曰:

"女华者,桀之所爱也,汤事之以千金;曲逆者,桀之所善也,汤事之以千金。内则有女华之阴,外则有曲逆之阳。阴阳之议合,而得成其天子,此汤之阴谋也。"桓公曰:"轻重之数,国准之分⑤,吾已得而闻之矣,请问用兵奈何?"管子对曰:"五战⑥而至于兵。"桓公曰:"若此言何谓也?"管子对曰:"请战衡、战准、战流、战权、战势,此所谓五战而至于兵者也。"桓公曰:"善。"

[注释]

①杠:小桥。②柎:木筏。③弛:放松弓弦,这里指放纵。④夷竞:丁士涵云:"'竞'疑本是'疏'字。"郭沫若云:"夷其价,疏通其有无,使人民能满其欲也。"⑤分:区分。⑥五战:即指战衡、战准、战流、战权、战势。

[译文]

桓公问管仲说:"商汤凭借七十里的亳地,兼并了桀的天下,这是什么原因呢?"管仲回答说:"夏桀冬天在河上不架桥,夏天在河里不造筏,为了观赏人们受冻受淹的情况;他放纵雌虎跑到市场上,为了观赏人们惊骇的表情。商汤就不是这样。平抑物价,疏通有无,积聚粮食,使饥饿的人有饭吃,使寒冷的人有衣穿,使贫困的人得到救济,天下的百姓归附商汤如同流水一样,这就是夏桀失去天下的原因。"桓公说:"夏桀使商汤达到这种目的,是什么原因呢?"管仲说:"女华,是夏桀所宠爱的妃子,汤用千金去贿赂她;曲逆,是夏桀所亲近的宠臣,汤也用千金去贿赂他。在内部有女华的暗中相助,在外部有曲逆的公开相助,暗中与公开的计议相配合,商汤才得以成为天子。这是商汤的计谋。"桓公说:"轻重之术的方法,国家平准的区别,我已知道了,请问怎样用兵呢?"管仲回答说:"经过五个方面的战斗就可以学会用兵了。"桓公说:"这话是什么意思?"管仲回答说:"在平衡供求上作战,在调节物价上作战,在物资流通上作战,在权衡得失上作战,在利用形势上作战，这就是所谓的经过五个方面的战斗就可以学会用兵了。"桓公说："好。"

桓公欲赏死事①之后，曰："吾国者，衢处之国，馈食②之都，虎狼之所栖也。今每战舆死扶伤如孤③，荼首④之孙，仰割戴之宝⑤，吾无由与之，为之奈何？"管子对曰："吾国之豪家，迁封、食邑而居者，君章⑥之以物则物重，不章以物则物轻；守之以物则物重，不守以物则物轻。故迁封、食邑、富商、蓄贾、积余、藏羡、跱蓄⑦之家，此吾国之豪也。故君请缟素而就士室⑧，朝功臣、世家、迁封、食邑、积余、藏羡、跱蓄之家，曰：'城脆⑨致冲，无委至围，天下有虑，齐独不与其谋？子大夫有五谷菽粟者，勿敢左右，请以平贾取之子。'与之定其券契之齿⑩。釜钟⑪之数，不得为侈弇焉。困穷之民闻而籴之，釜钟无止，远通不推。国粟之贾坐长而四十倍。君出四十倍之粟以振孤寡，牧⑫贫病，视独老穷而无子者，靡得相鬻而养之，勿使赴于沟浍之中。若此，则士争前战为颜行⑬，不偷而为用，舆死扶伤，死者过半，此何故也？士非好战而轻死，轻重之分使然也。"

[注释]

①死事：指为国事而死的人。②馈食：依靠别国供应粮食。③舆死扶伤：指车载着死者，扶着伤者。如：当为"之"。④荼首：白头老人。⑤宝：马非百云："'宝'当是'寡'字之误。"指战死者的遗孀。⑥章：通"障"，控制。⑦跱蓄：积贮备用。⑧缟素：白色的丧服。士室：地方官府。⑨脆：通"㒹"，薄弱。⑩券契之齿：马非百云："古人立契，中分为二，其分处必有齿，以便合验。"⑪釜钟：釜和钟，古代量器名。⑫牧：当为"收"字之误，收养。⑬颜行：前行，前列。指冲锋在前。

[译文]

桓公想要抚恤为国死难者的后代，他说："我们的国家，是四面受敌的国家，是依靠别国供应粮食的国家，又是虎狼野兽栖息的地方。现在每次战争之后，对于死伤者的后代，白发老人的子孙，仰仗战士生活的寡妇，我没有能力救济他们，怎么办？"管仲回答说："我们国家的豪门望族，那些升官加封、食取采邑而囤积财物的人，国君如果控制他们的财物，物价就会上涨；不控制他们的财物，物价就会下跌；如果掌握他们的财物，物价就会上涨；不掌握他们的财物，物价就会下跌。所以升官受封的、食取采邑的、富商、蓄贾、积余财的、藏盈利的、积贮备用的人家，都是我们国家的富豪。所以，国君要穿上白色的丧服到地方官府去，召集那些功臣、世家、升官受封的、食取采邑的、积余财的、藏盈利的、积贮备用的人家，对他们说：'城防薄弱容易被敌人攻破，没有贮备容易被敌人围困，天下各国都为此忧虑，难道唯独齐国不需要考虑吗？你们中凡是有粮食的都不可自由处理，国家要用平价收购你们的粮食。'然后与他们订立收购粮食的合同。各家存粮的数量，不可以夸大或缩小。这样贫困的百姓听说这件事，就会来买粮，买多买少，络绎不绝，远道近道，不推自来。国内的粮价上涨四十倍。国君就可以拿出四十倍的粮食来赈济孤儿寡妇，收养贫困患病的人，照顾困穷而没有孩子的孤老，使他们不至于卖身为奴而得到供养，使他们不至于死在沟壑之中。这样，战士就会冲锋在前，不怕牺牲而为国效力，车载着死者，扶着伤者，为国牺牲的人达到半数以上，这是什么原因呢？战士们并非好战而轻视死亡，而是轻重之术作用的结果。"

桓公曰："皮、干①、筋、角之征甚重。重籍于民而贵市之皮、干、筋、角，非为国之数也。"管子对曰："请以令高杠柴池，使东西不相睹，南北不相见。"桓公曰："诺。"行事期年，而皮、干、筋、角之征去分，民之藉去分。桓公召管子而问曰：

"此何故也?"管子对曰:"杠池平之时,夫妻服辇②,轻至百里。今高杠柴池,东西南北不相睹,天酸③然雨,十人之力不能上;广泽遇雨,十人之力不可得而恃。夫舍牛马之力无所因,牛马绝罢④,而相继死其所者相望。皮、干、筋、角徒予人而莫之取,牛马之贾必坐长而百倍。天下闻之,必离其牛马,而归齐若流。故高杠柴池,所以致天下之牛马而损⑤民之籍也。《道若秘》云:'物之所生,不若其所聚。'"

[注释]

①干:胁骨。②辇:当为"辇"字之误。服辇,即拉车。③酸:小雨。④罢:通"疲",疲惫。⑤损:减少。

[译文]

桓公说:"皮、干、筋、角的征收太重了。由于加重了对百姓的征收,从而使市场上这些物资的价格上涨,这不是治理国家的方法。"管仲回答说:"请下令修筑高桥深池,使人在桥东看不到桥西,在桥南看不到桥北。"桓公说:"好。"实行一年后,皮、干、筋、角的征收减少了若干分,对人民的征收也减少了若干分。桓公召见管仲询问说:"这是什么原因呢?"管仲回答说:"桥池平坦的时候,夫妻两人拉车,很容易走百里路。现在修筑高桥深池,东西南北的行人互相看不见,一旦天下小雨,即使十个人的力量也不能把车推到桥上;洼地遇雨,即使十个人的力量也靠不住。除了依靠牛马的力量,就没有其他的方法了,牛马疲惫不堪,相继累死在路上。这些牛马的皮、干、筋、角白送给人,都没有人要。这样牛马的价格一定会上涨百倍。其他地区听到了这个消息,一定会像流水一样把牛马赶到齐国来抛售。所以,高架桥而深挖池,这是用来招引天下的牛马而减少人民负担的办法。正如《道若秘》所说:'从事财物的生产,还不如从事财物的积聚。'"

桓公曰："弓弩多匡𰻜①者，而重籍于民，奉缮工②，而使弓弩多匡𰻜者，其故何也？"管子对曰："鹅骛③之舍近，鸰鸡、鹄、鸨之通远。鹄鸰之所在④，君请式⑤璧而聘之。"桓公曰："诺。"行事期年，而上无阙者，前无趋人⑥。三月解匀⑦，弓弩无匡𰻜者。召管子而问曰："此何故也？"管子对曰："鹄鸰之所在，君式璧而聘之，菹泽⑧之民闻之，越平而射远，非十钧之弩不能中鸰鸡、鹄、鸨。彼十钧之弩，不得榘撇⑨不能自正。故三月解匀，而弓弩无匡𰻜者，此何故也？以其家习其所也。"

[注释]

①匡：弯曲。𰻜：尹知章云："𰻜，碍也。"有障碍，不合用。②缮工：指修缮弓弩的工匠。③骛：通"鹜"，鸭子。④鹄鸰之所在：马非百云："鹄鸰所在，指射取鹄鸰人家而言。"⑤式：通"试"，使用。⑥"而上"二句：郭沫若云："'上'当为'工'，谓缮工也。'前'当为'箭'。弓不待缮，故缮工足用。弓不偏戾，故箭不误伤人。"⑦匀：应为"医"字之误。《说文》："盛弓弩矢器也。"⑧菹泽：水草繁茂的沼泽地。⑨榘撇：矫正弓的器具。

[译文]

桓公说："弓弩中很多弯曲不合用的，只能加重对百姓的征税，来奉养这些修缮的工匠，而使弓弩弯曲不合用的原因是什么呢？"管仲回答说："鹅、鸭飞得很低，鸰鸡、天鹅和鸨鸟却飞得很高。对于专门射杀天鹅、鸰鸡的人家，国君要使用玉璧去聘问他们。"桓公说："好。"过了一年后，修缮的工匠不再缺少，弓箭也不会误伤旁人了。三个月解开弓衣，弓弩也没有弯曲不合用的了。桓公召见管仲询问说："这是什么原因呢？"管仲回答说："对于射杀天鹅、鸰鸡的人家，您使用玉璧去聘问，这样住在水草繁茂的沼泽地的人民听说之后，都要舍近求远，向高空射猎，如果没有三百斤拉力的硬弓是不可能射中鸰鸡、天鹅和鸨鸟的。而那些三百斤拉力的硬弓，如不使用矫正弓的榘撇就不会准直的。所以，三个月后解开弓衣，弓弩没有弯曲不合用的，什么原因呢？原因就在于猎户的人家已经熟习了这项技术。"

桓公曰："寡人欲籍于室屋。"管子对曰："不可，是毁成也。""欲籍于万民。"管子曰："不可，是隐情也。""欲籍于六畜。"管子对曰："不可，是杀生也。""欲籍于树木。"管子对曰："不可，是伐生也。""然则寡人安籍而可？"管子对曰："君请籍于鬼神。"桓公忽然作色曰："万民、室屋、六畜、树木且不可得籍，鬼神乃可得而籍夫？"管子对曰："厌宜①乘势，事之利得也；计议因权，事之囿②大也。王者乘势，圣人乘幼③，与物皆宜。"桓公曰："行事奈何？"管子对曰："昔尧之五吏五官无所食，君请立五厉之祭，祭尧之五吏。春献兰，秋敛落，原鱼以为脯，鲵以为殽。若此，则泽鱼之正④伯倍异日，则无屋粟邦布之籍⑤。此之谓设之以祈祥⑥，推之以礼义也。然则自足，何求于民也？"

[注释]

①厌宜：合宜。②囿：通"侑"，相助。③幼：丁士涵云："'幼'读为'幽'。"指幽灵鬼怪。④正：通"征"。⑤屋粟：古代一种税名。郑玄云："屋粟，民有田不耕，所罚三夫之税粟。"邦布：马非百云："邦布，指口钱。"即人口税的一种。⑥祈祥：古代祭山的一种祭仪。

[译文]

桓公说："我想要征收房屋税。"管仲回答说："不可以，这等于毁坏房屋。"桓公说："我想要征收人口税。"管仲回答说："不可以，这等于抑制人们的情欲。"桓公说："我想要征收牲畜税。"管仲回答说："不可以，这等于屠宰幼畜。"桓公说："我想要征收树木税。"管仲回答说："不可以，这等于砍伐幼树。""那么，我可以向什么征税呢？"管仲回答说："国君可以向鬼神征税。"桓公生气地说："人口、房屋、牲畜、树木尚且不可以征税，鬼神怎么可以征税呢？"管仲回答说："行事合宜，乘势利导，办事就可以得到好处；深谋远虑，运用权术，办事就可以得到帮助。王者善于利用时势，圣人善于利用幽灵，使万事无不适宜。"桓公说："怎么做呢？"管仲回答说："从前尧有五个功臣没有人祭祀，国君设立五个死者的祭祀，让人们来祭祀这五个功臣。春天献上兰花，秋天奉上粮食，用生鱼做成鱼干，用小鱼做成菜肴作为祭品。这样，鱼税的征收可以比以前增加百倍，那么就不用征收不耕地的罚款和人口税了。这就叫做既设立了鬼神的祭祀，又推行了礼义教化。既然财政已经充足，又何必向百姓征收呢？"

桓公曰："天下之国，莫强于越。今寡人欲北举事孤竹、离枝①，恐越人之至，为此有道乎？"管子对曰："君请遏原流，大夫立沼池，令以矩游②为乐，则越人安敢至？"桓公曰："行事奈何？"管子对曰："请以令隐③三川，立员都④，立大舟之都。大身之都⑤有深渊，垒⑥十仞。令曰：'能游者赐千金。'未能用金千，齐民之游水，不避⑦吴越。"桓公终北举事于孤竹、离枝，越人果至，隐曲蓄⑧以水齐，管子有扶⑨身之士五万人，以待战于曲蓄，大败越人，此之谓水豫⑩。

[注释]

①孤竹、离枝：古国名。②矩游：跳跃游泳。③隐：通"偃"，堵塞。④员都：安井衡云："员、圆，都、潴，皆通。潴，水所聚也。"⑤大身之都：根据上文，应为"大舟之都"。⑥垒：马非百云："垒与累同。……累十仞，谓不止一个十仞，盖极言其深也。"⑦避：逊让。⑧蓄：戴望云："'蓄'为'蓄'字之误。"⑨扶：通"浮"。浮身之士，指善于游泳的士兵。⑩豫：通"预"，预先，预备。

[译文]

桓公说："天下各国，没有比越国更强大的了。现在我想要北伐孤竹、离枝，恐怕越国来进攻，对付这件事有办法吗？"管仲回答说："请国君堵塞原山的流水，使大夫建筑水池，让人们以跳跃游泳为乐趣，这样越国难道还敢来吗？"桓公说："怎么做呢？"管仲回答说："请下令堵塞三条河流，建立圆形的水池，修建能行大船的湖泊。这个能行大船的湖泊要很深，要超过十仞。然后下令说：'能游水的赏赐十金。'还没有用去千金，齐国人的游泳技术与吴越相比，已经不逊色了。"桓公终于向北讨伐孤竹、离枝，越国人果然来进攻，堵塞曲菑之水来淹灌齐国。这时管仲已有善于游泳的战士五万人，在曲菑等待应战，终于大败越军。这就叫做水战的预备。

齐之北泽烧①，火光照堂下。管子入贺桓公曰："吾田野辟，农夫必有百倍之利矣。"是岁租税九月而具，粟又美。桓公召管子而问曰："此何故也？"管子对曰："万乘之国、千乘之国，不能无薪而炊。今北泽烧，莫之续，则是农夫得居装而卖其薪荛②，一束十倍，则春有以倳耜③，夏有以决芸④。此租税所以九月而具也。"桓公忧北郭民之贫，召管子而问曰："北郭者，尽屦缕之甿也⑤，以唐园⑥为本利，为此有道乎？"管子对曰："请以令：禁百钟之家不得事鞒⑦，千钟之家不得为唐园，去市三百步者不得树葵菜。若此，则空闲有以相给资，则北郭之甿有所雠⑧，其手搔之功，唐园之利，故有十倍之利。"

[注释]

①烧：尹知章云："猎而行火曰烧。"②居装：马非百云："居，积也。装，束也。谓农夫得以积其束薪而卖之也。"薪荛：薪柴。③倳耜：将耜插入田中而翻耕土地。④决芸：除去田中之草。⑤屦缕：织屦缉麻。甿：同"氓"，民。⑥唐园：场园。马非百云："唐、场假借，唐园，即场园，菜地。"⑦鞒：通"屩"，草履。⑧雠：销售。

[译文]

齐国北部的沼泽发生大火，火光照到齐国朝堂之下。管仲走进朝堂祝贺桓公说："我国的土地得到了开辟，农民一定会获得百倍的财利。"果然这年的租税在九月就交纳完毕了，粮食又很好。桓公召见管仲询问说："这是什么原因呢？"管仲回答说："万乘之国或千乘之国，如果没有柴草就没有办法做饭。现在北部的沼泽发生大火，柴草就会接续不上，农夫就可以捆束薪柴拿出去出售，一捆柴草的价格可以上涨十倍。这样春天农夫就可以耕好地，夏天就可以锄好草。这就是租税在九月就交纳完毕的原因。"桓公忧虑北郭百姓的贫苦生活，召见管仲询问说："北郭的百姓，都是织屦缉麻的贫民，有的以种菜为生，有办法帮助他们吗？"管仲回答说："请下令：有百钟存粮的人家不能做鞋，有千钟存粮的人家不能经营菜园，离市场三百步以内的人家不能种植蔬菜。这样失业的人就可以得到帮助，北郭的贫民就可以销售产品了，他们的手工成果和菜园的收入，就会有十倍的获利。"

管子曰："阴王①之国有三，而齐与在焉。"桓公曰："若此言可得闻乎？"管子对曰："楚有汝汉之黄金，而齐有渠展之盐，燕有辽东之煮，此阴王之国也。且楚之有黄金，中齐有菑石也。苟有操之不工，用之不善，天下倪②而是耳。使夷吾得居楚之黄金，吾能令农毋耕而食，女毋织而衣。今齐有渠展之盐，请君伐菹薪③，煮沸火为盐，正④而积之。"桓公曰："诺。"十月始正，至于正月，成盐三万六千钟。召管子而问曰："安用此盐而可？"管子对曰："孟春既至，农事且起，大夫无得缮冢墓，理宫室，立台榭，筑墙垣，北海之众无得聚庸而煮盐。若此，则盐必坐长而十倍。"桓公曰："善。行事奈何？"管子对曰："请以令粜⑤之梁、赵、宋、卫、濮阳，彼尽馈食之国也。无盐则肿，守圉之国,用盐独甚。"桓公曰:"诺。"乃以令使粜之,得成金万一千余斤。桓公召管子而问曰:"安用金而可?"管子对曰:"请以令使贺献出正籍者必以金,金坐长而百倍。运金之重以衡万物,尽归于君。故此所谓用若挹⑥于河海,若输之给马⑦,此阴王之业。"

[注释]

①阴王:占有土地之利的诸侯王。因地属阴,故称阴王。②倪:通"睨",斜视。③菹薪:尹知章云:"草枯曰菹。"指枯槁的草木柴草。④正:通"征"。⑤粜:出售。⑥挹:舀,酌。⑦马:通"码",筹码。

[译文]

管仲说:"占有地利的国家有三个,齐国也在其中。"桓公说:"你这话能说给我听听吗?"管仲回答说:"楚国有汝汉的黄金,齐国有渠展出产的盐,燕国有辽东出产的盐,这是占有地利的国家。并且楚国拥有黄金,相当于齐国拥有蔷石。如果做工不精,运用不当,天下也会瞧不起,不会以之为贵的。如果让我管夷吾拥有楚国的黄金,我能使农民不用耕种就有饭吃,妇女不用织布就有衣穿。如今齐国拥有渠展出产的盐,请求国君下令砍柴煮盐,然后由政府征收而储存起来。"桓公说:"好。"从十月开始征收,一直到正月,共有盐三万六千钟。于是召见管仲询问说:"如何使用这些盐呢?"管仲回答说:"孟春已经到了,农事就要开始了,下令大夫不能修缮坟冢,修建房屋,建造台榭,建筑墙垣,下令北海的人们不能聚众煮盐。这样,盐价一定会上涨十倍。"桓公说:"好。然后做什么呢?"管仲回答说:"请下令把盐卖到梁、赵、宋、卫和濮阳等地,他们都是依靠输入食盐为生的国家。没有盐人就会浮肿,对于以防守为主的国家,用盐特别严重。"桓公说:"好。"于是下令把盐卖出去,共得黄金一万一千多斤。桓公又召见管仲询问说:"如何使用这些黄金呢?"管仲回答说:"请下令凡是朝贺献礼或交纳赋税的一定要使用黄金，黄金的价格将会上涨百倍。利用黄金的丰厚获利去控制各种财物，那么一切财物都归于国君了。所以，这就是所谓财用像从河海中舀水一样取之不尽，像送来筹码一样用之不竭。这就是占有地利的国家的事业。"

管子曰："万乘之国必有万金之贾，千乘之国必有千金之贾，百乘之国必有百金之贾，非君之所赖也，君之所与。故为人君而不审其号令，则中一国而二君二王也。"桓公曰："何谓一国而二君二王？"管子对曰："今君之籍取以正，万物之贾轻去其分，皆入于商贾，此中一国而二君二王也。故贾人乘其弊以守民之时，贫者失其财，是重贫也。农夫失其五谷，是重竭也。故为人君而不能谨守其山林、菹泽、草莱，不可以立为天下王。"桓公曰："若此言何谓也？"管子对曰："山林、菹泽、草莱者，薪蒸①之所出，牺牲②之所起也。故使民求之，使民藉之，因以给之。私爱之于民，若弟之与兄，子之与父也，然后可以通财交殷③也。故请取君之游财④而邑里布积之。阳春，蚕桑且至，请以给其口食笥曲之强⑤。若此，则缉丝⑥之籍去分而敛矣。且四方之不至，六时制之：春曰倳耜，次曰获麦，次曰薄芋⑦，次曰树麻，次曰绝菹⑧，次曰大雨且至，趣芸雍培⑨。六时制之，臣给至于国都。善者乡⑩因其轻重，守其委庐⑪，故事至而不妄，然后可以立为天下王。"

[注释]

①薪蒸：薪柴。②牺牲：指供盟誓、祭祀、宴享用的牲畜。③交殷：王念孙云："'殷'当为'叚'。交叚谓交借财也。"④游财：浮财，多余的财物。马非百云："谓以多余之财分别积藏于邑里之中。"⑤笥：安井衡云："'笥'疑当为'筐'。"马非百云："'曲'同'箔'。《说文》：'箔，蚕薄也。'"强：通"镪"，钱币。⑥缉丝：粗丝和精丝的统称。⑦芋：应为"芋"字之误。李

哲明云:"'薄芋'犹'数芋'也,言布种也。"⑧菹:枯干的草。⑨趣:通"去",除。壅培:施肥培土。⑩乡:通"向",向来。⑪委庐:马非百云:"当作'委虚',犹满虚也。"

[译文]

管仲说:"万乘之国一定有万金的大商人,千乘之国一定有千金的大商人,百乘之国一定有百金的大商人,他们不是君主可以依赖的,也不是君主可以亲与的人。所以,作为君主如果不能审慎运用号令,那么在一个国家中就会存在两个君主或两个国王了。"桓公说:"什么叫一个国家存在两个君主或两个国王呢?"管仲回答说:"现在国君直接向百姓征税,百姓为交税而出售财物,从而使物价下跌,这些利润都落入了商人的手中,这就相当于一个国家存在两个君主或两个国王了。所以,商人乘民之危控制百姓销售财物的时机,使贫穷的人丧失财物,这等于加倍的贫困;使农夫丧失粮食,这等于加倍的枯竭。所以作为君主不能严格控制山林、沼泽和草地,是不能成就王业于天下的。"桓公说:"这话是什么意思呢?"管仲回答说:"山林、沼泽和草地,是柴薪出产的地方,也是牲畜祭品出产的地方。所以,应当让百姓到那里去开发,去追捕牺牲,从而借以谋生。国家对百姓的爱护,就像兄长爱护弟弟一样,就像父亲爱护儿子一样,然后就可以互通财利的有无了。因此,请国君拿出多余的财物,储存在各个邑里。阳春,养蚕季节一到,就把这部分钱放贷给百姓,用以购买口粮和养蚕的工具。这样,国家对丝的征收就可以减少若干分。如果这样四方的百姓还不来归附,那就要掌握好六个生产季节:春天的耕种,其次是收麦,再其次是布种,再其次种麻,再其次是除草,最后是大雨来临,农田锄草,施肥培土。掌握好这六个生产季节,百姓就会被吸引到我们国都来了。善于治理国家的人一向利用轻重之术控制财货的盈虚,所以即使事情发生也不至于慌乱,然后才可以成就王业于天下。"

管子曰:"一农不耕,民或为之饥;一女不织,民或为之寒。故事再其本,则无卖其子者;事三其本,则衣食足;事四其本,则正籍给;事五其本,则远近通,死得藏①。今事不能再其本,而上之求焉无止,是使奸涂不可独行,遗财不可包止②。随之以法,则是下艾③民。食三升④,则乡有正⑤食而盗;食二升,则里有正食而盗;食一升,则家有正食而盗。今操不反之事,而食四十倍之粟,而求民之毋失,不可得矣。且君朝令而求夕具,有者出其财,无有者卖其衣屦,农夫粜其五谷,三分贾而去。是君朝令一怒,布帛流越⑥而之天下。君求焉而无止,民无以待之,走亡而栖山阜。持戈之士顾不见亲,家庭失而不分,民走于中而士遁于外,此不待战而内败。"

[注释]

①藏:通"葬"。②包止:郭沫若云:"'包'与'抱'通。"指既拥有货财又无法把持。③艾:终止,断绝。④升:谷物成熟。《穀梁传》:"一谷不升谓之嗛,二谷不升谓之饥,三谷不升谓之馑,四谷不升谓之康,五谷不升谓之大侵。"食三升,即二谷不升也。⑤正:王引之云:"'正'当为'乏',乏者匮也,绝也。"⑥流越:流散。

[译文]

管仲说:"一个农民不耕田,人民就有可能没有饭吃;一个妇女不织布,人民就有可能没有衣穿。所以农事的收益达到成本的两倍,就不会有卖儿卖女的;达到成本的三倍,那么衣食会很充足;达到成本的四倍,国家的赋税就会有保证;达到成本的五倍,那么余粮就可以流通,死去的人也可以得到安葬。而现在农事的收益还达不到成本的两倍,君主征收苛捐杂税又没有止境,这使奸民聚众作乱,路上不敢单独走路,钱财也不敢放在手中。如果再用刑法进行镇压,这就等于暗中谋害百姓。五谷之中如只有三谷成熟,那么每个乡就会出现因饥饿而偷盗的现象；五谷之中只有二谷成熟，那么每个里就会出现因饥饿而偷盗的现象；五谷之中只有一谷成熟，那么每个家庭都会出现因饥饿而偷盗的现象了。如今农事的收益还抵不上成本，却吃着涨价四十倍的粮食，还想希望他们不会流离失所，是不可能的。并且国君早上下令征税，晚上就要求交齐，有钱的人拿出财物，没钱的人只好变卖衣物，农民只能卖粮交税，只能按十分之三的价格出售。这样国君早上的命令一过头，财物就会流失于天下了。君主征收苛捐杂税没有止境，百姓没有能力交纳，只好逃跑栖息在山林之中。战士见不到亲人，家庭失散而不能团圆，百姓流亡国内，士人逃奔国外，这样，国家不用战争就会从内部败亡了。"

管子曰："今为国有地牧民者，务在四时，守在仓廪。国多财，则远者来；地辟举，则民留处；仓廪实，则知礼节；衣食足，则知荣辱。今君躬犁垦田，耕发草土，得其谷矣。民人之食，有人若干步亩之数，然而有饿馁于衢间者，何也？谷有所藏也。今君铸钱立币，民通移，人有百十之数，然而民有卖子者，何也？财有所并也。故为人君不能散积聚，调高下，分并财，君虽强本趣①耕、发草立币而无止，民犹若不足也。"桓公问于管子曰："今欲调高下，分并财，散积聚。不然，则世且并兼而无止，蓄余藏羡而不息，贫贱鳏寡独老不与得焉。散之有道，分之有数乎？"管子对曰："唯轻重之家为能散之耳，请以令轻重之家。"桓公曰："诺。"东车②五乘，迎癸乙于周下原。桓公问四③因与癸乙、管子、宁戚相与四坐。桓公曰："请问轻重之数。"癸乙曰："重籍其民者，失其下；数欺诸侯者，无权与④。"管子差肩而问曰："吾不籍吾民，何以奉车革？不籍吾民，何以待邻国？"癸乙曰："唯好心为可耳。夫好心则万物通，万物通则万物运,万物运则万物贱,万物贱则万物可因⑤。知万物之可因而不因者,夺于天下。夺于天下者,国之大贼也。"桓公曰:"请问好心万物之可因。"癸乙曰:"有余富无余乘者,责之卿诸侯。足其所,不赂其游者⑥,责之令大夫。若此则万物通,万物通则万物运,万物运则万物贱,万物贱则万物可因矣。故知三准同策者能为天下,不知三准之同策者,不能为天下。故申之以号令,抗⑦之以徐疾也,民乎其归我若流水,此轻重之数也。"

[注释]

①趣:通"促",督促。②束车:丁士涵云:"'东'乃'束'字误。束车,约车也。"③问四:无义,疑为衍文。④权与:盟国。⑤因:利用。⑥"不赂"句:马非百云:"此谓有游于外或外人来游者,则责使令大夫以己财分而予之。"⑦抗:举。

[译文]

管仲说:"现今治理国家、拥有土地、管理百姓的君主,一定要致力于四季的农事,确保粮仓的贮备。国家财力充足,远方的人就会来归顺;荒地都开发了,人民就会留下安居。粮食充实,百姓就会懂得礼节;衣食丰足,百姓就会懂得荣辱。现在国君亲自犁田垦地,开垦荒地,收获粮食。人民的口粮,每人都有一定数量土地的供给,然而在大街小巷仍有挨饿受冻的人,为什么呢?因为粮食被囤积起来了。现在国君铸造钱币,用来交易,每人也有几百几十的数目,然而还有卖儿卖女的,为什么呢?因为钱财被人积聚起来了。所以,作为人君如果不能分散囤积的粮食,调节物价的高低,分散积聚的财利,即使国君加强农业,督促生产,不停地开发荒地和铸造钱币,人民还是不会富足的。"桓公问管仲说:"现在我想调节物价的高低,分散积聚的财利,分散囤积的粮食。否则社会上就会无休止地兼并,无休止地积累,贫贱、鳏寡以及独老的人将一无所得了。那么,这种分散有什么办法吗?"管仲回答说:"只有精通轻重之术的人能解决这个分散的问题,请下令召见精通轻重之术的人。"桓公说:"好。"于是约车五乘,从周的下原接来癸乙。桓公与癸乙、管仲、宁戚四人相继坐定。桓公说:"请问关于轻重的方法。"癸乙说:"加重对人民征税,就会丧失人民;多次欺骗各国诸侯,就会失去盟国。"管仲肩挨肩地问他说:"我们不向人民征税,用什么供养军队呢?不向人民征税,用什么抵御邻国呢?"癸乙说:"只要散空豪门的积财就可以了。散空他们的积财,财物就会流通;财物流通了,就会进入市场;财物进入市场后,物价就会下跌;物价下跌了,财物就可以利用了。懂得财物可以利用而不去利用,那么财物就会流失到其他地方。财物流失到其他地方,这才是国家的大害。"桓公说:"请问怎样散空豪门的积财,并且使财物可以利用呢?"癸乙回答说:"卿侯之家有余财而不肯承担战车的装备,就责令他们交出余财。大夫家有余财而不肯承担交游的费用,就责令他们交出余财。这样财物就可以流通,财物流通后,就可以流入市场;流入市场后,物价就下降;物价下降了,财物就可以利用了。所以,懂得这三种措施是同一政策的人,能够治理天下;不懂得这三种措施是同一政策的人,就不能治理天下。所以要用号令明确重申这三种措施,并利用政令的缓急加以推行,百姓归附我们就会像流水一样,这就是轻重之术。"

桓公问于管子曰:"今刬戟①十万,薪菜之靡②日虚十里之衍;顿戟③一噪,而靡币之用日去千金之积,久之,且何以待之?"管子对曰:"粟贾平④四十,则金贾四千。粟贾釜四十则钟四百也,十钟四千也,二十钟者为八千也。金贾四千,则二金中八千也。然则一农之事终岁耕百亩,百亩之收不过二十钟,一农之事乃中二金之财耳。故粟重黄金轻、黄金重而粟轻,两者不衡立⑤。故善者重粟之贾,釜四百,则是钟四千也,十钟四万,二十钟者八万。金贾四千，则是十金四万也，二十金者为八万。故发号出令，曰：一农之事有二十金之策。然则地非有广狭，国非有贫富也，通于发号出令，审于轻重之数然。"

[注释]

①剸戟：军队。②靡：浪费，这里指消耗。③顿戟：指动用干戈引起兵战。④平：依据下文"粟贾釜四十"，应为"釜"字。⑤衡立：平衡。

[译文]

桓公问管仲说："如今有军队十万，每天薪柴蔬菜的消耗可以用掉十里平原的收入；一旦发生战争，每天财用的消耗可以用掉千金的积蓄。时间长了，用什么来维持呢？"管仲回答说："每釜粮食的价格是四十钱，而金价是四千钱。按粮价每釜四十来算，一钟是四百，十钟是四千，二十钟是八千。金价每斤四千，那么两斤就是八千。这样，一个农民一年耕种百亩地，百亩的收成不过二十钟，也就是说一个农民一年耕种的收入才相当于两斤黄金的价值。所以粮价贵，金价就贱；金价贵，粮价就贱，两者的涨落不平衡。所以，善于治理国家的人非常重视提高粮食的价格，如每釜提至四百，一钟就是四千，十钟四万，二十钟就是八万。金价每斤四千，十斤是四万，二十斤才八万。这样，君主发号施令，规定一个农民一年耕种的收入要相当于二十斤黄金的价值。如此看来，土地不在于广和狭，国家也不在于贫和富，关键在于是否善于发号施令，关键在于能否精通轻重之术。"

管子曰："浑然击鼓，士忿怒；鎗然击金，士帅然。策桐①鼓从之，舆死扶伤，争进而无止。口满用，手满钱，非大父母之仇也，重禄重赏之所使也。故轩冕②立于朝，爵禄不随，臣不为忠；中军③行战，委予④之赏不随，士不死其列陈。然则是大臣执于朝，而列陈之士执于赏也。故使父不得子其子，兄不得弟其弟，妻不得有其夫，唯重禄重赏为然耳。故不远道里，而能威绝域之民；不险山川，而能服有恃之国。发若雷霆，动若风雨，独出独入，莫之能圉。"

[注释]

①桐：张佩纶云："'桐'当为'枹'。"枹，鼓槌。②轩冕：指国君。③中军：主将。④委予：马非百云："委，积也；予，赐予也。谓以积蓄之谷或积蓄之财赏赐之也。"

[译文]

管仲说："击鼓咚咚，战士就愤然前进；鸣金锵锵，战士就整肃而停。继续击鼓驱动他们，战士们有的战死，有的受伤，不停地向前冲锋。他们并不是为报比杀死父母还大的仇恨，而是受到口满食用、手满钱财的厚赏重禄的驱使。所以国君主持朝政，如果高爵厚禄跟不上，臣下也不会向国君尽忠；主将指挥作战，如果封赏跟不上，士兵也不会为国战死。由此看来，大臣是被爵禄制约着，士兵是被奖赏制约着。所以，要使做父亲的舍得自己的儿子，做哥哥的舍得自己的弟弟，做妻子的舍得自己的丈夫，只有重禄重赏才可以。这样，将士们就不会害怕路途遥远，从而使远方的臣民受到震慑；也不会害怕山川险阻，能够征服恃险防守的国家。发兵像雷霆一样，动兵像风雨一样，独出独入，没有人能够抵挡住。"

桓公曰："四夷不服，恐其逆政游于天下而伤寡人，寡人之行为此有道乎？"管子对曰："吴、越不朝，珠、象而以为币乎！发、朝鲜不朝，请文皮、毤服而以为币乎！禺氏不朝，请以白璧为币乎！昆仑之虚不朝，请以璆琳、琅玕①为币乎！故夫握而不见于手，含而不见于口，而辟千金者，珠也，然后八千里之吴、越可得而朝也。一豹之皮，容金而金也②，然后八千里之发、朝鲜可得而朝也。怀而不见于抱，挟而不见于掖③，而辟千金者，白璧也,然后八千里之禺氏可得而朝也。簪珥而辟千金者,璆琳、琅玕也,然后八千里之昆仑之虚可得而朝也。故物无主,事无掖,远近无以相因,则四夷不得而朝矣。"

[注释]

①璆琳、琅玕:美玉名。②"容金"句:姚永概云:"以上下文例之,当作'一貂之皮而辟千金也',乃可读。"③掖:同"腋"。

[译文]

桓公说:"四夷诸国不肯臣服,我恐怕他们的乱政会影响天下而伤害我国,我们有办法对付他们吗?"管仲回答说:"吴、越不来朝拜,就用他们出产的珍珠和象牙作为货币。发、朝鲜不来朝拜,就用他们出产的文皮和皮衣作为货币。禺氏不来朝拜,就用他们出产的玉璧作为货币。昆仑之虚不来朝拜,就用他们出产的美玉作为货币。那种拿在手里看不见,含在口里看不见,却相当于价值千金的东西,是珍珠。用它作为货币,八千里之外的吴、越就会来臣服朝拜了。一张豹皮,相当于价值千金的东西。用它作为货币,八千里之外的发、朝鲜就会来臣服朝拜了。揣在怀里看不见,挟在腋下不显眼,却相当于价值千金的东西,是白玉。用它作为货币,八千里之外的禺氏就会来臣服朝拜了。用做发簪耳饰,相当于价值千金的东西,是美玉美石。用它们作为货币,八千里之外的昆仑之虚就会来臣服朝拜了。所以,这些宝物如无人管理,各地的事业就不能联系起来,远近各国如不能互利,四夷诸国也就不会臣服朝拜了。"

轻重乙

桓公曰:"天下之朝夕①可定乎?"管子对曰:"终身不定。"桓公曰:"其不定之说,可得闻乎?"管子对曰:"地之东西二万八千里,南北二万六千里,天子中而立,国之四面,面万有余里,民之入正籍者亦万有余里。故有百倍之力而不至者,有十倍之力而不至者,有倪②而是者,则远者疏,疾怨上。边竟③诸侯受君之怨民,与之为善,缺然不朝,是天子塞其涂④。熟谷者去,天下之⑤可得而霸。"桓公曰:"行事奈何?"管子对曰:"请与之立壤列天下之旁,天子中立,地方千里,兼霸之壤三百有余里,伣⑥诸侯度百里,负海子男者度七十里。若此则如胸之使臂,臂之使指也。然则小不能分于民,准徐疾、羡不足,虽在下不为君忧。夫海出沸无止,山生金木无息,草木以时生,器以时靡币⑦,沸水之盐以日消。终则有始,与天壤争,是谓立壤列也。"

[注释]

①朝夕:通"潮汐",这里用以形容物价的涨落。②倪:马非百云:"倪同睨。此处当作'转瞬即至'讲,极言其路之近也。"③边竟:同"边境"。④涂:通"途"。⑤之:根据文义,应为"不"字。⑥伣:小。⑦靡币:同"靡散",毁坏,破坏。

[译文]

桓公说:"天下物价的涨跌可以使它趋于稳定吗?"管仲回答说:"永远不会稳定。"桓公说:"这种永远不会稳定的说法,可以讲给我听听吗?"管仲回答说:"土地东西距离二万八千里,南北相距二万六千里,天子在中央,国家有四面,每面距离都有一万多里,百姓交纳赋税远的也要有一万多里。因此,有的用百倍的劳力还送不到,有的用十倍的劳力还送不到,有的转瞬即到,那么距离远的就被君主所疏远,从而怨恨君主。而边境的诸侯接受对国君有怨恨的百姓,善待他们,以致缺席不来朝拜,这是天子自己阻塞了百姓亲近的道路。精通粮食买卖的人离开了,那么就不可能称霸天下了。"桓公说:"应该怎么办呢?"管仲回答说:"请在四方设立土地分级管辖制度,天子在中央,管辖地方千里,大诸侯国管辖三百多里,小诸侯国管辖大约百里,靠海的子爵、男爵管辖大约七十里。这样就像胸部带动手臂,手臂带动手指一样方便了。这样诸侯国由于势力单薄不能与天子争夺百姓,在国内调节供求的缓急、收入的盈余和不足,虽在各地,也不会成为君主的忧虑。大海产盐没有止境,山地出产金属和木材没有停息,草木按照季节生长,器物按照周期毁坏,海水炼出的盐一天天消耗。用完了又会重新开始,与天地的运动变化一样。此即所谓设立土地分级管辖制度。"

武王问于癸度曰:"贺献不重,身不亲于君;左右不足,友不善于群臣。故不欲收籍户籍而给左右之用,为之有道乎?"癸度对曰:"吾国者,衢处之国也,远秸①之所通,游客蓄商之所道,财物之所遵。故苟入吾国之粟,因吾国之币,然后载黄金而出。故君请重重而衡轻轻,运物而相因,则国策可成。故谨毋失其度,未与,民可治?"武王曰:"行事奈何?"癸度曰:"金出于汝汉之右衢,珠出于赤野之末光,玉出于禺氏之旁山。此皆距周七千八百余里，其涂远，其至厄②。故先王度用于其重，因以珠玉为上币，黄金为中币，刀布为下币。故先王善高下中币，制下上之用，而天下足矣。"

[注释]

①秸：应为"近"字之误。②厄：困难。

[译文]

周武王曾问癸度说："对天子的献礼不厚重，自己就不会被天子所亲近；不能满足左右的要求，就得不到群臣的友善和爱戴。所以如果不想直接按亩按户征税而又能满足左右的需要，有这样的办法吗？"癸度回答说："我国是一个四通八达的国家，远近各地要从这里通过，游客蓄商要从这里经过，财物也从这里转运。因此，只要他们吃我国的粮食，使用我国的货币，就会向我国输入黄金的。所以，国君要提高黄金的价格来控制万物的价格，然后控制万物而互相利用，那么解决国家财用的政策就成功了。所以，一定要谨慎认真，不要失去分寸，否则，怎么可以治理百姓呢？"武王说："怎么做呢？"癸度说："黄金产于汝河、汉水右面一带，珍珠产于赤野的末光，玉产于禺氏的旁山。这些地方都与周朝相距七千八百多里，路途遥远，运送困难。所以先王要考虑他们的贵重程度分别加以利用，把珠玉作为上等货币，黄金作为中等货币，刀布作为下等货币。先王善于调整黄金价格的高低，从而控制下币刀布和上币珠玉的使用，这样天下的需要就满足了。"

桓公曰："衡谓寡人曰：'一农之事，必有一耜、一铫、一镰、一鎒、一椎、一铚①，然后成为农；一车必有一斤、一锯、一釭、一钻、一凿、一𨨞、一轲②，然后成为车；一女必有一刀、一锥、一箴、一𨥛③，然后成为女。请以令断山木，鼓山铁，是可以毋籍而用足。'"管子对曰："不可。今发徒隶④而作之，则逃亡而不守；发民，则下疾怨上，边竟有兵，则怀宿怨而不战。未见山铁之利而内败矣。故善者不如与民，量其重，计其赢，民得其十⑤，君得其三。有⑥杂之以轻重，守之以高下。若此，则民疾作而为上虏矣。"

[注释]

①铫：一种大锄。鎛：同"镈"，除草的农具。銍：古代一种短的镰刀。②釭：车毂内口的铁圈，用以穿轴。錸：古代的一种凿子。③箴：同"针"。钵：长针。④徒隶：刑徒奴隶，服劳役的犯人。⑤十：应为"七"字之误。⑥有：通"又"。

[译文]

桓公说："衡对我讲：'一个农夫的生产，必须有犁、大锄、镰刀、小锄、椎、短镰等工具，然后才能成为农夫；一个造车的工匠，必须有斧、锯、铁釭、钻、凿、錸、軻等工具，然后才能成为车匠；一个女工，必须有刀、锥、针、长针等工具，然后才能成为女工。请下令砍伐山木，鼓炉铸铁，这样就不必向百姓征税而财用充足了。'"管仲回答说："不可。现在如果派刑徒、奴隶去做这项工作，那么他们就会逃亡而无法控制；如果派百姓去，他们就会怨恨国君。边境一旦发生战事，人民心怀宿怨一定不肯为国出力。这样还没有见到开山冶铁的好处，而国家已经在内部败亡了。所以，最好的办法不如交给人民去经营，估量它的产值，计算它的赢利，百姓分得七成，君主分得三成。然后再运用轻重之术，控制铁器价格的涨落。这样，百姓就会努力工作，甘愿听君主的摆布。"

桓公曰："请问壤数①。"管子对曰："河垺诸侯，亩钟之国也。赜②，山诸侯之国也。河垺诸侯常不胜山诸侯之国者，豫戒③者也。"桓公曰："若此言何谓也？"管子对曰："夫河垺诸侯，亩钟之国也，故谷众多而不理，固不得有。至于山诸侯之国,则敛蔬藏菜,此之谓豫戒。"桓公曰:"壤数尽于此乎?"管子对曰:"未也。昔狄诸侯,亩钟之国也,故粟十钟而锱④金;程诸侯,山诸侯之国也,故粟五釜而锱金。故狄诸侯十钟而不得剗戟⑤,程诸侯五釜而得剗戟,十倍而不足,或五分而有余者,通于轻重高下之数也。国有十岁之蓄,而民食不足者,皆以其事业望君之禄也。君有山海之财,而民用不足者,皆以其事业交接于上者也。故租籍⑥,君之所宜得也;正籍⑦者,君之所强求也。亡君废其所宜得而敛其所强求,故下怨上而令不行。民夺之则怒,予之则喜,民情固然。先王知其然,故见予之所,不见夺之理。故五谷粟米者,民之司命也;黄金刀布者,民之通货也。先王善制其通货以御其司命,故民力可尽也。"管子曰:"泉雨五尺,其君必辱。食称⑧之国必亡,待⑨五谷者众也。故树木之胜霜露者,不受令于天;家足其所者,不从圣人。故夺然后予,高然后下,喜然后怒,天下可举。"

[注释]

①壤数:利用土壤条件的方法。②碛:何如璋云:"当作碛,谓山地,土兼沙石也。山地谷少,故能戒惧而豫力之备也。"③豫戒:指预先有所防备。豫,通"预"。④锱:古代的重量单位,六铢等于一锱,四锱等于一两。⑤剗戟:指建立军队。⑥租籍:租税,与"正籍"相对,指正常征收的赋税。⑦正籍:征税,指额外征收的苛捐杂税。⑧食称:指粮食与人口相称。⑨待:通"峙",储备。

[译文]

桓公说:"请问利用土地条件的方法。"管仲回答说:"近河的诸侯国,是亩产一钟粮食的国家。沙石之地,是山地的诸侯国。但近河的诸侯国常常比不上山地的诸侯国,原因在于后者预先有所防备。"桓公说:"这话是什么意思呢?"管仲回答说:"近河的诸侯国,是亩产一钟粮食的国家,所以粮食充足而不善于管理,当然不能维持长久。至于山地的诸侯国，因为粮食缺乏，所以节约粗米，贮藏蔬菜，这就叫做预先有所防备。"桓公说："利用土地条件的方法就这些吗？"管仲回答说："不。从前有个狄诸侯，是亩产一钟粮食的国家，所以粮食十钟可以换一锱金。还有个程诸侯，是山地的诸侯国，所以粮食五釜才可以换一锱金。然而狄诸侯粮食充足却不能建立军队，程诸侯粮食不足而能够建立军队，前者有十倍的粮食但国力仍不足，而后者只有一半的粮食却国力有余，原因就在于通晓了轻重之术和控制物价涨落的方法。国家有十年的粮食贮备，而人民的粮食却不够吃，人民就都会用各自的职业求取君主的俸禄；国君有专营盐铁的收入，而人民的财用却不充足，人民就都会用各自的职业换取君主的钱币。租籍，是君主应得的税收；正籍，是君主额外强征的税收。亡国的君主废除应得的税收而聚敛额外强征的税收，所以百姓怨恨君主，政令也无法推行。作为百姓，抢夺他就发怒，给他好处就高兴，人情本来就是这样。先王懂得这个道理，所以显现给予人民好处的形迹，掩盖夺取人民利益的本质。粮食，是人民生命的主宰；货币，是人民交易的手段。先王善于利用交易的手段来控制主宰人民生命的粮食，所以能够最大限度地利用民力。"管仲说："泉雨入地五尺，国君一定会受到侮辱。粮食和人口相称的国家，最终一定会灭亡，因为储备余粮的人太多了。所以，不怕霜露的树木，不受季节的影响；自给自足的人们，连君主都不肯服从。所以，对于百姓，要先夺取再给予，先提高物价再降低，先使他高兴再使他不满，天下就可以掌握了。"

桓公曰："强本节用，可以为存乎？"管子对曰："可以为益愈，而未足以为存也。昔者纪氏之国强本节用者，其五谷丰满而不能理也，四流而归于天下。若是，则纪氏其强本节用，适足以使其五谷尽而不能理，为天下虏，是以其国亡而身无所处。故可以益愈，而不足以为存。故善为国者，天下下，我高；天下轻，我重；天下多，我寡。然后可以朝天下。"桓公曰："寡人欲毋杀一士，毋顿一戟，而辟方都①二，为之有道乎？"管子对曰："泾水十二空②，汶渊洙浩③满三之于，乃请以令使九月种麦，日至④日获，则时雨未下而利农事矣。"桓公曰："诺。"令以九月种麦，日至而获。量其艾，一收之积中方都二。故此所谓善因天时，辩⑤于地利，而辟方都之道也。

[注释]

①方都：大都，大城。②"泾水"句：郭沫若云："疑'泾水十二空'当为'泾水上下控'。小水因地形之高下加以控制，不使流失，汶、泗、洙、沿之水量因而丰满，可增加三倍。"③浩：宋本作"沿"。④日至：天行赤道，日行赤道南北，于夏至运行到极北之处，于冬至运行到极南之处，故称日至。这里指夏至。下"日"字，据下文应为"而"字之误。⑤辩：通"辨"。

[译文]

桓公说："加强农业，节约财用，就可以使国家生存吗？"管仲回答说："可以使国家略好一些，但不足以使国家生存。从前，纪氏的国家加强农业，节约财用，粮食获得丰收，但不善于经营管理，使粮食都流散到天下各国。这样，纪氏虽然加强农业，节约财用，但不善于管理，从而使国家的粮食流尽，成为天下的俘虏，所以国家灭亡而无处容身。所以说只可以略好一些，而不能保证生存。因此，善于治理国家的人，各国物价降低，我就使它提高；各国万物轻时，我就使它重；各国货物多时，我就使它少。这样就可以使天下臣服了。"桓公说："我想不死一人，不动一戟，而开辟两个大都市，有办法做到吗？"管仲回答说："把小水按照地形的高低进行控制，就可以使汶、泗、洙、沿诸水的水量增加三倍，于是下令百姓在九月种麦，第二年夏至收割，这时雨季未到而庄稼已经得到灌溉了。"桓公说："好。"于是下令在九月种麦，第二年夏至收割。计算收获的数量,一年收成的积蓄相当于两个大都市的需求。所以,这就是所说的善于利用天时,明察地利来开辟大都市的办法。

管子入复桓公曰:"终岁之租金四万二千金,请以一朝素赏①军士。"桓公曰:"诺。"以令至鼓期于泰舟之野期军士。桓公乃即坛而立,宁戚、鲍叔、隰朋、易牙、宾胥无皆差肩而立。管子执枹②而挥军士曰:"谁能陷陈③破众者,赐之百金。"三问不对,有一人秉剑而前,问曰:"几何人之众也?"管子曰:"千人之众。""千人之众,臣能陷之。"赐之百金。管子又曰:"兵接弩张,谁能得卒长者,赐之百金。"问曰:"几何人卒之长也?"管子曰:"千人之长。""千人之长,臣能得之。"赐之百金。管子又曰:"谁能听旌旗之所指,而得执将首者,赐之千金。"言能得者垒千人④,赐之人千金。其余言能外斩首者,赐之人十金。一朝素赏,四万二千金廓然虚。桓公惕然⑤太息曰:"吾曷以识此?"管子对曰:"君勿患,且使外为名于其内,乡为功于其亲,家为德于其妻子。若此,则士必争名报德,无北之意矣。吾举兵而攻,破其军,并其地,则非特四万二千金之利也。"五子曰:"善。"桓公曰:"诺。"乃诫大将曰:"百人之长,必为之朝礼;千人之长,必拜而送之,降两级。其有亲戚者,必遗之酒四石、肉四鼎;其无亲戚者,必遗其妻子酒三石、肉三鼎。"行教半岁,父教其子,兄教其弟,妻谏其夫。曰:"见其若此其厚,而不死列陈,可以反于乡乎?"桓公终举兵攻莱,战于莒必市里,鼓旗未相望,众少未相知,而莱人大遁,故遂破其军,兼其地而虏其将。故未列⑥地而封,未出金而赏,破莱军,并其地,禽⑦其君,此素赏之计也。

[注释]

①素：安井衡云："素，空也。无功而赏，故曰素。"素赏，指预先行赏。②枹：鼓槌。③陈：同"阵"。④垒：通"累"，累计。千人：当为"十人"。⑤惕然：惶恐的样子。⑥列：通"裂"。⑦禽：同"擒"。

[译文]

管仲向桓公汇报说："全年的租金共四万二千斤黄金，请求一次预先行赏给军士。"桓公说："好。"于是下令在泰舟之野集中鼓旗，召集军士。桓公于是站立在坛上，宁戚、鲍叔、隰朋、易牙、宾胥无依次而立。管仲拿着鼓槌向战士拱手行礼说："谁能冲锋陷阵、攻破敌众，赏赐黄金百斤。"三次发问，没有人回答。有一士兵拿着剑向前询问说："多少敌众呢？"管仲说："千人之众。""千人之众，我能够攻破。"于是赏赐给他黄金百斤。管仲又问说："在交战过程中，谁能够擒获敌军的卒长，赏赐黄金百斤。"下面询问说："是多少人的卒长呢？"管仲说："一千人的卒长。""一千人的卒长，我能够擒获。"于是赏给他黄金百斤。管仲又问说："谁能够按照旌旗所指的方向，擒获敌军大将的首级，赏赐黄金千斤。"回答能够获得的累计有十人，每人赏赐黄金千斤。其余回答能够在外杀敌的，每人赏赐黄金十斤。一次预先行赏，四万二千斤黄金都用完了。桓公惶恐地叹息说："我怎么理解这项措施呢？"管仲回答说："国君不要忧虑，让战士在外显名于乡里，在内报功于双亲，在家建德于妻子。这样，他们必然争以图报君德，就没有败退的念头了。我们举兵作战，攻破敌军，兼并土地，那就不仅是四万二千斤黄金的利益了。"五人都说："好。"桓公也说："好。"于是告诫军中的大将说："凡是统领百人的军官拜见你们，一定要按照访问的礼节接待；统领千人的军官拜见你们，一定要走下两级台阶礼拜送行。他们其中有父母的，一定要赠送酒四石、肉四鼎；没有父母的，一定要赠送妻子酒三石，肉三鼎。"这项措施实行了半年，父亲教导儿子，兄长教导弟弟，妻子劝导丈夫，说："国家对待我们如此优厚，如果不能奋勇杀敌，还有脸返回乡里吗？"桓公终于举兵攻伐莱国，在莒地的必市里准备作战，双方的旗鼓还没有见到，军队的数量还不知，莱国的军队就逃跑了，于是攻破军队，兼并土地，俘虏敌将。因此，没有裂地封爵，也没有出钱行赏，便攻破了莱国的军队，兼并了其土地，擒获了其国君，这就是预先行赏的计策。

桓公曰："曲防之战，民多假贷①而给上事者，寡人欲为之出赂②，为之奈何？"管子对曰："请以令，令富商蓄贾百符③而一马，无有者取于公家。若此，则马必坐长而百倍其本矣，是公家之马不离其牧皂④，而曲防之战略足矣。"桓公问于管子曰："崇弟、蒋弟、丁、惠之功世，吾岁罔⑤，寡人不得籍斗升焉，去⑥。菹菜、咸卤、斥泽、山间堧埒不为用之壤，寡人不得籍斗升焉，去一。列稼缘封十五里之原⑦，强耕而自以为落，其民寡人不得籍斗升焉。则是寡人之国，五分而不能操其二，是有万乘之号而无千乘之用也。以是与天子提衡⑧，争秩⑨于诸侯，为之有道乎？"管子对曰："唯籍于号令为可耳。"桓公曰："行事奈何？"管子对曰："请以令发师置屯籍农⑩，十钟之家不行，百钟之家不行，千钟之家不行。行者不能百之一，千之十，而困窌⑪之数皆见于上矣。君案困窌之数，令之曰：'国贫而用不足，请以平价取之子，皆案困窌而不能挹损⑫焉。'君直⑬币之轻重以决其数，使无券契之责⑭，则积藏困窌之粟皆归于君矣。故九州无敌，竟⑮上无患。"令曰："罢师归农，无所用之。"管子曰："天下有兵，则积藏之粟足以备其粮；天下无兵，则以赐贫甿⑯，若此则菹菜、咸卤、斥泽、山间堧埒之壤无不发草。此之谓籍于号令。"

[注释]

①假：同"借"。假贷，即借贷。②出赂：何如璋云："出赂，欲代民还所贷也。"③符：借契。④皂：喂马牛的饲槽。牧皂，即指马槽。⑤罔：无，没有。⑥去：根据下文，"去"后应脱"一"字。⑦"列稼"句：马非百云："稼，稼穑，此处指农田。缘，边缘。封，封疆。原，平地。此谓靠近封疆边缘宽达十五里之平地，皆为无数大小不等之农田所布满。"⑧提衡：抗衡。⑨秩：尹知章云："秩，次也。"位次。⑩发师：指征发军队。置屯：马非百云："置屯，即立戍。"籍农：马非百云："谓登记农民藏谷之数。"⑪囷窌：谷仓与地窖，泛指粮仓。⑫把损：减少，缩小。⑬直：通"值"。⑭责：通"债"。⑮竟：通"境"。⑯甿：同"氓"。贫甿，即贫民。

[译文]

桓公说："曲防之战时，百姓有很多借贷来供给军用的，我想替他们偿还，该怎么办呢？"管仲回答说："请下令：规定富商蓄贾凡握有一百张债券的可以上交国家来换取使用一匹马驾车的权利，没有马的人可以向国家购买。这样，马的价格一定会上涨百倍之多。这样，国家的马匹还没有离开马槽，曲防之战的债务就足以偿还了。"桓公问管仲说："崇弟、蒋弟、丁、惠等功臣的后代，我不能征收到一斗一升的赋税，总收入就减少了一分。荒地、盐碱地、盐碱水泽及不平的山地，我也不能征收到一斗一升的赋税，总收入就减少了一分。在靠近边疆边缘宽达十五里的平地上，布满了庄稼，但这是强行耕种而自建的村落，我也不能征收到一斗一升的赋税，总收入又会减少一分。也就是说，我的国家，五分收入中其中有二分不能掌握，这是有万乘之国的名号，而没有千乘之国的财用。凭借这样的条件和天子抗衡，和诸侯争夺位次，有什么办法吗？"管仲回答说："只有依靠发号施令才可以。"桓公说："应该怎么做呢？"管仲回答说："请下令征发军队，立戍边疆，登记农民储备粮食的数目，同时规定家存十钟粮食的可以不去，家存百钟粮食的可以不去，家存千钟的更可以不去。这样，去的人不会超过百分之一，或千分之十，而百姓粮仓的存粮数字都已经被国君掌握了。国君按照各家存粮的数字发令说：'朝廷贫穷，财用不足，要按照平价向你们收购粮食，你们都要按照粮仓存粮的多少出售而不得减少。'国君要按照所值货币的多少当场算清付款，使国家不会有券契的债务，而百姓粮仓的存粮都归于国君了。这样，天下无敌，国境上也没有忧患了。"桓公说："解散军队，回家务农，这些粮食就没有用到的地方了。"管仲说："天下一旦发生战争，我们贮备的粮食足以作为军粮；天下无战事，就可以把这些粮食放贷给贫困农民，这样荒草地、盐碱地、盐碱水泽以及高低不平的山地都可以开辟耕种了。这就叫依靠发号施令的办法。"

管子曰："滕、鲁之粟釜百，则使吾国之粟釜千，滕、鲁之粟四流而归我，若下深谷者。非岁凶而民饥也，辟①之以号令，引之以徐疾，施平其归我若流水。"桓公曰："吾欲杀正商贾②之利而益农夫之事，为此有道乎？"管子对曰："粟重而万物轻，粟轻而万物重，两者不衡立。故杀正商贾之利而益农夫之事，则请重粟之价金三百。若是，则田野大辟，而农夫劝其事矣。"桓公曰："重之有道乎？"管子对曰："请以令与大夫城藏③，使卿诸侯藏千钟，令大夫藏五百钟，列大夫藏百钟，富商蓄贾藏五十钟。内可以为国委④，外可以益农夫之事。"桓公曰："善。"下令卿诸侯、令大夫城藏。农夫辟其五谷，三倍其贾，则正商失其事，而农夫有百倍之利矣。

[注释]

①辟：招引。②正商贾：马非百云："正商贾，即有市籍之商贾，犹言正式商贾也。"③城藏：指在城中筑仓存粮。④委：积聚。

[译文]

管仲说："滕国、鲁国的粮食每釜一百钱，假如使我国的粮价提高为每釜一千钱，那么滕、鲁的粮食就会从四面流入我国，像水流向深谷一样。这并不是因为我们年成不好，或者百姓饥饿，而是运用号令和供求的缓急来招引，粮食就像流水一样流入我国。"桓公说："我想削减商人的赢利来帮助农民的农业生产，这样做有办法吗？"管仲回答说："粮价高，其他财物的价格就低；粮价低，其他财物的价格就高，两者涨落不平衡。所以想要削减商人的赢利来帮助农民的农业生产，就请把每釜粮食的价格提高三百钱。如此这样，荒地将得到广泛开垦，农夫受到勉励，也会努力耕种了。"桓公说："怎样提高粮价呢？"管仲回答说："命令大夫在城中筑仓存粮，规定卿诸侯要贮藏一千钟粮食，令大夫要贮藏五百钟，列大夫要贮藏百钟，富商蓄贾要贮藏五十钟。这样，内可以作为国家的粮食积聚，外可以帮助农民的农业生产。"桓公说："好。"于是下令卿诸侯、令大夫都要筑仓存粮。农民们争相开辟荒地，扩大耕地，粮价提高了三倍，商人的利润大减，而农民得到了百倍的赢利。

　　桓公问于管子曰："衡①有数乎？"管子对曰："衡无数也。衡者使物一高一下，不得常固。"桓公曰："然则衡数不可调耶？"管子对曰："不可调。调则澄②，澄则常，常则高下不贰，高下不贰则万物不可得而使固。"桓公曰："然则何以守时③？"管子对曰："夫岁有四秋，而分有四时。故曰：农事且作，请以什伍农夫赋耜铁，此之谓春之秋。大夏且至，丝纩之所作，此之谓夏之秋。而大秋成，五谷之所会，此之谓秋之秋。大冬营室中，女事纺绩缉缕之所作也，此之谓冬之秋。故岁有四秋，而分有四时。已有四者之序，发号出令，物之轻重相什而相伯。故物不得有常固，故曰衡无数。"桓公曰："皮、干、筋、角、竹箭、羽毛、齿、革不足，为此有道乎？"管子曰："惟曲衡④之数为可耳。"桓公曰："行事奈何？"管子对曰："请以令为诸侯之商贾立客舍，一乘者有食，三乘者有刍菽⑤，五乘者有伍养。天下之商贾归齐若流水。"

[注释]

①衡：平衡供求关系。②澄：静止。③守时：马非百云："守时，即守物之高下之时。"④曲衡：郭沫若云："据下文所解，所谓'曲衡之数'即'将欲取之，必先予之'之意。"⑤刍菽：刍豆，饲养牲口的饲料。

[译文]

桓公问管仲说："平衡供求关系有定数吗？"管仲回答说："平衡供求关系没有定数。平衡供求，就是要使物价有高有低，不能经常固定。"桓公说："那么平衡供求的标准不能整齐划一吗？"管仲回答说："不能整齐划一。如果整齐划一就静止了，静止就没有变化，没有变化物价就没有涨跌，物价没有涨跌商品就不能被我们控制而加以利用了。"桓公说："那么怎样掌握物价涨跌的时机？"管仲回答说："一年有四个收获的时机，分属于四季。这就是：春天农事即将开始，让农民按照什伍互相担保，向他们放贷农具，这称为春天的收获时机。夏天将到，是织丝绸做丝絮的时节，这称为夏天的收获时机。到了秋天，万物成熟，是粮食收获的时节，这称为秋天的收获时机。冬天到了，在室内劳动，是妇女纺线织布的时节，这称为冬天的收获时机。所以，一年有四个收获的时机，分属于四季。已经了解这四时的顺序，就可以运用国家的号令，使物价的涨跌相差十倍、百倍。所以，物价不能经常固定，因此说平衡供求关系没有定数。"桓公说："皮、骨、筋、角、竹箭、羽毛、象牙和皮革等不充足，有什么办法吗？"管仲回答说："只有用曲折隐蔽的办法才行。"桓公说："怎么做呢？"管仲回答说："请下令为各诸侯国的商人建立客栈，规定拥有一乘的商人，可以免费吃饭；拥有三乘的商人，还供应牲口的饲料；拥有五乘的商人，还给他配备五个供役使的人。这样，天下各国的商人就会如流水般来到齐国。"

轻重丁

桓公曰："寡人欲西朝天子，而贺献①不足，为此有数②乎？"管子对曰："请以令城阴里③，使其墙三重而门九袭④。因使玉人刻石⑤而为璧。尺者万泉⑥，八寸者八千，七寸者七千，珪中⑦四千，瑗⑧中五百。"璧之数已具，管子西见天子曰："弊邑⑨之君，欲率诸侯而朝先王之庙，观于周室，请以令使天下诸侯朝先王之庙、观于周室者，不得不以彤弓⑩石璧；不以彤弓石璧者，不得入朝。"天子许之曰："诺。"号令于天下，天下诸侯载黄金、珠玉、五谷、文采、布泉⑪输齐，以收石璧。石璧流而之天下，天下财物流而之齐，故国八岁而无籍，阴里之谋也。

右石璧谋⑫。

[注释]

①贺献：指诸侯朝贺天子的献礼。"贺献不足"，言贺献费用不足。②数：《说文》："数，计也。"这里是办法的意思。③城阴里：尹知章云："城者，筑城也。阴里，齐地也。"④袭：层，重，《吕氏春秋》："棺椁数袭。"言欲其事密而人不知，先托筑城。⑤刻石：尹知章云："刻石，刻其菑石。""菑"即"䈽"之误。以自产的菑石，刻为石璧出卖，可获大利。⑥万泉：万钱。⑦珪：古"圭"字，亦称"圭璧"，瑞信之物。中：值，合。⑧瑗：大孔璧。尹知章云："好倍肉曰瑗。"言孔大于边。⑨弊邑：同"敝邑"。⑩彤弓：

彤即朱也，尹知章云："彤弓，朱弓也。"⑪泉：当为"帛"。⑫石璧谋：即运用天子命令的作用推销石璧，并由此而创立收入的谋划。

[译文]

桓公说："我打算西行朝拜周天子，但是贺献费用不足，解决这个问题有办法吗？"管仲回答说："请下令在阴里地方筑城，要求有三层城墙，九重城门。利用此项工程使玉匠雕制菑石，制成石璧，一尺的定价为一万钱，八寸的定为八千钱，七寸的定为七千钱，圭璧值四千钱，石瑗值五百钱。"各种石璧都如数完成后，管仲就西行朝见周天子说："敝国之君想率领各国诸侯来朝拜先王宗庙，并到周朝观礼。请下命令，要求天下诸侯凡来朝拜先王宗庙并观礼于周室的，都必须带上彤弓和石璧。不带彤弓石璧者，一律不准入朝。"周天子答应说："好。"于是便向天下各地发出了这一号令。天下诸侯都运载着黄金、珠玉、粮食、彩绢和布帛到齐国来购买石璧。齐国的石璧由此流通于天下，天下的财物则尽归于齐国。因此，齐国连续八年没有征收赋税，这就是阴里筑城、制造石璧之谋的作用。

以上"石璧谋"。

桓公曰："天子之养不足，号令赋①于天下，则不信诸侯，为此有道乎？"管子对曰："江淮之间，有一茅而三脊，母②至其本，名之曰菁茅③，请使天子之吏环封而守之。夫天子则封于太山，禅④于梁父。号令天下诸侯曰：'诸从天子封于太山、禅于梁父者，必抱菁茅一束以为禅籍⑤，不如⑥令者，不得从。'"天子下诸侯载其黄金，争秩而走⑦。江淮之菁茅，坐长而十倍，其贾一束而百金。故天子三日即位⑧，天下之金四流而归周若流水，故周天子七年不求贺献者，菁茅之谋也。

右菁茅谋⑨。

[注释]

①赋：征收，《说文》："赋，敛也。"②母：古"贯"字。俞樾云："谓茅之三脊，由其末梢以通至于本根也。"③菁茅：有三条脊梗的茅草，又称灵茅。④禅：帝王筑坛祭地。⑤籍：王念孙云："'籍'当为'藉'。藉，荐也。"⑥如：遵从，依照，《说文》："如，从随也。"⑦天子下：王引之云："'天下诸侯'连读，衍'子'字。"争秩：马非百云："秩即次序。争秩，犹言争先恐后。"⑧即位：指身就于座位，或未离座位之意。此处极言菁茅之谋奏效快而用力少。⑨菁茅谋：即运用天子命令的作用推销菁茅的计谋。

[译文]

桓公说："周天子的奉养财用不足，下令向各诸侯国征租，都不得响应，有什么办法可以解决这一问题？"管仲回答说："长江、淮河之间，出产一种三条脊梗直通到根部的茅草，名叫'菁茅'。请使周天子的官吏把菁茅产地的四周封闭并看守起来。周天子总是要在泰山祭天，在梁父山祭地的。可以向天下诸侯下令说：'凡随从天子在泰山祭天、在梁父山祭地的，都必须携带一捆菁茅作为祭祀之用的垫席。不按照命令行事的不得随从前往。'"天下诸侯便都会载运着黄金争先恐后地奔向菁茅产地求购。江淮的菁茅价格上涨十倍，一捆菁茅便可以卖到百金。这样，周天子仅仅只用三天，甚至不需离开座席，天下的黄金就会像流水一样从四面八方聚来。因此，周天子七年没有索取诸侯的献礼，这就是菁茅之谋的作用。

以上"菁茅谋"。

桓公曰："寡人多务，令衡籍吾国之富商、蓄贾、称贷家①，以利吾贫萌②农夫，不失其本事，反此有道乎？"管子对曰："惟反之以号令为可耳。"桓公曰："行事奈何？"管子对曰："请使宾胥无驰而南，隰朋驰而北，宁戚驰而东，鲍叔驰而西。四子之行定，夷吾请号令谓四子曰：'子皆为我君视四方称贷之间，其受息③之氓几何千家,以报吾。'"鲍叔驰而西,反报曰:"西方之氓者,带济负河,菹泽之萌也。猎渔取薪蒸而为食,其称贷之家多者千钟,少者六七百钟。其出之,钟④也一钟,其受息之萌九百余家。"宾胥无驰而南,反报曰:"南方之萌者,山居谷处,登降之萌也。上斫轮轴⑤,下采杼栗,田猎而为食。其称贷之家多者千万,少者六七百万。其出之,中伯伍也,其受息之萌八百余家。"宁戚驰而东,反报曰:"东方之萌,带山负海,若处⑥,上断福⑦,渔猎之萌也。治葛缕而为食。其称贷之家丁、惠、高、国,多者五千钟,少者三千钟。其出之,中钟五釜也,其受息之萌八九百家。"隰朋驰而北,反报曰:"北方之萌者,衍处⑧负海,煮沸为盐,梁济取鱼之萌也。薪食。其称贷之家多者千万,少者六七百万。其出之,中伯二十也,受息之氓九百余家。"凡称贷之家出泉参千万,出粟参数千万钟,受子息之民参万家。四子已报,管子曰:"不弃⑨我君之有萌,中一国而五君之正⑩也,然欲国之无贫,兵之无弱,安可得哉?"桓公曰:"为此有道乎?"管子曰:"惟反之以号令为可。请以令贺献者皆以镂枝兰鼓,则必坐长什倍其本矣,君之栈台之职亦坐长什倍。请以令召称贷之家,君因酌之酒,太宰行觞。桓公举衣而问曰:'寡人多务,令衡籍吾国,闻子之假贷吾贫萌,使有以终其上令。寡人有镂枝兰鼓,其贾中纯万泉也,愿以为吾贫萌决其子息之数,使无券契之责⑪。'称贷之家皆齐首而稽颡⑫曰:'君之忧萌至于此,请再拜以献堂下。'桓公曰:'不可,子使吾萌春有以刜耕,夏有以决芸。寡人之德子无所宠,若此而不受,寡人不得于心。'故称贷之家皆:'再拜受。'所出栈台之职未能参千纯也,而决四方子息之数,使无券契之责。四方之萌闻之,父教其子,兄教其弟,曰:'夫垦田发务,上之所急,可以无庶乎?君之忧我至于此！'此之谓反准⑬。"

[注释]

①称贷家：举债的人。②萌：通"氓"。贫萌，即贫民。③受息：承担放款者所规定的利息。④钟：古代的计量单位，春秋时齐国以十釜为"钟"。张佩纶云："'钟也一钟'，贷以一钟，息亦一钟。"⑤轮轴：车轮与车轴。马非百云："谓上山砍伐树木以为制造车轮及车轴之用也。"⑥若：当为"苦"字之误。苦处，即盐碱之地，不产五谷。⑦福：通"辐"，指车辐。⑧衍处：指居于低湿的地方。⑨弃：吴志忠云："'弃'乃'意'字误。"⑩正：通"征"。⑪责：通"债"。⑫稽颡：古代一种跪拜礼，屈膝下拜，以额触地。⑬反准：返回平准。

[译文]

桓公说："我有很多事务要办，只能命令征税官向我国的富商蓄贾和高利贷者征收赋税，以此来帮助我国的贫民和农夫，使他们不会丧失本业。如想改变这种办法，还有别的办法吗？"管仲回答说："只有依靠号令才可以。"桓公说："怎么办呢？"管仲回答说："请派宾胥无到南方，隰朋到北方，宁戚到东方，鲍叔到西方。四人的派遣定下来后，我就对他们宣布号令说：'你们都为国君视察四方放贷地区的情况，调查负债的百姓有多少人多少家，回来向我汇报。'"鲍叔到了西方，回来报告说："西部的百姓，依托济水，背靠黄河，是住在草泽之地的百姓。他们以渔猎砍柴为生。那里的高利贷者多的放贷有千钟粮食，少的也有六七百钟。他们放贷一钟，利息也是一钟，那里借贷的贫民有九百多家。"宾胥无到了南方，回来报告说："南方的百姓，住在山谷中，是登山下谷的百姓。他们以砍伐树木做车轮车轴，采摘橡栗，从事田猎为生。那里的高利贷者多的放贷有一千万，少的也有六七百万。他们放贷一百，利息为五十，那里借贷的贫民有八百多家。"宁戚到了东方，回来报告说："东方的百姓，依托高山，背靠大海，盐碱之地，是砍伐树木做车辐，从事渔猎的百姓。他们以纺织葛藤为生。那里的高利贷者丁、惠、高、国，多的放贷有五千钟，少的也有三千钟。他们放贷一钟，利息为五釜，那里借贷的贫民有八九百家。"隰朋到了北方，回来报告说："北方的百姓，住在水泽一带，背靠大海，是从事煮盐业，在济水捕鱼的百姓。他们依靠砍柴为生。那里的高利贷者多的放贷有一千万，少的也有六七百万。他们放贷一百，利息为二十，那里借贷的贫民有九百多家。"所有的高利贷者共放贷三千万钱，放贷粮食三千万钟，借贷的贫民有三万多家。四位大臣的汇报已经完毕，管仲说："没有想到我国的百姓，虽然在一个国家中却有五个国君的征敛呀，这样还希望国家不贫穷，军队不弱，难道可能吗？"桓公说："有什么办法吗？"管仲说："只有依靠号令才可以。请命令前来朝拜贺献的都必须献上绣有枝兰鼓花纹的美锦，这样美锦的价格就会上涨十倍，国君在栈台储存的美锦也会上涨十倍。然后再下令召见高利贷者，国君设宴招待，太宰敬酒。桓公提起衣服询问说：'我有很多事务要办理，只能派征税官在国内收税。我听说你们把钱粮借贷给我的贫民，使他们能够完成纳税的任务。我这里有绣有枝兰鼓花纹的美锦，它们的价值相当于万钱。我想为我的贫民偿还本息，使他们没有债券的债务。'高利贷者都屈膝下拜说：'国君对百姓如此体恤，请允许我们把债券献在堂下。'桓公说：'不行。你们使我国的百姓春天能够耕种，夏天能够除草，我对你们也没有什么恩宠，如果连这些东西都不肯接受，我的心里会不安的。'于是高利贷者都会说：'那我们就接受了。'储存在栈台的美锦还不到三千纯，便偿还了四方百姓的本息，使他们没有券契的债务。四方的百姓听说后，父亲会告诉儿子，兄长会告诉弟弟，说：'开垦荒地，种田除草，是国君所忧虑的事情，怎么能够不用心呢？国君对我们如此体恤啊！'这就称为返回平准的措施。"

管子曰："昔者癸度居人之国，必四面望于天下。天下高亦高,天下高我独下,必失其国于天下。"桓公曰:"若此言曷谓也?"管子对曰:"昔莱人善染,练茈①之于莱纯锱,绋绶②之于莱亦纯锱也。其周,中十金。莱人知之,闻纂茈空。周且敛马③,作见于莱人操之,莱有推④马,是自莱失綦茈而反准于马也。故可因者因之,乘者乘之。此因天下以制天下,此之谓国准⑤。"

[注释]

①茈:草本植物,可作紫色染料。练茈,即紫色的丝练。②绋绶:紫青色的绶带。③马:通"码",筹码。④推:应为"准"字之误。马非百云:"'准马'即'以马准币'之意。'莱有准马'者,谓货由周操,马归莱有也。"⑤国准:指国家的平准措施。

[译文]

管仲说:"从前癸度到一个国家,一定要全面调查天下的物价情况。天下的物价高,我也高。如果天下的物价高,而只有我低,那么一定使自己的国家无法生存。"桓公说:"这话是什么意思呢?"管仲回答说:"从前莱国人擅长染色,一纯紫色的丝练在莱国只值一锱金子,一纯紫青色的绶带也只值一锱金子。而在周地,值十斤黄金。莱国商人听到这个消息后,将紫绢紫授收购一空。周国收集通用的筹码作为抵押,收购了莱国商人手中的紫绢紫授,莱国商人手中只有通用的筹码,这是莱国自己失掉了紫绢紫授,而只能收回钱币了。因此,能够利用就要利用,能够乘机的就要乘机,这就是利用天下来控制天下的办法。这就叫做国家的平准措施。"

桓公曰:"齐西水潦而民饥,齐东丰庸①而粜贱,欲以东之贱被西之贵,为之有道乎?"管子对曰:"今齐西之粟釜百泉,则钘二十也;齐东之粟釜十泉,则钘二钱也。请以令籍人三十泉,得以五谷菽粟决其籍。若此,则齐西出三斗而决其籍,齐东

出三釜而决其籍。然则釜十之粟,皆实于仓廪,西之民饥者得
食,寒者得衣,无本者予之陈②,无种者予之新。若此,则东西
之相被,远近之准平矣。"

[注释]

①庸:尹知章云:"庸,用也。谓丰稔而足用。"②陈:陈粮。

[译文]

桓公说:"齐国西部发生水灾,百姓没有饭吃;齐国东部五谷
丰足,而粮价低廉,我想用东部的低价粮去补助西部的高价粮,应
该怎么做呢?"管仲回答说:"现在齐国西部的粮价每釜百钱,每钘
就是二十钱;齐国东部的粮食每釜十钱,每钘只是二钱。请下令每
人征税三十钱,可以用各种粮食折价进行缴纳。这样,齐国西部每
人出三斗就可以缴纳,齐国东部每人要出三釜才可以缴纳。这样,
一釜仅卖十钱的粮食都进入了国家的粮仓,而西部的百姓挨饿的有
饭吃,寒冷的有衣穿,没有本钱的国家贷给他陈粮,没有种子的国
家贷给他新粮。这样,东西两地就可以相互补助,远近各方的物价
也能够调节平衡了。"

桓公曰:"衡数吾已得闻之矣,请问国准。"管子对曰:"孟
春且至,沟渎阮①而不遂,溪谷报②上之水不安于藏,内毁室屋,
坏墙垣,外伤田野,残禾稼,故君谨守泉金之谢物③,且为之
举。大夏,帷盖衣幕之奉不给,谨守泉布之谢物,且为之举。大
秋,甲兵求缮,弓弩求弦,谨丝麻之谢物,且为之举。大冬,任
甲兵,粮食不给,黄金之赏不足,谨守五谷、黄金之谢物,且为
之举。已守其谢,富商蓄贾不得如故,此之谓国准。"

[注释]

①阮:猪饲彦博云:"'阮'疑当作'厄',塞也。"②报:疑为"坝"
字之误。③谢物:马非百云:"'谢物'二字连文,谓代谢之物,即因新需要

而谢去之旧物。"这里指因交纳赋税而抛售的物资。泉金、泉布：均指货币。

[译文]

桓公说："平衡供求的方法我已经听说了，请问关于国家的平准措施。"管仲回答说："初春即至，沟渠堵塞而不通畅，溪谷堤坝上的水泛滥成灾，流入村内毁坏房屋和墙垣，流入村外损害土地和庄稼，所以国君要严格控制百姓因交纳赋税而抛售的物资，并把它收购起来。夏季，帷盖衣幕的供应不充足，国君要严格控制百姓因交纳赋税而抛售的物资，并把它收购起来。秋季，盔甲兵器需要修缮，弓弩需要上弦，国君要控制百姓因交纳丝麻而抛售的物资，并把它收购起来。冬季，制造盔甲兵器，粮食供应不足，赏赐的黄金不足，国君要严格控制因交纳粮食、黄金而抛售的物资，并把它收购起来。国君已经控制了这些抛售的物资，富商蓄贾就无法从中渔利了，这就称为国家的平准措施。"

龙斗于马谓之阳、牛山之阴。管子入复于桓公曰："天使使者临君之郊，请使大夫袀饬①，左右玄服，天之使者乎。天下闻之曰：'神哉，齐桓公！天使使者临君之郊。'不待举兵而朝者八诸侯，此乘天威而动天下之道也。故智者役使鬼神，而愚者信之。"桓公终神②，管子入复桓公曰："地重，投之哉兆③，国有恸。风重，投之哉兆。国有枪星④，其君必辱；国有彗星，必有流血。浮丘之战，彗之所出，必服天下之仇。今彗星见于齐之分⑤，请以令朝功臣世家，号令于国中曰：'彗星出，寡人恐服天下之仇。请有五谷菽粟、布帛文采者，皆勿敢左右。国且有大事，请以平贾取之。'功臣之家、人民百姓皆献其谷菽粟泉金，归⑥其财物，以佐君之大事。此谓乘天葘⑦而求民邻财之道也。"

[注释]

①袀：纯色。饬：通"饰"。②神：祭神之事。③投：郭沫若云："'投'

乃'疫'之坏字。"菑：通"灾"。④枪星：即天枪，星宿名。⑤分：即分野，指星宿所在的区域。⑥归：通"馈"，赠送。⑦蕾：同"灾"。

[译文]

两条龙在马渎的南面、牛山的北面相斗。管仲向桓公汇报说："上天派使者来到您的城郊，请让大夫都穿上黑衣服，左右随从也要穿上黑衣服，去迎接天的使者！天下各国听说了这个消息，说：'齐桓公是神啊，上天派使者来到他的城郊了！'不用齐国举兵，来朝拜的就有八国诸侯。这就是借助天威来震慑天下各国的办法。因此，有智慧的人役使鬼神，而愚蠢的人就会相信。"桓公祭神之后，管仲向桓公汇报说："地震是瘟疫的先兆，国家要有灾难。风暴也是瘟疫的先兆。国家如出现了枪星，那么国君必将受辱；如出现了彗星，必然发生流血战争。浮丘之战，彗星就曾出现过，预示着一定要征服天下的仇敌。现在彗星又出现在齐国的分野，请下令召集功臣世家，在全国发布号令说：'彗星出现，我恐怕又要出兵征服天下的仇敌。家中储存粮食、布帛的，都不得私自进行买卖。国家将有战事，要按照平价来收购这些物资。'功臣之家和百姓献出他们的粮食、钱币和黄金，把财物赠送给国家，来辅助国君的大事。这就是利用天灾来求取近臣百姓财物的办法。"

桓公曰："大夫多并其财而不出，腐朽五谷而不散。"管子对曰："请以令召城阳大夫而请之。"桓公曰："何哉？"管子对曰："'城阳大夫嬖宠被绨纻①，鹅鹜含余秫②，齐钟鼓之声，吹笙篪，同姓不入，伯叔父母、远近兄弟皆寒而不得衣，饥而不得食。子欲尽忠于寡人，能乎？故子毋复见寡人。'灭其位，杜③其门而不出。功臣之家皆争发其积藏，出其资财，以予其远近兄弟。以为未足，又收国中之贫病孤独老不能自食之萌，皆与得焉。故桓公推仁立义，功臣之家兄弟相戚，骨肉相亲，国无饥民。此之谓缪数④。"

[注释]

①绨绤：精制的丝绸。②秣：通"秣"，饲料。③杜：封闭，关闭。④缪数：诈伪的办法。

[译文]

桓公说："大夫大多都吞并财物而不肯献出，即使粮食腐烂了也不肯发给贫民。"管仲回答说："请下令召见城阳大夫并询问他。"桓公说："如何？"管仲回答说："这样说：'城阳大夫，你的宠妾穿着精制的丝绸，鹅鸭都有吃不完的饲料，每天钟鼓齐鸣，吹奏笙簧，但同姓的人却不能进你的家门，伯叔父母及远近兄弟都寒不得衣，饥不得食。这样你还能向我尽忠吗？你也不要再来见我了。'然后罢免他的爵位，封闭门户不允许他外出。这样，功臣之家都会争着散发粮食，拿出财物去救济远近兄弟。感到这样还不够，又会收养国内的贫、病、孤、独、老等不能自己养活自己的人，都让他们分得财物。所以，桓公推行仁义，使功臣世家的兄弟相互关心，骨肉相爱，国内再也没有饥饿的贫民。这就叫做诈伪的办法。"

桓公曰："峥丘之战，民多称贷负子息，以给上之急，度上之求。寡人欲复业产①，此何以洽②？"管子对曰："惟缪数为可耳。"桓公曰："诺。"令左右州曰："表称贷之家，皆垩③白其门，而高其闾。"州通之师执折箓④曰："君且使使者。"桓公使八使者式⑤璧而聘之，以给盐菜之用。称贷之家皆齐首稽颡而问曰："何以得此也？"使者曰："君令曰：'寡人闻之《诗》曰：恺悌⑥君子，民之父母也。寡人有峥丘之战，吾闻子假贷吾贫萌，使有以给寡人之急，度寡人之求，使吾萌春有以籽耕，夏有以决芸，而给上事，子之力也。是以式璧而聘子，以给盐菜之用，故子中民之父母也。'"贷称之家皆折其券而削其书，发其积藏，出其财物，以赈贫病。分其故赀⑦，故国中大给，峥丘之谋也。此之谓缪数。

[注释]

①业产：本业。②洽：尹知章云："洽，通也。"③垩：粉刷。④折策：政府命令的文本。⑤式：通"试"，使用。⑥恺悌：和乐平易。⑦赀：通"资"，财货。

[译文]

桓公说："峥丘之战，百姓大多借贷欠息，以此来供应国君的急用，考虑国君的需求。我想使他们恢复农业生产，有办法做到吗？"管仲回答说："只有实行诈伪的办法才可以。"桓公说："好。"于是命令左右各州说："为了表彰那些放贷的人家，把他们的大门都粉刷成白色，把他们的里门都加高。"州长将结果报告给乡师并拿着政府命令说："国君将要派遣使者下来聘问。"桓公派遣八名使者拿着玉璧去聘问，作为盐菜的费用。放贷的人家都俯首叩头而询问说："为什么对我们如此优待呢？"使者说："国君命令是这样讲的：'我听到《诗经》里说：和乐平易的君子，是人民的父母。我曾打了峥丘之战，听说你们借贷给我的贫民，使他们得以满足我的急用，考虑我的需求，并且使我的贫民春天能够耕种，夏天能够除草，而供给国家的需要，这是你们的功劳啊！所以带着玉璧来聘问你们，作为盐菜的费用，你们也相当于百姓的父母了。'"放贷的人家赶快毁掉了债券和文书，散发他们的积蓄，拿出他们的财物，来赈济贫苦的百姓。由于散发了他们积累的财货，所以国内供给充足，这是利用峥丘之战的计谋的作用。这也叫做诈伪的方法。

桓公曰："四郊之民贫，商贾之民富。寡人欲杀①商贾之民以益四郊之民，为之奈何？"管子对曰："请以令决瓂洛之水②，通之杭庄③之间。"桓公曰："诺。"行令未能一岁，而郊之民殷然④益富，商贾之民廓然⑤益贫。桓公召管子而问曰："此其故何也？"管子对曰："决瓁洛之水，通之杭庄之间，则屠酤⑥之汁肥流水，则蟊虻巨雄、翡燕小鸟皆归之，宜昏⑦饮，此水上之乐也。贾人蓄物而卖为雠，买为取，市未央毕，而委舍⑧其守列，投蟊虻巨雄。新冠五尺请挟弹怀丸游水上，弹翡燕小鸟，被于暮。故贱卖而贵买，四郊之民卖贱⑨，何为不富哉？商贾之人，何为不贫乎？"桓公曰："善。"

[注释]

①杀：削减。②瓁洛之水：洼地的积水。③杭庄：王念孙曰："杭，当为抗。抗，古读若康。抗庄即康庄。"指宽阔平坦的大路。④殷然：充裕的样子。⑤廓然：空寂的样子。⑥屠：屠户。酤：酒家。⑦昏：黄昏。⑧委舍：委卸，舍弃。⑨卖贱：当为"买贱"，与上文"贱卖"相对。

[译文]

桓公说："农民贫穷，商人富裕，我想要削减商人的财利来补助贫穷的农民，应该怎么办？"管仲回答说："请下令疏通洼地的积水，使它流入宽阔平坦大路的中间。"桓公说："好。"这项政策施行还不到一年，农民逐渐富裕起来，商人却逐渐贫穷了。桓公召见管仲询问说："这是什么原因呢？"管仲回答说："疏通洼地的积水，使它流入大路的中间，那么屠户和酒馆的油水都流到水里了，蚊母鸟那样的大鸟和翡燕那样的小鸟都聚集在这里，这个地方很适宜黄昏饮酒，这是一种水上娱乐。商人带着货物，销售时急于出售，购买时急于买进，买卖还没有进行到一半就提前结束了，商人舍弃了货摊，去投掷蚊母之类的大鸟去了。青少年也拿着弹弓在水上游玩，弹打翡燕之类的小鸟，直到黄昏。所以商人贱卖贵买，而农民却卖贵买贱，怎么能够不富裕呢？商人又怎么能够不贫穷呢？"桓公说："好。"

桓公曰："五衢之民，衰然①多衣弊而屦穿。寡人欲使帛布丝纩之贾贱，为之有道乎？"管子曰："请以令沐②途旁之树枝，使无尺寸之阴。"桓公曰："诺。"行令未能一岁，五衢之民皆多衣帛完屦。桓公召管子而问曰："此其何故也？"管子对曰："途旁之树，未沐之时，五衢之民，男女相好往来之市者，罢市相睹树下，谈语终日不归。男女当壮③，扶辇推舆，相睹树下，戏笑超距④，终日不归。父兄相睹树下，论议玄语⑤，终日不归。是以田不发，五谷不播，麻桑不种，茧缕不治。内严⑥一家而三不归，则帛布丝纩之贾安得不贵？"桓公曰："善。"

[注释]

①衰然：马非百云："衰然，衰耗之貌，犹言穷困也。"②沐：芟除。③当壮：强壮。④超距：跳跃。⑤玄语：不切实际的话。⑥严：通"瞰"，远望。

[译文]

桓公说："四方的百姓很贫穷，大多穿着破衣破鞋，我想使帛布丝絮的价格降下来，有办法做到吗？"管仲说："请下令芟除路旁的树枝，使它们没有尺寸的树荫。"桓公说："好。"这项措施还没有推行一年，四方的百姓大多穿着布帛的衣服和完好的鞋子。桓公召见管仲询问说："这是什么原因呢？"管仲回答说："路旁的树枝还没有芟除时，四方百姓中男女相好往来赶集的，散市后在树荫之下相会，谈情说爱，整天不回家。成年男女，推车过路，也在树荫之下相会，游戏舞蹈，整天不回家。父老兄弟也在树荫之下相会，议论一些不切实际的话，整天不回家。所以土地得不到开发，五谷得不到播种，桑麻得不到种植，丝线也得不到纺织。看看一家之内就有三种人整天不回家，帛布丝絮怎能不贵呢？"桓公说："好。"

桓公曰："粜贱，寡人恐五谷之归于诸侯，寡人欲为百姓万民藏之，为此有道乎？"管子曰："今者夷吾过市，有新成囷京①者二家，君请式璧而聘之。"桓公曰："诺。"行令半岁，万民闻之，舍其作业而为囷京以藏菽粟五谷者过半。桓公问管子曰："此其何故也？"管子曰："成囷京者二家，君式璧而聘之，名显于国中，国中莫不闻。是民上则无功显名于百姓也，功立而名成；下则实其囷京，上以给上为君。一举而名实俱在也，民何为也②？"桓公问管子曰："请问王数之守终始，可得闻乎？"管子曰："正月之朝，谷始也；日至③百日，黍秋之始也；九月敛实，平麦④之始也。"

[注释]

①囷京：粮仓。尹知章云："大囷曰京。"②民何为：应为"民何不为"，脱"不"字。③日至：指冬至。④平麦：应为"牟麦"，大麦。

[译文]

桓公说："出售粮食的价格低，我怕粮食都流到其他诸侯国去，我想要使百姓万民储备粮食，有办法做到吗？"管仲说："今天我经过市场，看到有两家新建了粮仓，请国君拿着玉璧去聘问。"桓公说："好。"这项措施实行了半年，百姓听说了，有半数以上的人家都放弃了所从事的工作而建仓存粮。桓公问管仲说："这是什么原因呢？"管仲说："新建粮仓的两户人家，国君拿着玉璧去聘问，使他们在国内扬名，国中没有人不知道。这两户人家对国家来说，并没有功劳却能够扬名全国，功立名成；对个人来说充实了粮仓，又可以用来缴纳赋税。一举两得，名利双收，人民为什么不去做呢？"桓公问管仲说："请问国君应该怎样控制农事的开始，可以说来听听吗？"管仲说："正月上旬，是种谷的时候；冬至后百日，是种黍稷的时候；九月收获后，是种大麦的时候。"

管子问于桓公曰："敢问齐方于几何里？"桓公曰："方五百

里。"管子曰:"阴雍、长城之地,其于齐国三分之一,非谷之所生也。泲①、龙夏,其于齐国四分之一也。朝夕②外之,所墆③齐地者五分之一,非谷之所生也。然则吾非托食之主耶?"桓公遽然④起曰:"然则为之奈何?"管子对曰:"动之以言,溃⑤之以辞,可以为国基。且君币籍而务,则贾人独操国趣⑥;君谷籍而务,则农人独操国固⑦。君动言操辞,左右之流,君独因之。""物之始,吾已见之矣;物之终,吾已见之矣;物之贾,吾已见之矣。"管子曰:"长城之阳,鲁也;长城之阴,齐也。三败杀君二重臣定社稷者,吾此皆以孤突之地⑧封者也。故山地者山也,水地者泽也,薪刍⑨之所生者斥也。"公曰:"托食之主及吾地,亦有道乎?"管子对曰:"守其三原⑩。"公曰:"何谓三原?"管子对曰:"君守布则籍于麻,十倍其贾,布五十倍其贾,此数也。君以织籍,籍于系⑪,未为系籍系,抚织,再十倍其贾。如此,则云⑫五谷之籍,是故籍于布则抚之系,籍于谷则抚之山,籍于六畜则抚之术⑬。籍于物之终始而善御以言。"公曰:"善。"管子曰:"以国 籍臣右守布万两而右麻籍四十倍其贾术⑭。布五十倍其贾,公以重布决诸侯贾,如此而有二十齐之故。是故轻轶于贾谷制畜者,则物轶于四时之辅⑮。善为国者,守其国之财,汤⑯之以高下,注之以徐疾,一可以为百。未尝籍求于民,而使用若河海,终则有始,此谓守物而御天下也。"公曰:"然则无可以为有乎?贫可以为富乎?"管子对曰:"物之生未有刑⑰,而王霸立其功焉。是故以人求人,则人重矣;以数求物,则物重矣。"公曰:"若此言何谓也?"管子对曰:"举国而一则无赀⑱,举国而十则有百。然则吾将以徐疾御之,若左之授右,若右之授左,是以外内不蜷⑲,终身无咎。王霸之不求于人,而求之终始、四时之高下、令之徐疾而已矣。源泉有竭,鬼神有歇，守物之终始，身不竭。此谓源究⑳。"

[注释]

①洔：洪颐煊云："此'洔'字本'海庄'二字讹并作一字。"②朝夕：通"潮汐"。③埭：同"滞"，淹滞。④遽然：骤然，突然。⑤溃：应为"操"字，下文"动言操辞"可证。⑥趣：通"趋"，趋向。国趣，指国家所趋向的，即货币。⑦国固：国家所固有的，即粮食。⑧孤突之地：马非百云："所谓孤突之地者乃孤立突出之地。……此谓齐鲁毗连，不时发生战事，鲁人虽三败于齐，但齐亦折兵损将，结果割地以和。"⑨薪刍：薪柴和牧草。⑩原：通"源"，源头。⑪系：应为"糸"字之误，指细丝。⑫云：李绩云："'云'疑当作'去'。"⑬术：通"遂"，郊外之地。⑭术：宋本作"衍"，可知此段文字为后人衍出，故不译。⑮"是故"句：郭沫若云："'轻'下脱'重'字。'则物'当为'财物'。'轻重'与'财物'对文。'轶'与'佚'通，失也。贾谷制畜之道失其权衡，则财物之生聚失其时会。"⑯汤：通"荡"，刺激。⑰刑：通"形"。⑱赟：通"资"，资财。⑲蜷：弯曲。⑳源究：探究事物的本源。

[译文]

管仲问桓公说："请问齐国的土地有多少里?"桓公说："方圆五百里。"管仲说："阴雍、长城之地，占去齐国土地的三分之一，不是生产粮食的地方。海庄、龙夏一带，占去齐国土地的四分之一，不是生产粮食的地方。海潮环绕、海水淹滞的土地，又占去了齐国土地的五分之一，也不是生产粮食的地方。那么，难道我们不是寄食他国的国家吗?"桓公突然站了起来说："那该怎么办呢?"管仲回答说："运用国家的号令，也可以作为国家的基础。国君如果专务征收货币，那么富商就可能操纵货币；如果专务征收粮食，农民也可能操纵粮食。但国君可以依靠国家的号令，使四方的商品流通都掌握在君主手中。""物资的生产我已了解了，物资的消费我已了解了，物资的价格我也已经了解了。"管仲说："长城以南是鲁国，长城以北是齐国。两国间战事不断，齐国还将一些孤立突出的土地割让给鲁国，所以山地还是山，水地还是水，长满柴草的土地还是劣等地。"桓公说："解决寄食他国和土地被削的问题，有什么办法吗？"管仲回答说："要控制三个源头。"桓公说："什么是三个源头？"管仲回答说："国君要控制布就要先在原料麻上征税，麻价上涨十倍，布价就可能上涨五十倍，这是必然的。要控制丝织品，就要先在细丝上征税，甚至在细丝未成之前就要征税，然后再向丝织品征税，就可以得到二十倍的收益。这样，就不必征收粮食税了。因此，对布征税就要先对原料麻丝征税，对粮食征税就要对山地征税，对家畜征税就要对养殖六畜的郊野征税。要在物资的源头上征税，同时善于运用号令加以控制就可以了。"桓公说："好。"管子说："如果布价上涨五十倍，国君把高价的布出口，扣除同外国交换货物的价值，还比从前齐国的收入增加了二十倍。所以对物价的控制，如果丧失了轻重之术，物资的生产就会丧失时机。善于治国的人，控制国家的财物，用物价的高低来刺激，用号令的缓急来调节，就可以做到一变为百。不向人民征税，而财用就像江海水流，终而复始，供应不绝。这就叫做控制物资来驾驭天下。"桓公说："那么，无可以变为有吗？穷可以变为富吗？"管仲回答说："物资产生之初尚未成形，成就王霸之业的君主就应该有所作为了。所以，派人向人征税，人就显得重要了；用轻重之术向物资征税，物资就显得重要了。"桓公说："这话是什么意思？"管子回答说："全国的物价如果一致，那么就无利可图；全国的物价如果相差十倍，就会有百倍的赢利。这样，我们要运用号令的缓急加以控制，如左手转到右手，右手转到左手，使外内不会受到牵制，终身没有差错。成就王霸之业的君主，不直接向人索取，而是向物资生产的源头索取，同时利用四时物价的高低和号令的缓急加以控制就可以了。泉源有枯竭的时候，鬼神有停歇的时候，只要控制物资的源头，终身取之不尽，用之不竭。这就叫做探究事物的本源。"

轻重戊

桓公问于管子曰:"轻重安施?"管子对曰:"自理国虙戏①以来,未有不以轻重而能成其王者也。"公曰:"何谓?"管子对曰:"虙戏作,造六峜②以迎阴阳,作九九之数以合天道,而天下化之。神农作,树五谷淇山之阳,九州之民乃知谷食,而天下化之。黄帝作,钻鐩生火,以熟荤臊,民食之无兹胃之病③,而天下化之。黄帝之王,童山④竭泽。有虞之王,烧曾薮,斩群害,以为民利,封土为社,置木为闾,民始知礼也。当是其时,民无愠⑤恶不服,而天下化之。夏人之王,外凿二十虻⑥,韱⑦十七湛,疏三江,凿五湖,道⑧四泾之水,以商九州之高,以治九薮,民乃知城郭、门闾、室屋之筑,而天下化之。殷人之王,立皂牢⑨,服牛马,以为民利,而天下化之。周人之王,循六峜,合阴阳,而天下化之。"公曰:"然则当世之王者何行而可?"管子对曰:"并用而毋俱尽也。"公曰:"何谓?"管子对曰:"帝王之道备矣,不可加也,公其行义而已矣。"公曰:"其行义奈何?"管子对曰:"天子幼弱,诸侯亢强⑩,聘享不上,公其弱强继绝,率诸侯以起周室之祀。"公曰:"善。"

[注释]

①虙戏:即伏羲。②峜:"法"的讹字。闻一多云:"八卦古有六法之

称。"③兹膊之病：马非百云："兹膊之病，乃指食物中毒而言。"④童山：砍伐林木，使山光秃。⑤愠：怨恨。⑥宜：张佩纶云："'宜'当为'宄'。"⑦蹀：通"渫"，疏浚。⑧道：通"导"，疏导。⑨皂牢：也作"皁牢"，饲养牛马的圈栏。⑩亢强：强盛。

[译文]

桓公问管仲说："怎样施行轻重之术呢？"管仲回答说："自从伏羲氏治国以来，没有不运用轻重之术而成就王业的君主。"桓公说："这话什么意思？"管仲回答说："伏羲氏兴起，创造八卦来迎合阴阳，发明九九算法来证明天道，从而使天下归化。神农氏兴起，在淇山的南面种植五谷，九州的百姓才知道食用粮食，从而使天下归化。燧人氏兴起，钻木取火，烧熟肉食，人民吃了不会中毒，从而使天下归化。黄帝统治天下，伐光山林，抽干水泽。虞舜统治天下，火烧大薮，斩杀群害，为民兴利，建立土神社庙，建造里巷门闾，人民才开始知道礼仪。在这个时期，人们没有怨恨、厌恶和不服从统治，从而使天下归化。夏禹统治天下，开凿二十条河流，疏浚十七条河道，疏通三江，开凿五湖，疏导四泾之水，测度九州的高地，以此来治理九条大泽，人民才知道城郭、里巷、房屋的建筑，从而使天下归化。殷商统治天下，修建栅圈，驯服牛马，为民兴利，从而使天下归化。周朝统治天下，遵循八卦，迎合阴阳，从而使天下归化。"桓公说："那么，当今的国君怎样做才可以呢？"管仲回答说："都要运用，但又不能运用竭尽。"桓公说："这话什么意思？"管仲回答说："帝王治国之道已经具备，不用再增加了，您只要推行道义就可以了。"桓公说："怎样来推行道义呢？"管仲回答说："现在天子年幼力弱，而诸侯过于强盛，根本不向天子聘问进贡。您应该削弱强大的诸侯，延续被灭绝的小国，率领天下的诸侯来振兴周王室。"桓公说："好。"

桓公曰:"鲁梁之于齐也,千谷①也,蜂螫也,齿之有唇也。今吾欲下鲁梁,何行而可?"管子对曰:"鲁梁之民俗为绨②,公服绨,令左右服之,民从而服之。公因令齐勿敢为,必仰③于鲁梁,则是鲁梁释其农事而作绨矣。"桓公曰:"诺。"即为服于泰山之阳,十日而服之。管子告鲁梁之贾人曰:"子为我致绨千匹,赐子金三百斤,什至而金三千斤,则是鲁梁不赋于民,财用足也。"鲁梁之君闻之,则教其民为绨。十三月,而管子令人之鲁梁。鲁梁郭中之民道路扬尘,十步不相见,继绤而踵相随④,车毂齰⑤,骑连伍而行。管子曰:"鲁梁可下矣。"公曰:"奈何?"管子对曰:"公宜服帛,率民去绨。闭关,毋与鲁梁通使。"公曰:"诺。"后十月,管子令人之鲁梁,鲁梁之民饿馁相及,应声之正⑥,无以给上。鲁梁之君,即令其民去绨修农,谷不可以三月而得。鲁梁之人籴十百,齐粜十钱。二十四月,鲁梁之民归齐者十分之六。三年,鲁梁之君请服。

[注释]

①千:通"阡",道路。阡谷,即路边的庄稼。②绨:古代一种粗厚光滑的丝织品。③仰:仰仗,依靠。④"继绤"句:马非百云:"盖谓鲁梁郭中道路拥挤,行人但能缓步而前,足不举踵也。"⑤齰:牙齿咬物时上下交切的样子。这里指车毂相咬。⑥正:通"征"。

[译文]

桓公说:"鲁梁和齐国的关系,就像路边的庄稼,蜂身的尾螫,牙齿嘴唇的关系一样。现在我想要攻占鲁梁,怎样做才可以呢?"管仲回答说:"鲁梁的百姓以织绨为生。国君穿绨做的衣服,并且命令左右百官也要穿绨做的衣服,百姓也会跟着穿了。然后您再下令齐国不准织绨,只能依靠鲁梁的供应。这样,鲁梁就会放弃农业而去织绨了。"桓公说:"好。"于是就在泰山的南面缝制绨服,十天后就穿上了。管仲对鲁梁的商人说:"你们给我贩来绨一千匹,赏赐给你们三百斤黄金；如果贩来一万匹，就赏赐给你们三千斤黄金。这样，鲁梁即使不向百姓征税，财用也充足了。"鲁梁国君听说了这个消息，于是要求他的百姓织绨。十三个月后，管仲派人到鲁梁打探消息。发现鲁梁城市里百姓拥挤，路上尘土飞扬，十步之内都互相看不清楚，走路的人挨着人，坐车的车轮相咬，骑马的列伍成行。管仲说："鲁梁可以拿下了。"桓公说："该怎么办？"管仲回答说："国君应当改穿帛料的衣服，带领百姓不再穿棉绨的衣服。并且封闭关卡，不要和鲁梁有往来通使。"桓公说："好。"十个月后，管仲又派人到鲁梁打探消息，发现鲁梁的百姓陷于饥饿之中，连正常的赋税都缴纳不起。鲁梁国君于是命令百姓放弃织绨而从事农业生产，但粮食不能在三个月内就生产出来。鲁梁的百姓买粮要花一千钱，而齐国仅用十钱。两年后，有十分之六的鲁梁百姓归附齐国。三年后，鲁梁的国君也请求归顺齐国了。

桓公问管子曰："民饥而无食，寒而无衣，应声之正，无以给上，室屋漏而不居，墙垣坏而不筑，为之奈何？"管子对曰："沐①涂树之枝也。"桓公曰："诺。"令谓左右伯②沐涂树之枝。左右伯受沐，涂树之枝阔③。其④年，民被白⑤布，清中而浊，应声之正，有以给上，室屋漏者得居，墙垣坏者得筑。公召管子问曰："此何故也？"管子对曰："齐者，夷莱之国也。一树而百乘息其下者，以其不捎⑥也。众鸟居其上，丁壮者胡⑦丸操弹居其下，终日不归。父老树⑧枝而论，终日不归。归市亦惰倪⑨，终日不归。今吾沐涂树之枝，日中无尺寸之阴，出入者长⑩时，行者疾走，父老归而治生，丁壮者归而薄业⑪。彼臣归其三不归，此以乡⑫不资也。"

[注释]

①沐：芟除。②左右伯：古代统领一方的长官。《礼记·王制》："分天

下以为左右,曰二伯。"③阔:粗疏,不细密。④其:通"期",一周年。⑤白:通"帛"。⑥捎:芟除。⑦胡:应为"怀"字之误。⑧柎:通"拊",倚扶。⑨惰倪:疲乏。⑩长:通"尚",注重。⑪薄业:勤勉劳作。⑫乡:通"向",先前。

[译文]

桓公问管仲说:"人民饥饿没有饭吃,寒冷没有衣穿,正常的赋税无力缴纳,房屋漏雨无力修补,墙垣破损也无力修建,怎么办呢?"管仲回答说:"芟除路旁树上的树枝。"桓公说:"好。"于是桓公命令左右伯芟除路旁的树枝。左右伯芟除树枝后,路旁树上的树枝很粗疏。过了一年,百姓穿上了帛制的衣服,吃到了粮食,可以缴纳正常的赋税,房屋漏雨了能够修补,墙垣破损了能够修建。桓公召见管仲询问说:"这是什么原因呢?"管仲回答说:"齐国属于东夷莱族的国家。百乘的车在一棵大树下休息,就是因为树枝没有芟除可以乘凉。许多鸟聚集在树上,青壮年拿着弹弓在树下打鸟,终日不归。父老扶着树枝高谈阔论,也终日不归。赶集回来的人也很疲乏,在树下乘凉,终日不归。现在我芟除路旁树上的枝叶,中午没有尺寸的树荫,那么来往的人就会注重时间,过路的人也会抓紧赶路,父老回家干活,青壮年也回家勤勉劳作了。我之所以要使三种不回家的人都回家去,是因为百姓先前衣食不足的缘故。"

桓公问于管子曰:"莱、莒与柴田相并,为之奈何?"管子对曰:"莱、莒之山生柴,君其率白徒之卒①铸庄山之金以为币,重莱之柴贾。"莱君闻之,告左右曰:"金币者,人之所重也。柴者,吾国之奇出也。以吾国之奇出,尽齐之重宝,则齐可并也。"莱即释其耕农而治柴,管子即令隰朋反②农。二年,桓公止柴,莱、莒之籴三百七十,齐粜十钱,莱、莒之民降齐者十分之七。二十八月,莱、莒之君请服。

[注释]

①白徒之卒:未经训练的兵卒。②反:同"返"。

[译文]

桓公问管仲说:"莱、莒两国砍柴与耕种同时发展,应该怎么办呢?"管仲回答说:"莱、莒两国的山上盛产薪柴,您可以率领未经训练的兵卒把庄山的铜铸造成钱币,以此来提高莱国薪柴的价格。"莱国国君听说了这件事,对左右近臣说:"钱币,是人所重视的。薪柴是我国的特产。用我国的特产去换尽齐国的钱币,齐国就可以被吞并了。"莱国于是放弃农业而专门从事砍柴,管仲则命令隰朋重新开展农业生产。两年后,桓公停止从莱国购买薪柴。莱、莒的粮价高达每石三百七十钱,而齐国每石仅有十钱,莱、莒两国十分之七的百姓都归附齐国了。二十八个月后,莱、莒两国的国君也请求归顺齐国了。

桓公问于管子曰:"楚者,山东之强国也,其人民习战斗之道。举兵伐之,恐力不能过。兵弊于楚,功不成于周,为之奈何?"管子对曰:"即以战斗之道与①之矣。"公曰:"何谓也?"管子对曰:"公贵买其鹿。"桓公即为百里之城②,使人之楚买生鹿。楚生鹿当一而八万,管子即令桓公与民通轻重,藏谷什之六。令左司马伯公将白徒而铸钱于庄山,令中大夫王邑载钱二千万,求生鹿于楚。楚王闻之,告其相曰:"彼金钱,人之所重也,国之所以存,明王之所以赏有功也。禽兽者,群害也,明王之所弃逐也。今齐以其重宝贵买吾群害,则是楚之福也,天且以齐私楚也。子告吾民,急求生鹿,以尽齐之宝。"楚民即释其耕农而田③鹿。管子告楚之贾人曰:"子为我致生鹿二十,赐子金百斤,什至而金千斤也,则是楚不赋于民,而财用足也。"楚之男子居外，女子居涂。隰朋教民藏粟五倍，楚以生鹿藏钱五倍。
管子曰："楚可下矣。"公曰："奈何？"管子对曰："楚钱五倍，
其君且自得而修谷。钱五倍，是楚强也。"桓公曰："诺。"因令
人闭关，不与楚通使。楚王果自得而修谷，谷不可三月而得也，
楚籴四百。齐因令人载粟处芊之南，楚人降齐者十分之四。三年
而楚服。

[注释]

① 与：对付。② 城：马非百云："所谓城者当是指筑有围墙之区域而言，不必作城郭之域讲。"这里指苑囿。③ 田：猎取。

[译文]

桓公问管仲说："楚国，是山东的强国，他们的百姓熟习战斗的本领。如果出兵攻打，恐怕实力不能胜过它。兵败于楚国，不能为周天子立功，该怎么办呢？"管仲回答说："就用战斗的方法来对付它。"桓公说："这怎么讲？"管仲回答说："您用高价收购楚国的生鹿。"桓公于是修建了百里的鹿苑，派人到楚国购买生鹿。楚国生鹿的价格是一头八万钱。管仲首先让桓公通过轻重之术使人民贮藏了国内粮食的十分之六。接着派左司马伯公率领民夫在庄山铸造钱币，然后派中大夫王邑带着二千万钱，到楚国收购生鹿。楚王听说这个消息后，对丞相说："钱币，是人都重视的，是国家生存所依靠的，是明主赏赐功臣所使用的。禽兽，是一群害物，是明王所逐弃的。现在齐国用钱币高价购买我们的害兽，这是楚国的福分啊，是上天要把齐国赠送给楚国了。你马上通告百姓要尽快猎取生鹿，来换尽齐国的钱币。"楚国的百姓于是便放弃了农业，专门从事猎鹿。管仲对楚国的商人说："你们给我贩来生鹿二十头，就赏赐黄金百斤，贩来二百头，就赏赐黄金千斤。这样楚国不必向百姓征税，财用也充足了。"楚国的男人为了猎鹿住在野外，妇女为了猎鹿住在路上。而隰朋却让齐国的百姓藏粮增加五倍，楚国凭借出

售生鹿存钱增加了五倍。管仲说："楚国可以拿下了。"桓公说："怎么办？"管仲回答说："楚国存钱增加了五倍，楚王一定自鸣得意地经营农业。因为钱币增加了五倍，这是显示了楚国的强盛。"桓公说："好。"于是派人封闭关卡，不和楚国往来通使。楚王果然自鸣得意地开始经营农业，但粮食不可能三个月内就生产出来，所以楚国的粮价上涨，每石高达四百钱。齐国于是派人把粮食运到芊地的南面出售，楚人归附齐国的有十分之四。三年后，楚国也请求归顺了。

桓公问于管子曰："代国之出①，何有？"管子对曰："代之出，狐白之皮②，公其贵买之。"管子曰："狐白应阴阳之变，六月而一见。公贵买之，代人忘其难得，喜其贵买，必相率而求之。则是齐金钱不必出，代民必去其本而居山林之中。离枝闻之，必侵其北。离枝侵其北，代必归于齐。公因令齐载金钱而往。"桓公曰："诺。"即令中大夫王师北将人徒载金钱之代谷之上，求狐白之皮。代王闻之，即告其相曰："代之所以弱于离枝者，以无金钱也。今齐乃以金钱求狐白之皮，是代之福也。子急令民求狐白之皮以致齐之币，寡人将以来离枝之民。"代人果去其本，处山林之中，求狐白之皮，二十四月而不得一。离枝闻之，则侵其北。代王闻之，大恐，则将其士卒葆③于代谷之上。离枝遂侵其北，王即将其士卒愿以下齐。齐未亡一钱币，修使三年而代服。

[注释]

①出：出产，特产。②狐白之皮：马非百云："谓集狐腋之白毛而成之皮，所以为制裘之用也。其特极贵，故古人多重之。"③葆：通"保"，守卫。

[译文]

桓公问管仲说："代国有什么特产？"管仲回答说："代国的特

产是狐白之皮，您可用高价收购它。"管仲说："狐白适应阴阳的变化，六个月才会出现一次。您用高价收购它，代国人就会忘记它难以获得，喜欢它的高价，一定会纷纷去猎取。这样，齐国不用出钱，代国的百姓就会为了猎狐放弃农业生产而住在山林之中。离枝国听到这个消息，一定会侵入代国的北部。离枝侵入代国的北部，代国一定会归顺齐国。您可派人载着货币去收购。"桓公说："好。"于是命令中大夫王师北率领人徒载着货币到代谷地区，收购狐白之皮。代王听说了这个消息后，马上对他的宰相说："代国之所以比离枝国弱，就是因为没有钱。现在齐国用货币收购狐白之皮，这是代国的福气。您赶快命令百姓求取狐白之皮，来换取齐国的钱币，我将用它来招引离枝国的百姓。"代国人果然放弃了农业，住在山林之中，求取狐白之皮，但两年过去了也没有得到一张。离枝国听到这个消息，就侵入代国的北部。代王听说后，非常恐慌，于是率领士卒保卫代谷地区。离枝终于占领了代国北部的领土，代王只好率领士卒自愿归顺齐国。齐国没有损失一个钱币，只是派使臣交往了三年，代国就归顺了。

桓公问于管子曰："吾欲制衡山之术，为之奈何？"管子对曰："公其令人贵买衡山之械器而卖之，燕、代必从公而买之，秦、赵闻之，必与公争之。衡山之械器必倍其贾，天下争之，衡山械器必什倍以上。"公曰："诺。"因令人之衡山求买械器，不敢辩①其贵贾。齐修械器于衡山十月，燕、代闻之，果令人之衡山求买械器。燕、代修三月，秦国闻之，果令人之衡山求买械器。衡山之君告其相曰："天下争吾械器，令其买再什以上。"衡山之民释其本，而修械器之巧。齐即令隰朋漕②粟于赵，赵籴十五，隰朋取之石五十。天下闻之，载粟而之齐。齐修械器十七月，修粜五月，即闭关，不与衡山通使。燕、代、秦、赵即引其使而归。衡山械器尽,鲁削衡山之南,齐削衡山之北。内自量无械器以应二敌,即奉国而归齐矣。

[注释]

①辩:通"贬"。②漕:通过水道运送粮食。

[译文]

桓公问管仲说:"我想要有个控制衡山国的办法,怎么做呢?"管仲回答说:"您可以派人高价收购衡山国的兵器然后倒卖。这样,燕国、代国一定跟着您去购买,秦国、赵国听说后,一定会和您争着购买。如此,衡山的兵器一定会上涨一倍。如果出现天下争购的局面,衡山的兵器一定会上涨十倍。"桓公说:"好。"于是派人到衡山国收购兵器,不论价格多高也不讨价还价。齐国在衡山收购兵器十个月后,燕国、代国听说了,果然也派人到衡山国收购兵器。燕国、代国收购兵器三个月后,秦国听说了,果然也派人到衡山国收购兵器。衡山的国君告诉宰相说:"天下各国都在争购我国的兵器,可使兵器的价格提高二十倍以上。"衡山国的百姓于是都放弃了农业,专门追求制造兵器的工艺。齐国派隰朋到赵国通过水道购买粮食,赵国的粮价十五钱一石,隰朋按五十钱一石收购。天下各国听说了,都把粮食运到齐国来卖。齐国用了十七个月的时间收购兵器,用了五个月的时间收购粮食,于是封闭关卡,不和衡山国往来。燕、代、秦、赵四国也从衡山召回了使者。衡山国的兵器卖光了,鲁国侵占了衡山的南部,齐国侵占了衡山的北部。衡山国的国君自己估量没有兵器应付两大敌国,于是便举国而归顺齐国了。

轻重己

清①神生心，心生规，规生矩，矩生方，方生正，正生历，历生四时，四时生万物。圣人因②而理之，道遍③矣。

[注释]

①清：通"精"。②因：顺应。③遍：完备。

[译文]

精神产生心，心产生圆规，圆规产生矩尺，矩尺产生方形，方形产生平正，平正产生历法，历法产生四时，四时产生万物。圣人顺应而加以调理，治世之道也就完备了。

以冬日至①始，数四十六日，冬尽而春始。天子东出其国四十六里而坛，服青而绛②青，搢玉总③，带玉监④，朝诸侯卿大夫列士，循⑤于百姓，号曰祭日，牺牲以鱼。发出令曰："生而勿杀，赏而勿罚，罪狱勿断，以待期年。"教民樵室⑥钻燧，墐灶⑦泄井，所以寿民也。耜、耒、耨、怀、铚、铪、乂、檀、权渠、绳，所以御春夏之事也，必具。教民为酒食，所以为孝敬也。民生而无父母谓之孤子，无妻无子谓之老鳏，无夫无子谓之老寡。此三人者，皆就官而众，可事者不可事者，食如言而勿遗。多者为功，寡者为罪，是以路无行乞者也。路有行乞者，则相之罪也。天子之春令也。

[注释]

①冬日至：即冬至。②统：通"冕"，礼冠。③播：插。总：当为"笏"字之误。笏，古代上朝拿着的手板，用玉、象牙或竹片制成。④监：同"鉴"，镜。⑤循：通"巡"，巡视。⑥樵室：指烧柴以便温室取暖。⑦墐灶：修砌炉灶。

[译文]

从冬至开始，数四十六天，冬天结束，春天开始。这时天子要向东离国都四十六里建立祭坛，穿着青衣，戴着青冕，插着玉笏，带着玉鉴，朝会诸侯卿大夫列士，并巡视百姓，这称为祭日，用鱼作祭品。并命令说："春季应重视生而不杀伐，重视赏而不惩罚，罪狱不必判决，等待冬季再定。"春季应该教百姓烧柴以便温室取暖，钻木取火，修砌炉灶，掏井换水，以使人民健康。耟、耒、耨、怀、铚、铪、义、檀、权渠、绠缚等，都是从事春耕夏耘的农具，一定要具备。还要教百姓置办酒食，以此来孝敬尊长。百姓生下来就没有父母的称为孤子，没有妻子和孩子的人称为老鳏，没有丈夫和孩子的人称为老寡。这三种人，都要依靠官府生活。无论他们能否做事，都要按照其自报的条件进行供养而不可遗弃。官府收养多的有功，少的有罪，这样，路上就不会有乞食的人了。如果路上有乞食的人，这就是宰相的过错了。这是天子春天的政令。

以冬日至始，数九十二日，谓之春至①。天子东出其国九十二里而坛，朝诸侯卿大夫列士，循于百姓，号曰祭星。十日之内，室无处女，路无行人。苟不树艺者，谓之贼人。下作之地，上作之天，谓之不服之民。处里为下陈②，处师为下通，谓之役夫。三不树而主使之。天子之春令也。

[注释]

①春至：即春分。②下陈：下列，下位。

[译文]

从冬至开始,数九十二天,叫春分。这时天子要向东离国都九十二里建立祭坛,朝会诸侯卿大夫列士,巡视百姓,称为祭星。春分前后十日之内,家里不留女子,路上不见行人。如果有不从事耕作的人,称为贼人。耕作不勤勉,只靠天时、地利的人,称为不服之民。在里、师里从事卑微劳役而不从事耕种的人,称为役夫。这三种不从事耕作的人,官府要使他们归农。这是天子春天的政令。

以春日至始,数四十六日,春尽而夏始。天子服黄而静处,朝诸侯卿大夫列士,循于百姓,发号出令曰:"毋聚大众,毋行大火,毋断大木,诛大臣①,毋斩大山,毋戮大衍②。灭三大而国有害也。"天子之夏禁也。

[注释]

①诛大臣:衍文,当删。②戮:通"僇",羞辱。这里指焚烧。衍:沼泽。

[译文]

从春分开始,数四十六天,春天结束,夏天开始。天子应穿着黄衣而静居,朝会诸侯卿大夫列士,巡视百姓,并发出号令说:"不可聚合众人,不可引发大火,不可砍伐大木,不要开伐大山,不要焚烧大泽。破坏大木、大山和大泽,对于国家是有害的。"这是天子夏天的禁令。

以春日至始,数九十二日,谓之夏至,而麦熟。天子祀于太宗,其盛①以麦。麦者,谷之始也;宗者,族之始也。同族者入,殊族者处②,皆齐③,大材出祭王母。天子之所以主始而忌讳也。

[注释]

①盛:马非百云:"黍稷在器中曰盛,所以供祭祀者也。"②处:止。

③齐：同"斋"。

[译文]

从春分开始，数九十二天，称为夏至，新麦成熟了。这时天子要祭祀太宗，用新麦作为祭品。麦，是粮食中成熟最早的；宗，是家族中最原始的。只有同族的人可以入场祭祀，异族的人止步，但都要斋戒，用大牲祭祀祖母。这是天子用来表示不忘血缘之始和祖先恩德的仪式。

以夏日至始，数四十六日，夏尽而秋始，而黍熟。天子祀于太祖，其盛以黍。黍者，谷之美者也；祖者，国之重者也。大功者太祖，小功者小祖，无功者无祖。无功者皆称其位而立沃，有功者观于外①。祖者，所以功祭也，非所以戚祭也。天子之所以异贵贱而赏有功也。

[注释]

①"无功"句：张佩纶云："'有'、'无'二字当互易。沃，饫通。"立饫，指站立行宴食礼。

[译文]

从夏至开始，数四十六天，夏天结束，秋天开始，新黍成熟了。这时天子要祭祀太祖，用新黍作为祭品。黍，是粮食中最美味的；祖，是国家中最重要的。立大功的人可以进入太祖庙，立小功的人可以进入太祖以下庙，没有功劳的人不能进庙。有功的人按照职位站立行宴食礼，没有功的人只能在庙外观礼。祭祖，是凭借功劳入祭的，而不是凭借亲戚入祭。这是天子用来区别贵贱、论功行赏而举行的仪式。

以夏日至始，数九十二日，谓之秋至，秋至而禾熟。天子祀于太惢，西出其国百三十八里而坛，服白而绚白，搢玉总，带锡监,吹埙箎①之风,凿动金石之音,朝诸侯卿大夫列士,循于百姓,号曰祭月,牺牲以彘。发号出令曰:"罚而勿赏,夺而勿予,罪狱诛而勿生。终岁之罪,毋有所赦。作衍牛马之实在野者王②。"天子之秋计也。

[注释]

①埙:古代用陶土烧制的一种吹奏乐器。箎:古代用竹管制成的一种乐器。②作衍:金廷桂云:"作,始也。衍,布也。谓始将牛马之实于野者而散布之。"王:郭沫若云:"王读去声,今人以旺字为之。"

[译文]

从夏至开始,数九十二天,称为秋分,新粟成熟了。这时天子要祭祀太惢,向西离国都一百三十八里建立祭坛,穿着白衣,戴着白冕,插玉笏,带锡鉴,吹奏埙箎的乐曲,打奏钟磬的音律,朝会诸侯卿大夫列士,巡视百姓,称为祭月,用猪作为祭品。并发出号令说:"这个时节重视罚而不行赏,重视取而不赐予,判处死罪的要处死,终年的罪犯也不能宽赦。这时开始把牛马散布在草原之中放牧的,一定会兴旺。"这是天子秋天的大计。

以秋日至始,数四十六日,秋尽而冬始。天子服黑绖黑而静处,朝诸侯卿大夫列士,循于百姓,发号出令曰:"毋行大火,毋斩大山,毋塞大水,毋犯天之隆①。"天子之冬禁也。

[注释]

①隆:尊严。马非百云:"古人称冬为'严冬',又曰'隆冬',严、隆皆尊严不可侵犯之意。"

[译文]

从秋分开始,数四十六天,秋天结束,冬天开始。天子穿黑衣戴黑冕而居处宜静,朝会诸侯卿大夫列士,巡视百姓,发出号令说:"不要引发大火,不要开伐大山,不要堵塞大水,不可侵犯天的尊严。"这是天子冬天的禁令。

以秋日至始,数九十二日,天子北出九十二里而坛,服黑而绕黑,朝诸侯卿大夫列士,号曰:"发繇①。趣②山人断伐,具械器;趣菹人薪蕉苇,足蓄积。"三月之后,皆以其所有易其所无,谓之大通三月之蓄。凡在趣耕而不耕,民以不令③,不耕之害也。宜芸而不芸,百草皆存,民以仅存,不芸之害也。宜获而不获,风雨将作,五谷以削,士民零落,不获之害也。宜藏而不藏,雾气阳阳,宜死者生,宜蛰者鸣,不藏之害也。张耜当弩,铫耨当剑戟,获渠当胁䩞④,蓑笠当挟櫓⑤,故耕械具则战械备矣。

[注释]

①繇:同"徭"。②趣:通"促",督促。③令:美好,善。④胁䩞:马非百云:"胁䩞,即铠甲之以皮革制成者。"⑤挟櫓:大盾牌。

[译文]

从秋分开始,数九十二天,天子向北离国都九十二里建立祭坛,穿黑衣,戴黑冕,朝会诸侯卿大夫列士,发出号令曰:"这时应征发徭役。督促山里百姓砍伐木材,准备械器;督促菹泽之地的居民砍伐蕉苇,储备充足。"三个月后,让他们用其所有去交换其所没有的东西,这称为大力流通三个月的贮备物资。凡有督促耕种而不进行耕种的,百姓的生活状况不好,这就是不耕种的危害。应该除草而不除草的,杂草丛生,百姓只能勉强维持生存,这就是不除草的危害。应该收获而不收获的,风雨一来,粮食减产,百姓饥饿将死,这就是不收获的危害。应该储存而不储存的,雾气阳阳,该冻死的反而复苏了,该蛰居的反而鸣叫了,这就是不储存的危害。让农民把耜当做弓弩,把锄当做剑戟,把蓑衣当做铠甲,把草笠当做盾牌。这样,耕种的农具齐备了,作战的兵器也就齐备了。

图书在版编目(CIP)数据

管子/姚晓娟,汪银峰注译. —郑州:中州古籍
出版社,2010.5 (2011.9 重印)
(国学经典)
ISBN 978-7-5348-3335-9

Ⅰ.①管… Ⅱ.①姚…②汪… Ⅲ.①管子②管子-
译文③管子-注释 Ⅳ.①B266.1

中国版本图书馆 CIP 数据核字(2010)第 059973 号

出版社:中州古籍出版社
　　　(地址:郑州市经五路 66 号　邮政编码:450002)
发行单位:新华书店
承印单位:河南大美印刷有限公司
开本:640mm×960mm　1/16　印张:24.75
字数:280 千字　　　　　　　印数:5001 - 9000 册
版次:2010 年 5 月第 1 版　　印次:2011 年 9 月第 2 次印刷

定价:30.00 元
本书如有印装质量问题,由承印厂负责调换。